GEIRIAU CYHOEDDUS

CASGLIAD O DDEUNYDD
AR GYFER ADDOLIAD CYHOEDDUS

CYDYMAITH I'R GYFROL
GWEDDÏAU CYHOEDDUS
A
MYFYRDODAU CYHOEDDUS

GAN
HUW JOHN HUGHES

CYHOEDDIADAU'R
GAIR

ⓑ Cyhoeddiadau'r Gair 2017
Testun gwreiddiol: Huw John Hughes
Golygydd Iaith: Mair Jones Parry
Golygydd Cyffredinol: Aled Davies
Clawr: Rhys Llwyd

Argraffwyd ym Mhrydain.

Diolch i Gymdeithas y Beibl am bob cydweithrediad
wrth ddyfynnu o'r Beibl Cymraeg Newydd.
Diolch hefyd i'r awduron am bob cydweithrediad wrth ganiatáu i ni gynnwys
eitemau o'u gwaith.

**Cyhoeddwyd gan
Cyhoeddiadau'r Gair, Cyngor Ysgolion Sul Cymru,
Ael y Bryn, Chwilog, Pwllheli, Gwynedd LL53 6SH.
www.ysgolsul.com**

CYNNWYS

Rhagair 5

Dechrau Blwyddyn 6

Gŵyl Ddewi 13

Y Gwanwyn 20

Y Grawys 26

Sul y Blodau 33

Y Groglith 39

Y Pasg 46

Y Sulgwyn 52

Yr Haf 59

Diolchgarwch 65

Yr Hydref 72

Y Gaeaf 78

Yr Adfent 84

Y Nadolig 92

Diwedd Blwyddyn 99

Sul Addysg 105

Sul y Beibl 111

Sul y Gwahanglwyf 117

Sul Cymorth Cristnogol 124

Sul yr Urdd 131

Sul Un Byd 137

Sul y Genhadaeth 143

Sul y Cofio 149

Sul y Mamau/Tadau 156

Sul Heddwch ... 163
Cynhaliaeth ... 169
Unigrwydd ... 175
Cariad ... 181
Henaint ... 187
Plant ac Ieuenctid ... 193
Y Teulu ... 199
Amynedd ... 206
Bendithion ... 212
Y Greadigaeth ... 218
Gwirionedd ... 224
Addoli ... 230
Y Rhai sy'n Gofalu ... 236
Sancteiddrwydd ... 242
Gair Duw ... 247
Ein Byd ... 253
Gras ... 259
Trugaredd ... 265
Maddeuant ... 271
Ein Gwlad ... 277
Yr Ysgol Sul ... 283
Yr Eglwys ... 289
Y Digartref ... 295
Rhyddid ... 301
Iechyd ... 307
Y Synhwyrau ... 313
Undod ... 319
Doniau ... 325

Rhagair

Gair byr cyn mynd ati i ddefnyddio'r gyfrol...

Mae *Gweddïau Cyhoeddus* (2005) a *Myfyrdodau Cyhoeddus* (2014) eisoes wedi'u cyhoeddi gan Gyhoeddiadau'r Gair a bellach dyma'r drydedd gyfrol *Geiriau Cyhoeddus*. Gwell mynd ati i geisio egluro beth yw pwrpas y gyfrol hon. Pan fyddwn yn mynd ati i lunio gwasanaeth byddwn yn chwilio am ddeunyddiau fydd yn cyd-fynd â thema benodol megis emynau, ambell adnod, gweddi neu rhyw ddywediad neu ddyfyniad addas ac uniongyrchol. Yn y gyfrol hon, yn dilyn y penawdau yn y ddwy gyfrol flaenorol, mae'r deunydd atodol hwn wedi ei gasglu o dan bedwar pennawd: emynau, gweddïau, adnodau ac adran dywediadau a thraddodiadau. Felly o roi'r tair cyfrol gyda'i gilydd mae gennych ddeunyddiau addas, gweddïau cynhwysfawr, myfyrdodau a chyfeiriadau atodol i lunio gwasanaeth cynhwysfawr a chyflawn. Felly, cyfrol yw hon i'w defnyddio gyda'r ddwy arall. Peidiwch â meddwl fod yn rhaid i chi ddefnyddio'r deunydd atodol hwn, efallai fod gennych chi enghreifftiau llawer gwell ar gyfer angen eich eglwys chi. Ond fe allwch ddefnyddio'r gyfrol hon a gwybod ei bod wrth gefn os bydd arnoch ei hangen. Dyma gymorth hawdd i'w gael mewn cyfyngder!

Mae yna ddewis ymhob adran o chwech o emynau a phump o weddïau byrion ar ddechrau oedfa, cyn y bregeth/myfyrdod, ac ar ddiwedd oedfa. Yna mae chwech o adnodau y gellir eu defnyddio fel munud i feddwl ynghanol oedfa. Wedyn ambell ddywediad neu ambell draddodiad y gallwn eu hystyried ac yna cerddi y gellir eu defnyddio. Y mae amryw o weddïau nad wyf bellach yn gallu olrhain eu tarddiad, ac eraill a gyfansoddais fy hunan dros y blynyddoedd. Gwnaed pob ymdrech i gydnabod y ffynonellau. Os wyf wedi tramgwyddo erfyniaf am faddeuant!

Dim ond gobeithio y bydd y lloffion hyn yn gymorth i chi yn eich paratoadau ac yn foddion i ddod i adnabod Duw yn Iesu Grist ac i ledaenu neges ei deyrnas ar y ddaear.

Huw John Hughes

Dechrau Blwyddyn

Edrychwn ymlaen i'r flwyddyn newydd. Beth sydd o'n blaenau? 12 mis, 52 o wythnosau, 365 o ddyddiau (366 mewn blwyddyn naid), 8760 o oriau, 525,600 o funudau a 31,536,000 o eiliadau. Rhodd Duw i ni.

EMYNAU

Dyheu mae'r emynydd am gael dechrau'r flwyddyn gyda Duw, dod dan ddylanwad yr Ysbryd Glân a'r ysbryd hwnnw yn ein hadfywio:

O am ddechrau blwyddyn newydd
   gyda Duw mewn mawl a chân;
doed yn helaeth, helaeth arnom
   ddylanwadau'r Ysbryd Glân:
bydded hon ymysg blynyddoedd
   deau law yr uchel Dduw;
doed yr anadl ar y dyffryn
   nes bod myrdd o'r meirw'n fyw.

Joseph Evans (Caneuon Ffydd: 90)

Mae dechrau'r flwyddyn yn gyfle i ddechrau o'r newydd a disgwyl am wanwyn Duw i roi bywyd newydd i ni:

I Dduw y dechreuadau
   rhown fawl am ddalen lân, ...
awn rhagom i'r anwybod
   a'n pwys ar ddwyfol fraich;
rho nerth am flwyddyn arall
   i bobun ddwyn ei faich. ...

a hithau'n ddyfnder gaeaf
   disgwyliwn wanwyn Crist ...

John Roderick Rees (Caneuon Ffydd: 87)

Edrych yn ôl ar daith y flwyddyn a aeth heibio mae Griffith Penar Griffiths ym mhennill cyntaf ei emyn:

Cawsom gerdded yn ddiogel
    drwy beryglon blwyddyn faith;
gwnaethost ti bob storm yn dawel
    oedd yn bygwth ar y daith.

Penar (Caneuon Ffydd: 91)

Mae'n bur debyg mai geiriau'r proffwyd Sechareia, 'A bydd yn un diwrnod – y mae'n wybyddus i'r Arglwydd – heb wahaniaeth rhwng dydd a nos; a bydd goleuni gyda'r hwyr' (Sechareia 14: 7) a symbylodd T. Gwynn Jones i ysgrifennu'r emyn hwn:

Pan fo'n blynyddoedd ni'n byrhau,
pan fo'r cysgodion draw'n dyfnhau,
tydi, yr unig un a ŵyr,
rho olau'r haul ym mrig yr hwyr.

T. Gwynn Jones (Caneuon Ffydd: 173)

Yn *Y Dysgedydd*, cyfnodolyn gan yr Annibynwyr y bu Tom Eirug Davies yn ei olygu rhwng 1943 a 1951, yr ymddangosodd yr emyn hwn gyntaf ym 1947 a'i ddymuniad yw cael profi 'hedd ei gariad, doed a ddêl':

Nefol Dad, erglyw ein gweddi
    wrth ŵynebu'r flwyddyn hon,
mae'n hamserau yn dy ofal,
    a'n helyntion ger dy fron;
        dyro brofi
    hedd dy gariad, doed a ddêl.

T. Eirug Davies (Caneuon Ffydd: 72)

Geiriau Salm 31: 15 'Y mae fy amserau yn dy law di; gwared fi rhag fy ngelynion a'm herlidwyr' fu'n ysbrydoliaeth i Nantlais gyfansoddi'r emyn sy'n dechrau fel hyn:

Yn dy law y mae f'amserau,
ti sy'n trefnu 'nyddiau i gyd,
Nantlais (*Caneuon Ffydd*: 71)

GWEDDÏAU

Diolchwn am gefnogaeth Duw yn y gorffennol a chydnabyddwn fod gennym amser, digonedd o amser:

Gwae ni o golli amser,
gwastraffu amser,
lladd amser
oherwydd y mae amser yn rhodd oddi wrthyt ti.
Arglwydd, y mae gennyf amser,
yr holl amser yr wyt ti'n ei roi i mi,
blynyddoedd fy mywyd,
dyddiau fy mlynyddoedd,
oriau fy nyddiau –
y maent i gyd yn eiddo i mi
i'w llenwi'n dawel, yn llwyr ac i'r ymylon. Amen.

Michel Quoist

Cyflwynwn ein hunain i Dduw a gofynnwn iddo ein gwarchod a'n hadnewyddu:

Wrth i ni wynebu'r dyfodol
gweddïwn am gael clywed dy lais a'th Air di
yn addo i ni arweiniad, nerth ac ymgeledd.

Cyflwynwn ein hunain i'th ofal:
cysgoda drosom,
gwarchod ni, nertha ni pan fo gwendid yn ein llethu;
arwain ni pan awn ar ddisberod;
adnewydda'n gobaith pan fyddwn yn digalonni;
canolbwyntia ein meddyliau ar Iesu Grist, ein Bugail da,
a phâr i ni ymddiried bob amser yn ei ofal tyner ef. Amen.

R. Tudur Jones

Edrychwn yn ôl mewn diolchgarwch ac edrychwn ymlaen yn hyderus:

Arglwydd ein Duw, diolchwn i ti am gael camu i flwyddyn newydd arall. Wrth edrych yn ôl ar y flwyddyn a aeth heibio, diolchwn i ti am dy gariad a'th ofal trosom. Bu i ni fwynhau dy fendithion bob dydd, 'bob bore y deuant o'r newydd, mawr yw dy ffyddlondeb'. Cynorthwya ni i werthfawrogi dy roddion, ac i gydnabod mai ynot ti yr ydym 'yn byw, yn symud ac yn bod'. Cydnabyddwn inni ar brydiau dy anghofio a throi cefn arnat, ond ni wnest ti erioed ein hanghofio a throi cefn arnom. Cynorthwya ni yn ystod y flwyddyn hon i fod yn fwy gwerthfawrogol o'th roddion, yn fwy ffyddlon i ti, ac i'n cysegru ein hunain yn llewyrch yn dy waith ac mewn gwasanaeth i eraill. Amen.

Ifan Roberts

Arwain ni ar ddechrau blwyddyn i anturio ymlaen ac i roi o'n gorau:

Dyro inni gael gwared â beichiau a gofidiau y flwyddyn a aeth heibio. Gweddïwn am arweiniad yr Ysbryd Glân i ymgyflwyno i Iesu Grist gan sylweddoli mai 'Ef yw'r ffordd, y gwirionedd a'r bywyd'. Ynddo ef, ac iddo ef a thrwyddo ef y gallwn fyw'n llawn. Gwna ni'n fwy ffyddlon iddo yn ein byw. Gwna ni'n fwy didwyll yn ein haddoliad. Gwna ni'n fwy tebyg iddo. Amen.

John Owen

Derbyn ein diolch am dy gysgod a'th haelioni i ni yn y gorffennol, ac ar ddechrau blwyddyn newydd gafael yn ein llaw i'n harwain trwy'r presennol i'r dyfodol:

Tywys ni ar hyd y ffordd,
nid yn ôl ein chwantau ni ond yn ôl d'ewyllys di,
nid yn ôl ein gwendid ni ond yn ôl dy gryfder di.

O Dduw,
bywha ni yn ein haddoliad,
cadarnha ni yn ein gwasanaeth i eraill
a grymusa ni mewn tystiolaeth.

Ti ydi'r flwyddyn newydd.
Ti ydi'r ddalen lân yn eich llyfr amser,
Ti ydi'r cyfle newydd yn eich ffordd o fyw,
Ti ydi'r cyfle i adnewyddu'ch bywyd a'ch perthynas â'r hwn a
ddywedodd,
'Wele, yr wyf yn gwneud pob peth yn newydd.' Amen.

Gweddi o ymbil. Cyflwynwn ein hunain a'n gilydd a phawb sydd mewn angen, gwendid a gofid i ofal ac ymgeledd Duw:

Yn dy law di, Arglwydd, y mae'n hamseroedd;
   cyflwynwn ein dyddiau oll i ti,
   gan ofyn am dy gymorth
   i gyflawni dy ewyllys di ynddynt.
Cyflwynwn i ti bawb sydd mewn pryder a phoen,
   mewn hiraeth ac unigrwydd:
   goleua'u llwybrau a nertha'u camre ymlaen,
   a chymorth ni oll i fyw yn fwy teilwng ohonot,
   er mwyn Iesu Grist ein Harglwydd. Amen.

Elfed ap Nefydd Roberts

ADNODAU

Duw tragwyddoldeb yw Duw yn ôl y Salmydd:

Oherwydd y mae mil o flynyddoedd yn dy olwg
fel doe sydd wedi mynd heibio,
ac fel gwyliadwriaeth yn y nos.

Salm 90: 4

Gan mai byr yw ein dyddiau mor bwysig yw gwneud yn fawr o bob diwrnod:

Deng mlynedd a thrigain yw blynyddoedd ein heinioes,
neu efallai bedwar ugain trwy gryfder, ...
ânt heibio yn fuan, ac ehedwn ymaith.

Felly dysg ni i gyfrif ein dyddiau,
inni gael calon ddoeth.

Salm 90: 10, 12

Ym myd Duw y mae trefn ac amser i bob peth:

Y mae tymor i bob peth, ac amser i bob gorchwyl dan y nef:
amser i eni, ac amser i farw,
amser i blannu, ac amser i ddiwreiddio'r hyn a blannwyd.

Pregethwr 3: 1–2

Cyhoeddi ei grwsâd mae Iesu yn y synagog yn Nasareth:

"Y mae Ysbryd yr Arglwydd arnaf,
oherwydd iddo f'eneinio
i bregethu'r newydd da i dlodion.
Y mae wedi f'anfon i gyhoeddi rhyddhad i garcharorion,
ac adferiad golwg i ddeillion,
i beri i'r gorthrymedig gerdded yn rhydd,
i gyhoeddi blwyddyn ffafr yr Arglwydd."

Luc 4: 18–19

Mae'r gwinllannydd yn awyddus iawn i roi ail gyfle i'r ffigysbren:

Ac os daw â ffrwyth y flwyddyn nesaf, popeth yn iawn; onid e, cei ei
dorri i lawr.

Luc 13: 9

**Yn nhermau'r Duw tragwyddol peidiwn â chollfarnu ein methiant yn
y tymor byr:**

Gyfeillion annwyl, peidiwch ag anghofio'r un peth hwn, fod un diwrnod
yng ngolwg yr Arglwydd fel mil o flynyddoedd, a mil o flynyddoedd fel
un diwrnod.

2 Pedr 3: 8

DYWEDIADAU A THRADDODIADAU

Dywedais wrth y dyn oedd yn sefyll wrth borth y flwyddyn, 'Rho oleuni i mi fel y gallaf droedio'n saff i'r anwybod.' Atebodd fi, 'Dos allan i'r tywyllwch a rho dy law yn llaw Duw. Bydd hyn yn well i ti nag unrhyw oleuni ac yn saffach nag unrhyw ffordd.'

Beth a ddigwyddodd ar 6 Medi 1752? Dim. Doedd y dyddiad hwnnw ddim yn bod!

Yn ôl Calendr Enlli dylech nodi pa fath o dywydd a gewch rhwng y 6ed a'r 18fed o Ionawr. Yn ôl y Calendr bydd tywydd y deuddeng niwrnod yn cyfateb i dywydd y deuddeg mis yn ystod gweddill y flwyddyn.

Awr fawr Calan,
dwy ŵyl Eilian
a thair Gŵyl Fair.
Awr fawr Galan sef yr Hen Galan ar 12 Ionawr, Gŵyl Eilian ar 29 Ionawr a Gŵyl Fair ar 13 Chwefror. Pa mor gywir tybed?

Gŵyl Ddewi

Dewisodd Duw genedl Israel i'w bwrpas arbennig Ef
Ac y mae ganddo Bwrpas i bob cenedl arall.
Un o'r cenhedloedd hynny yw ein cenedl ni.

Gwenallt

EMYNAU

**Dyma emyn o waith Eifion Wyn a gyhoeddwyd gyntaf yn *Y Goleuad*,
Chwefror 1921, dan y teitl 'Emyn Cenedlgarol'. Cofio mae'r bardd
am ofal Duw dros Gymru yn y gorffennol a gobeithio am ei gariad yn
y dyfodol:**

Cudd ni eto dan dy adain
   a bydd inni'n fur o dân, ...
pâr i'n cenedl annwyl rodio
   yn dy ofn o oes i oes
gyda'i ffydd yng ngair y cymod,
   gyda'i hymffrost yn y groes.

Eifion Wyn (Caneuon Ffydd: 197)

**Emyn dadleuol fu hwn gan Elfed gan y tybir mai'r 'wlad' yn y llinell
gyntaf yw Prydain yn hytrach na Chymru. Ond, onid oes naws Gymreig
yn y pennill olaf?**

Gwna'n Sabothau'n ddyddiau'r nefoedd
   yng ngoleuni d'eiriau glân;
dyro'r gwlith i'n cymanfaoedd,
   gwna ein crefydd fel ein cân:
nefol Dad, boed mawrhad
ar d'Efengyl yn ein gwlad.

Elfed (Caneuon Ffydd: 827)

Ym marn rhai mae emyn Lewis Valentine wedi disodli emyn Elfed, 'Cofia'n gwlad', fel emyn gwladgarol. Gesyd yr emynydd wladgarwch o fewn ffiniau ffydd: 'Dros Gymru'n gwlad, O Dad, dyrchafwn gri.' Mae'n gorffen y pennill trwy ddweud:

er mwyn dy Fab a'i prynodd iddo'i hun,
O crea hi yn Gymru ar dy lun.

Lewis Valentine (*Caneuon Ffydd*: 852)

Emyn wedi ei lunio ar arwyddair yr Urdd yw emyn T. Elfyn Jones, 'Byddaf ffyddlon i Gymru, i gyd-ddyn ac i Grist':

O Arglwydd, gwna ni'n ffyddlon
i'n hetifeddiaeth ddrud, ...

O Arglwydd, gwna ni'n ffyddlon
i gyd-ddyn ymhob gwlad, ...

O Arglwydd, gwna ni'n ffyddlon
drwy'n hoes i'th enw di, ...

T. Elfyn Jones (*Caneuon Ffydd*: 831)

Pwyllgor Eisteddfod Genedlaethol yr Urdd, Castellnewydd Emlyn, gomisiynodd W. Rhys Nicholas i gyfansoddi'r emyn hwn. Amlygir arwyddair yr Urdd yn y tri phennill:

Dysg imi garu Cymru,
ei thir a'i broydd mwyn, ...

Dysg imi garu cyd-ddyn
heb gadw dim yn ôl, ...

Dysg imi garu'r Iesu
a'i ddilyn ef o hyd ...

W. Rhys Nicholas (*Caneuon Ffydd*: 832)

Emyn o waith yr heddychwr digyfaddawd D. E. Williams sy'n sôn am ddewrion y Ffydd ar hyd yr oesoedd yn gorfod wynebu anghyfiawnder:

Cofiwn am y dewr arloeswyr
  a fu'n tramwy yma gynt,
gan agoryd ffordd i'r Brenin
  i'w hwyluso ar ei hynt. ...

Arglwydd, rho o'th nerth i ninnau
  dystio heddiw dros y gwir, ...
Na ddiffodded fflam yr allor
  yn ein gwlad o oes i oes;
boed y golau'n dal i dywys
  ei phreswylwyr at y groes.

D. E. Williams (Caneuon Ffydd: 842)

GWEDDÏAU

Perthyn i'r lleiafrif yr ydym fel cenedl, a hefyd fel aelodau o eglwys Iesu Grist:

O Dad, fel pobl sy'n perthyn i genedl fechan, gad inni weld mor werthfawr ydi'r pethau bychain yr oedd Dewi Sant yn rhoi pwysigrwydd arnyn nhw.

    O Dad, fel pobl sy'n perthyn i leiafrif Cymraeg o fewn ein cenedl ein hunain, gad inni roi'r parch dyledus i leiafrifoedd sy'n hyrwyddo'r da a'r gwaraidd ym mhob man.

    O Dad, fel pobl sy'n perthyn i'th Eglwys di, gad inni fod yn lefain ym mywyd ein cenedl a'n byd a thystio i'r gydwybod Gristnogol yn gyfiawn a chariadus. Amen.

John Owen (gol.)

Diolchwn yn arbennig heddiw am Dewi, ein nawddsant. Llawenhawn wrth gofio am gadernid ei ffydd ac am ei dystiolaeth loyw:

Canmolwn di am y modd y bu iti lefaru a gweithredu drwy Dewi Sant. Hefyd, cofiwn am y neges a drosglwyddaist drwyddo inni fel Cymry. Amen.

Gareth Hughes

Diolchwn am Gymry amlwg a'r rhai na wyddom ddim amdanynt a diolchwn am eu cyfraniadau:

Diolchwn am gewri fel yr Esgob Morgan, a lafuriodd heb yr un ddyfais fodern i ni gael dy Air yn ein hiaith. Diolch am argyhoeddiad John Penri; am salmau cân Edmwnd Prys; am Gannwyll y Ficer Prichard; am dröedigaeth Howell Harris; am emynau Williams Pantycelyn; am bregethu Daniel Rowland; am ysgolion Griffith Jones. Diolch am dorf o bobl na wyddom eu henwau a ddaeth i arddel enw Iesu Grist. Amen.

Gareth Alban Davies

Wrth i ni gofio am ein gwlad cofiwn hefyd am wledydd eraill drwy'r byd i gyd:

Wrth feddwl am ein gwlad, ac yn arbennig wrth ddathlu gŵyl ein nawddsant, gad inni gofio'n barhaus nad wyt ti'n dangos ffafr. Rwyt yn Dduw pob gwlad a chenedl. Wrth ddiolch i ti am fendithion ein gwlad, cofiwn yn wylaidd am y gwledydd hynny sy'n dioddef oherwydd creulondeb pobl at ei gilydd; y gwledydd lle na chaiff plant bach diniwed brofi beth yw blas bwyd maethlon na difyrrwch chwarae plentyn. Maddau i ni fel gwlad gyfoethog na wnawn fwy i helpu cyfeillion diamddiffyn. Amen.

Gareth Alban Davies

Tywys ni yn ôl i Ffordd y Pererinion:

Ymwêl eto â Chymru, Arglwydd, a dwysbiga galon dy bobl, i'n troi oddi wrth bob llwybr sy'n ein harwain ar ddisberod i gyfeiriad y gau-allorau, a'n tywys yn ôl Ffordd y Pererinion, y ffordd sy'n arwain i fywyd. Amen.

Maurice Loader

16

ADNODAU

Mae Duw wedi'n dewis yn genedl iddo'i hun:

Gwyn ei byd y genedl y mae'r ARGLWYDD yn Dduw iddi,
y bobl a ddewisodd yn eiddo iddo'i hun.

Salm 33: 12

Mae Duw yn caru ei bobl ac yn ffyddlon iddynt:

Molwch yr ARGLWYDD, yr holl genhedloedd;
clodforwch ef, yr holl bobloedd.
Oherwydd mae ei gariad yn gryf tuag atom,
ac y mae ffyddlondeb yr ARGLWYDD dros byth.
Molwch yr ARGLWYDD.

Salm 117

Nod Duw yw creu heddwch rhwng y cenhedloedd:

Barna ef rhwng cenhedloedd,
a thorri'r ddadl i bobloedd lawer;
curant eu cleddyfau'n geibiau,
a'u gwaywffyn yn grymanau.
Ni chyfyd cenedl gleddyf yn erbyn cenedl,
ac ni ddysgant ryfel mwyach.

Eseia 2: 4

Cân o foliant i'r Arglwydd sydd yng ngeiriau Eseia:

Ond cynyddaist y genedl, O ARGLWYDD,
cynyddaist y genedl, a'th ogoneddu dy hun;
estynnaist holl derfynau'r wlad.

Eseia 26: 15

17

Mae dydd llawenydd gerllaw pan adnewyddir y wlad:

Bydd yr ARGLWYDD yn cysuro Seion,
yn cysuro ei holl fannau anghyfannedd;
bydd yn gwneud ei hanialwch yn Eden,
a'i diffeithiwch yn ardd yr ARGLWYDD;
ceir o'i mewn lawenydd a gorfoledd,
emyn diolch a sain cân.

Eseia 51: 3

Mae cynghorwyr sy'n cyfarwyddo cenedl yn golygu sicrwydd:

Heb ei chyfarwyddo, methu a wna cenedl,
ond y mae diogelwch mewn llawer o gynghorwyr.

Diarhebion 11: 14

Cyfiawnder sy'n gwneud cenedl yn fawr ond pechod sy'n ei darostwng:

Y mae cyfiawnder yn dyrchafu cenedl,
ond pechod yn warth ar bobloedd.

Diarhebion 14: 34

Yr ydym oll yn un yng Nghrist:

Oherwydd ef yw ein heddwch ni. Gwnaeth y ddau, yr Iddewon a'r Cenhedloedd, yn un, wedi chwalu trwy ei gnawd ei hun y canolfur o elyniaeth oedd yn eu gwahanu.

Effesiaid 2: 14

DYWEDIADAU A THRADDODIADAU

Mae Dewi yn ogystal â bod yn nawddsant Cymru yn nawddsant y morwyr a hefyd yn nawddsant y praidd.

Mabwysiadwyd y Cennin Pedr yn arwyddlun cenedlaethol ym 1907 a hynny dan anogaeth Lloyd George.

Pa mor wir ydi'r dywediad am fis Mawrth, 'I mewn fel llew ac allan fel oen' neu i'r gwrthwyneb?

Mawrth a ladd, Ebrill a fling,
rhwng y ddau adawan nhw ddim.

Gwyntoedd Mawrth, cawodydd Ebrill
ddygant allan flodau Mai.

Y Gwanwyn

Darfu'r gaeaf, darfu'r oerfel,
Darfu'r glaw a'r gwyntoedd uchel;
Daeth y gwanwyn glas eginog,
Dail i'r llwyn, a dôl feillionog.

Edward Mathews

EMYNAU

**Clodfori rhod y tymhorau y mae Rebecca Powell yn yr emyn hwn, a'u
hamrywiaethau yn ernes o rodd Duw:**

Diolchwn am y gwanwyn gwyrdd
    yn deffro'r byd 'r ôl trwmgwsg hir,
a chyffro'r wyrth yn dweud wrth bawb
    fod atgyfodiad yn y tir.

Rebecca Powell (*Caneuon Ffydd*: 81)

**Ysgrifennodd Elerydd (W. J. Gruffydd) yr emyn hwn ar gais Joan
Osborne Thomas i'w ganu ar y dôn 'Preseli'. Moli'r Creawdwr mae'r
emyn drwyddo draw ac mae'r cytgan yn adleisio geiriau cyntaf Llyfr
Genesis:**

Y mae Duw yn neffro'r gwanwyn,
    ef yw awdur popeth byw,
a chyhoedda miwsig adar
    yn y coed mai da yw Duw.

W. J. Gruffydd (Elerydd) (*Caneuon Ffydd*: 136)

**Er mai fel emyn ar gyfer dechrau blwyddyn y cyfansoddodd W. Rhys
Nicholas yr emyn hwn gwelir adleisiau o fywyd newydd drwyddo:**

Ti sy'n llywio rhod yr amser
    ac yn creu pob newydd ddydd, ...
ynot y cawn oll fodolaeth,
    ti yw grym ein bywyd ni,
'rwyt Greawdwr a Chynhaliwr,
    ystyr amser ydwyt ti.

W. Rhys Nicholas (*Caneuon Ffydd*: 100)

Ar gais pwyllgor lleol Eisteddfod Genedlaethol Aberteifi (1976) y cyfansoddodd T. R. Jones yr emyn hwn. Trem drwy'r tymhorau a geir yma a chyffro'r gwanwyn a'i hud yn cyfareddu'r emynydd:

Yng nghyffro'r gwanwyn pan fo'r ias a'r hud
yn cerdded yn gyfaredd drwy fy myd,
a duwiau swyn yn cymell yn ddi-oed
wrth agor llwybrau fyrdd o flaen fy nhroed,
ar groesffordd gynta'r daith rho imi'r ddawn
i oedi, hyd nes cael y llwybr iawn.

T. R. Jones (*Caneuon Ffydd*: 777)

Cyfieithiad o eiriau Doreen Newport ydi geiriau Siân Rhiannon sy'n ein hannog i feddwl am resymau dros ddiolch i Dduw ac i feddwl sut le fyddai'r byd heb y rhain:

Meddwl am fyd heb flodyn i'w harddu,
meddwl am wlad heb goeden na llwyn,
meddwl am awyr heb haul yn gwenu,
meddwl am wanwyn heb awel fwyn:
diolchwn, Dduw, am goed a haul a blodau,
diolchwn, Dduw, rhown glod i'th enw di.

Doreen Newport *cyf.* Siân Rhiannon (*Caneuon Ffydd*: 869)

GWEDDÏAU

Ymlid y gaeaf mae'r gwanwyn trwy feirioli, meddalu a chynhesu:

Ein Tad nefol,
wedi oerni'r gaeaf a chaledi'r tir,
diolchwn am y gwanwyn sy'n meirioli, yn meddalu
ac yn meithrin bywyd newydd ym myd natur.
Ein Tad nefol,
cyffeswn i ti ein gaeaf ysbrydol
a chaledi tir ein calonnau.
Cyffeswn ein hamharodrwydd i adael i'th gariad ein newid.
Diolchwn i ti o'r newydd heddiw
fod dy gariad yn ddigon cryf i dorri trwodd atom
i'n dadmer a'n deffro. Amen.

Edrychwn ar y gogoniant sydd o'n cwmpas a rhyfeddu at y prydferthwch:

Arglwydd y bydysawd:
rhown ddiolch i ti am brydferthwch y gwanwyn,
am geinder y blodyn a'r blagur,
am symffoni côr y wig ben bore,
am wyrddni a ffresni'r meysydd
ac am ogoniant glesni natur.
Maddau inni ein bod mor aml yn brin ein diolch
am roddion mor brydferth ac amrywiol.
Cymorth ni i ymgolli yn yr holl olygfeydd a synau
sydd o'n cwmpas bob dydd
ac i rannu ag eraill y profiadau hyn.
Arglwydd, creaist fyd o harddwch,
rhoddaist i ni baradwys.
Maddau inni am fethu gweld, methu clywed
a methu gwerthfawrogi. Amen.

Mae cyfraniad misoedd y gwanwyn yn eu tro yn ychwanegu at yr adnewyddiad:

Dyro i ni O Arglwydd deimlo bwrlwm a gwerth y gwanwyn fel y daw
sbonc newydd yn ein camau a chyffro newydd yn ein bywydau:
diolch i ti am gawodydd Ebrill sy'n adfywio'r tir,
diolch i ti am awel dyner mis Mai sy'n llacio'r pridd;
ac wedi'r hirlwm boed i adnewyddiad y gwanwyn
ein deffro, ein sirioli a'n cymell i waith –
gwaith y deyrnas. Amen.

Gweddïwn am rym y gwanwyn ysbrydol:

Arglwydd, yr ydym yn dyheu am weld gwanwyn arall yng Nghymru –
gwanwyn ysbrydol. Bu'r gaeaf yn hir; mae'r oerni wedi gafael ynom.
Yn wir, mae rhai wedi digalonni am na welant arwyddion fod y gwanwyn
ysbrydol wrth law. Gweddïwn am wanwyn ysbrydol. Amen.

Ifan Roberts

Awn ati yn nhymor y gwanwyn i hau yr had Cristnogol:

A hithau'n dymor yr hau a'r plannu, gweddïwn am ras i wneud hynny'n
ffyddlon, gyda gobaith ac amynedd, nid yn unig ym myd natur, ond
hefyd ym myd yr Ysbryd gan ymddiried y cynhaeaf i'th ofal di. Amen.

Gareth Hughes

ADNODAU

Mae ffafr y brenin fel y cymylau sy'n dod â glaw bendithiol yn ystod y gwanwyn:

Yn llewyrch wyneb brenin y ceir bywyd,
ac y mae ei ffafr fel cwmwl glaw yn y gwanwyn.

Diarhebion 16: 15

Gwelwn yma enghraifft o amharodrwydd y bobl i anrhydeddu'r Arglwydd er ei fod wedi anfon bendithion y tymhorau iddynt:

Ac ni ddywedant yn eu calon,
"Bydded inni ofni'r ARGLWYDD ein Duw,
sy'n rhoi'r glaw, a chawodydd y gwanwyn a'r hydref yn eu pryd,
a sicrhau i ni wythnosau penodedig y cynhaeaf."

Jeremeia 5: 24

Duw yw'r un sy'n addo ac yn cyflawni:

Gofynnwch i'r ARGLWYDD am law yn nhymor glaw'r gwanwyn;
yr ARGLWYDD sy'n gwneud y cymylau trymion
a'r cawodydd glaw,
ac yn rhoi gwellt y maes i bawb.

Sechareia 10: 1

Fel hyn y mae'r annuwiol yn rhesymu:

Mynnwn ein gwala o win drudfawr ac o beraroglau,
a pheidied hoen y gwanwyn â mynd heibio inni.

Doethineb Solomon 2: 7

Canmoliaeth i Simon fab Onias yr archoffeiriad a geir yma:

Fel rhosyn yn blodeuo yn y gwanwyn,
fel lili ger ffynnon o ddŵr,
fel pren thus yn yr haf.

Ecclesiasticus 50: 8

DYWEDIADAU A THRADDODIADAU

Methodd y gaeaf sawl gwaith ond ni fethodd y gwanwyn erioed.

(Hen ddihareb)

Haul y gwanwyn yn waeth na gwenwyn.

Gwrtaith mynyddoedd yw eira'r gwanwyn.

Wnaiff hi ddim cynhesu tra bo esgyrn eira ar Eryri.

Wnaiff hi ddim cynhesu nes bo Cennin Pedr wedi crino.

Gwanwyn oer, ysgubor lawn.

Gwanwyn cynnar, haf garw.

Gwanwyn gwlyb, cynhaeaf diweddar.

Pan y gweli'r ddraenen wen,
    A gwallt ei phen yn gwynnu;
Mae hi'n c'nesu dan ei gwraidd,
    Cei hau dy haidd bryd hynny.

Amser y Gwcw:
Fy amser i ganu yw Ebrill a Mai
A hanner Mehefin chwi wyddoch bob rhai.

Y Grawys

Ac yna gyrrodd yr Ysbryd ef ymaith i'r anialwch, a bu yn yr anialwch am ddeugain diwrnod yn cael ei demtio gan Satan.

Marc 1: 12–13

EMYNAU
Cyfieithiad yw emyn J. A. Jackson, arolygydd ysgolion esgobaeth Llanelwy, o emyn Saesneg George Hunt Smyttan, 'Forty days and forty nights, thou wast fasting in the wild' sy'n ein hatgoffa o gyfnod Iesu yn yr anialwch:

Deugain nydd a deugain nos
   Yn yr anial temtiwyd di;
Deugain nydd a deugain nos
   Yr ymprydiaist drosom ni.

Ninnau ddysgwn er dy fwyn,
   Rywfaint o'th ddisgybliad trist:
Nerth drwy ympryd gawn i ddwyn
   Gofid fel gofidiau Crist.

Cyf. J. A. Jackson (*Emynau'r Llan*: 69)

Ymateb i gwestiwn y forwyn a wnaeth John Elias ac ar ei ffordd i'r seiat cyfansoddodd ateb iddi:

Ai am fy meiau i
dioddefodd Iesu mawr
pan ddaeth yng ngrym ei gariad ef
o entrych nef i lawr?

Dioddefodd angau loes
   yn ufudd ar y bryn,
a'i waed a ylch y galon ddu
   yn lân fel eira gwyn.

John Elias (*Caneuon Ffydd*: 482)

Myfyrdod ar farwolaeth Crist a geir yng nghyfieithiad D. Eirwyn Morgan o emyn y Tad Andrew:

Anwylaf Grist, dy sanctaidd ben
  dan ddrain fu drosof fi; ...

Anwylaf Grist, dy ddwylo gwyn
  a hoeliwyd drosof fi; ...

Anwylaf Grist, dy galon lân
  drywanwyd drosof fi;
dy Ysbryd yn fy nghalon dod
  fel byddwyf byw i ti.

Y Tad Andrew cyf. D. Eirwyn Morgan (Caneuon Ffydd: 485)

Emyn yn seiliedig ar adnod o lythyr cyntaf Ioan, 'ac ef sy'n aberth cymod dros ein pechodau, ac nid dros ein pechodau ni yn unig, ond hefyd bechodau'r holl fyd' yw emyn Daniel Jones:

Mae rhyw fyrdd o ryfeddodau,
  Iesu, yn dy farwol glwy';
trwy dy loes, dy gur a'th angau
  caed trysorau fwy na mwy:

Daniel Jones (Caneuon Ffydd: 513)

Amlygir y profiad a gafodd yr emynydd o weithio dan ddaear yn y tywyllwch, a'r drws agored oedd yn gymaint o ryddhad iddo gael gweld golau dydd:

...y ffordd yw Crist, a'i ddawn,
  a'r Iawn ar Galfarî;
mae drws agored drwyddo ef
  i mewn i'r nef i ni.

Ben Davies (Caneuon Ffydd: 521)

Yn ystod tymor y Grawys eleni beth am weddïo gyda John Morris-Jones yn ei gyfieithiad o emyn Frances R. Havergal:

Cymer, Arglwydd, f'einioes i
i'w chysegru oll i ti;
cymer fy munudau i fod
fyth yn llifo er dy glod.

Frances R. Havergal *cyf.* John Morris-Jones (*Caneuon Ffydd*: 767)

GWEDDÏAU

Deisyfiad am nerth a chymorth Iesu i gynorthwyo'r rhai a demtir:

Arglwydd Iesu Grist,
fe brofaist ti galedi'r diffeithwch ac ing temtasiwn;
estyn dy gymorth i'r rhai sydd heddiw mewn argyfwng:
y rhai sy'n dwyn beichiau a chyfrifoldebau trwm
ac a demtir i roi'r gorau i'r ymdrech.
Rho iddynt hwy ac i ninnau nerth i ddyfalbarhau
a gras i orchfygu pob anhawster. Amen.

Prayers for the Christian Year

Gweddïwn am ddisgyblaeth ac ymroddiad:

Yn ystod y Grawys hwn,
wrth i ni gofio am ympryd a disgyblaeth Iesu
dros ddeugain diwrnod yn yr anialwch
yn gorchfygu temtasiwn ac yn ei baratoi ei hun
ar gyfer ei waith achubol yn y byd,
wrth i ni ddilyn ôl ei droed
o Galilea i Galfaria,
rho i ni yn ein pererindod
ymroddiad a disgyblaeth
i fod yn ddilynwyr teilwng iddo.
Rho i ni ymroddiad a disgyblaeth. Amen.

Elfed ap Nefydd Roberts

Gweddïwn dros bawb sy'n ei chael hi'n anodd i ddal ati:

Arglwydd Iesu Grist,
estyn dy gymorth i'r rhai sydd mewn argyfwng:
y rhai sy'n dwyn beichiau a chyfrifoldebau trymion
ac a demtir i roi'r gorau i'r ymdrech;
y rhai sy'n ymdrechu o dan amgylchiadau anodd
i warchod priodas a theulu
ac a demtir gan fethiant a digalondid;
y rhai sy'n dioddef gwawd a gwrthwynebiad
am eu tystiolaeth i ti
ac a demtir i golli ffydd;
y rhai sydd mewn afiechyd, llesgedd a phoen
ac a demtir i anobeithio am wellhad.
Rho iddynt hwy ac i ninnau ras i ddyfalbarhau. Amen.

Elfed ap Nefydd Roberts

Gad fi'n llonydd, O fy Nuw, gad fi fod:

O Dduw, pam?
Pam na chaf i lonydd gennyt?
Pam na adewi i mi edrych ar brydferthwch machlud ar y môr,
heb fy nghyfeirio byth a hefyd, ar hyd y llwybr coch, atat dy hun?
Pam y gwnei imi'n dragwyddol weld dy wyneb dioddefus di
yn wyneb plantos newynog bröydd pell?
Pam y gwnei i ryfel a gwae daear serio fel haearn poeth
i ganol fy nheimladau?
Pam na adewi imi suddo'n ddioglyd, foethus-fodlon,
i gôl difaterwch?
Fe wn, O Arglwydd, pam!
Am fod arnat eisiau i'r bywyd hwn adlewyrchu,
ymhob osgo ohono,
y groes dragwyddol sydd yn dy galon di. Amen.

R. W. Jones

Gofynnwn i Dduw ein hargyhoeddi, ein cysuro, ein cyfarwyddo a'n bendithio:

Yn niffeithwch ein hamheuon,
  Tyrd i'n hargyhoeddi.
Yn niffeithwch ein hunigrwydd,
  Tyrd i'n cysuro.
Yn niffeithwch ein hanobaith,
  Tyrd i'n cyfarwyddo.
Yn niffeithwch ein cyflwr ysbrydol,
  Tyrd i'n bendithio. Amen.

Elfed ap Nefydd Roberts

Meddyliwn yn arbennig am ddisgyblaeth Iesu dros y deugain niwrnod a gweddïwn am gymorth i ninnau ymddisgyblu. Rhaid i ni gydnabod, Arglwydd, ein bod ni'n gallu bod yn ddiffygiol yn ein hymroddiad i'r bywyd Cristnogol ac yn annheilwng o gael ein galw'n ddilynwyr a disgyblion i Iesu. Mor aml y byddwn yn crwydro oddi wrthyt mewn meddwl a gair a gweithred.

Cawn ein hannog gan y Gair i ganolbwyntio ar y gwir a'r anrhydeddus, y cyfiawn a'r pur, yr hawddgar a'r canmoladwy, ar bob rhinwedd sy'n haeddu clod, ond eto gwyddom ein bod yn cael ein denu mor rhwydd at y gau a'r anurddasol, yr anhaeddiannol a'r amhur. Amen.

Robin Samuel

ADNODAU

Mae hanes y genedl yn crwydro'r diffeithwch am ddeugain mlynedd yn adlais o hanes Iesu yn yr anialwch:

Cofiwch yr holl ffordd yr arweiniodd yr ARGLWYDD eich Duw chwi yn ystod y deugain mlynedd hyn yn yr anialwch, gan eich darostwng a'ch profi er mwyn gwybod a oeddech yn bwriadu cadw ei orchmynion ai peidio. Darostyngodd chwi a dwyn newyn arnoch; yna fe'ch porthodd â manna, nad oeddech chwi na'ch hynafiaid yn gwybod beth oedd, er mwyn eich dysgu nad ar fara yn unig y bydd rhywun fyw, ond ar bopeth sy'n dod o enau'r ARGLWYDD.

Deuteronomium 8: 2–3

Galwad i edifeirwch yw geiriau Joel:

"Yn awr," medd yr ARGLWYDD,
"dychwelwch ataf â'ch holl galon,
ag ympryd, wylofain a galar.
Rhwygwch eich calon, nid eich dillad,
a dychwelwch at yr ARGLWYDD eich Duw."
Graslon a thrugarog yw ef,
araf i ddigio, a mawr ei ffyddlondeb,
ac yn edifar ganddo wneud niwed.

Joel 2: 12–13

Cyfnod o feddwl am ei genhadaeth oedd cyfnod Iesu yn yr anialwch:

Yna arweiniwyd Iesu i'r anialwch gan yr Ysbryd, i gael ei demtio gan y diafol.

Mathew 4: 1

Mae Iesu'n galw pobl i fywyd o roi yn hytrach na bywyd o gael:

A daeth y temtiwr a dweud wrtho, "Os Mab Duw wyt ti, dywed wrth y cerrig hyn am droi'n fara." Ond atebodd Iesu ef, "Y mae'n ysgrifenedig: 'Nid ar fara yn unig y bydd rhywun fyw, ond ar bob gair sy'n dod allan o enau Duw.' "

Mathew 4: 3–4

Mae'r ffydd sy'n dibynnu ar arwyddion a rhyfeddodau yn fyrhoedlog a di-werth:

Yna cymerodd y diafol ef i'r ddinas sanctaidd, a'i osod ar dŵr uchaf y deml, a dweud wrtho, "Os Mab Duw wyt ti, bwrw dy hun i lawr; oherwydd y mae'n ysgrifenedig:
'Rhydd orchymyn i'w angylion amdanat;
byddant yn dy godi ar eu dwylo
rhag iti daro dy droed yn erbyn carreg.' "

Mathew 4: 5–6

Tyrd i delerau â'r byd! Na, nid plygu i lefel y byd ond yn hytrach codi lefel y byd i wastad Cristnogaeth oedd nod Iesu:

Unwaith eto cymerodd y diafol ef i fynydd uchel iawn, a dangos iddo holl deyrnasoedd y byd a'u gogoniant, a dweud wrtho, "Y rhain i gyd a roddaf i ti, os syrthi i lawr a'm haddoli i." Yna dywedodd Iesu wrtho, "Dos ymaith, Satan; oherwydd y mae'n ysgrifenedig: 'Yr Arglwydd dy Dduw a addoli, ac ef yn unig a wasanaethi.' "

Mathew 4: 8–10

DYWEDIADAU A THRADDODIADAU

Ystyr Grawys yw quadragesima sef 'deugain' sy'n cyfeirio at gyfnod Iesu yn yr anialwch. Dyma'r deugain niwrnod cyn y Pasg. Dydd Mercher Lludw yw diwrnod cyntaf y Grawys.

Gall yr Anialwch ein dinistrio a'n sarnu; gall hefyd wneud person cyflawn ohonom ni, a magu asgwrn cefn na wyddem ni ein hunain ein bod yn feddiannol ohono.

Maurice Loader

Y pedwerydd Sul yn y Grawys ydi Sul y Mamau. Mae'r hen ŵyl eglwysig hon yn tarddu o'r arfer o ymweld â'r Fam Eglwys pan fyddai'r bechgyn a'r merched yn arfer dod adref dros y Sul arbennig hwn.

Sul y Pys yw'r hen enw ar y pumed Sul yn y Grawys sef Sul y Dioddefaint. Roedd pys yn un o fwydydd ympryd tymor y Grawys ond ar y pumed Sul byddai pys llwyd sef pys wedi eu sychu yn cael eu mwydo dros nos mewn dŵr, llefrith, neu hyd yn oed seidr, yna eu berwi neu eu rhostio a'u bwyta ar y Sul arbennig hwn.

Sul y Blodau

Bendigedig yw'r un sy'n dod yn enw'r Arglwydd. Hosanna yn y goruchaf! Ti a ddaeth gynt i'th ddinas yn ostyngedig, yn eistedd ar ebol asyn, tyrd i'n calonnau ninnau'n awr. Meddianna hwy a theyrnasa arnynt. Tyrd i'th etifeddiaeth trwy'r byd i gyd, a theyrnasa mewn heddwch a chyfiawnder, er mwyn i'r holl genhedloedd wybod mai ti yw Brenin y brenhinoedd ac Arglwydd yr arglwyddi.

Llyfr Gwasanaeth yr Annibynwyr Cymraeg

EMYNAU

Cerddodd Iesu i mewn i Jerwsalem ar hyd y ffordd a arweiniodd yn y diwedd i'r groes a gwnaeth hynny gyda chryn ddewrder:

Tydi yw'r ffordd, a mwy na'r ffordd i mi,
    tydi yw 'ngrym:
pa les ymdrechu, f'Arglwydd, hebot ti,
    a minnau'n ddim?
O rymus Un, na wybu lwfwrhau,
dy nerth a'm ceidw innau heb lesgáu.

George Rees (*Caneuon Ffydd*: 541)

Cyfieithiad D. Eirwyn Morgan o eiriau Saesneg G. K. A. Bell yw'r emyn hwn sy'n dyrchafu Crist y Brenin trwy ei fawrhau a'i ddilyn:

Ddilynwyr Crist ymhob rhyw le,
O ceisiwch eto ffordd y ne',
ffordd ei ganlynwyr annwyl e'.
Crist drwy yr oesoedd sydd yn fawr:
gobeithiwch yn ei enw nawr,
seiniwch ei air dros ddaear lawr.

G. K. A. Bell *cyf.* D. Eirwyn Morgan (*Caneuon Ffydd*: 351)

O ddilyn Iesu, credu ynddo, mentro drosto a phrofi ei agosatrwydd y cam nesaf yw rhodio gydag ef a hynny er mwyn ei ogoneddu:

Tydi sydd heddiw fel erioed
   yn cymell, "Dilyn fi";
dy ddilyn wnaf, O Iesu mawr,
   fy ymffrost ydwyt ti.

J. Edward Williams (Caneuon Ffydd: 679)

Dyheu mae'r cyfieithiad hwn o waith W. O. Evans am ddydd o hedd pryd y tewir twrf y gad a'r cledd gan gofio mai Brenin tangnefedd ddaeth i Jerwsalem ar Sul y Blodau:

O gwawria, ddydd ein Duw:
   gan drais y blina'r byd,
a chalon dyn sy'n friw
   yn sŵn y brwydro i gyd;
O torred arnom ddydd o hedd,
distawed twrf y gad a'r cledd.

Henry Burton cyf. W. O. Evans (Caneuon Ffydd: 821)

Heddwch a thangnefedd ydi nodweddion y deyrnas ac yn wylaidd a gostyngedig y daeth Iesu i'r ddinas:

O doed dy deyrnas, nefol Dad,
yw'n gweddi daer ar ran pob gwlad;
dyfodiad hon i galon dyn
a ddwg genhedloedd byd yn un.

T. Elfyn Jones (Caneuon Ffydd: 242)

Crynhoi digwyddiadau Sul y Blodau mae'r emynydd gan roi lle i'r plant yn y digwyddiad:

Ar asyn daeth yr Iesu cu
   drwy euraid borth Caersalem dref,
a gwaeddai'r plant â'u palmwydd fry:

Hosanna, Hosanna, Hosanna iddo ef!
Ar hyn, atebodd Iesu'r dorf,
"Pe na bai'r plant mor llon eu llef
fe lefai'r meini ar hyd y ffordd:"
Hosanna, Hosanna, Hosanna iddo ef!

Hywel M. Griffiths (*Caneuon Ffydd*: 272)

GWEDDÏAU

Y cam cyntaf yn nrama fawr yr Wythnos Olaf oedd marchogaeth i Jerwsalem yn sŵn Hosanna ei bobl:

Diolch na chefaist dy dwyllo gan ogoniant llachar y foment:
rhaid oedd i ti fynd ymlaen –
ymlaen i lanhau'r Deml,
ymlaen i dorri'r bara,
ymlaen i'r ardd,
ac ymlaen i'r groes –
a'r cwbl er mwyn eraill:
y dorf,
Jwdas
a minnau.
Diolch i ti, Arglwydd. Amen.

Gareth Maelor

Brenin ar ebol asyn; dyna ystyr ac arwyddocâd ei deyrnas:

Frenin yr asen, ymunwn â'r dyrfa,
lleisiwn foliant ac ymddiriedaeth plant,
cawn gipolwg ar gyfrinach dy deyrnasiad.
Croeso i Jerwsalem! Amen.

Trefor Lewis (*addas.*)

Seiniwn Hosanna wrth farchogaeth gydag Iesu i Jerwsalem:

A hithau'n Sul y Blodau, cofiwn gyda diolch, O! Dad, am daith dy unig anedig Fab, Iesu, i Jerwsalem. Hosanna! Haleliwia! Seiniwn yn uchel yma heddiw. Roedd ei wyneb ef tua Jerwsalem. Ni fedrai dim ei atal. Mynnai fynd yr holl ffordd. Dim troi'n ôl. Dim anwadalwch. Dim llwfrdra. O! am olwg newydd ar ei fawrhydi a'i fawredd y Sul hwn. Amen.

Gareth Hughes

Tyrd ar gefn yr ebol a marchoga i'n calonnau yn awr:

Frenin Nef a Daear, daethost ti i Jerwsalem yn marchogaeth ar gefn asyn a dangos dy frenhiniaeth; gwyddom mai yn ein calonnau ni yr wyt am deyrnasu. Cynorthwya ni i'th ddilyn yn dy wyleidd-dra, dy aberth a'th gariad, er gogoniant Duw Dad. Amen.

Edwin C. Lewis (*gol.*)

Yr un gostyngedig sy'n gorchfygu'r byd:

Ein Tad, na ad i ni gael ein twyllo
gan rwysg y byd a'i rym,
gan gofio mai un llariaidd,
yn marchogaeth ar asen,
a orchfygodd y byd,
ac a ddaw i farnu'r cenhedloedd,
a theyrnasu'n oes oesoedd. Amen.

Dewi Thomas

ADNODAU

Wrth ddilyn Iesu i Jerwsalem mae geiriau Sechareia'r proffwyd yn dod i'r cof:

"Llawenha'n fawr, ferch Seion;
bloeddia'n uchel, ferch Jerwsalem.
Wele dy frenin yn dod atat
â buddugoliaeth a gwaredigaeth,
yn ostyngedig ac yn marchogaeth ar asyn,

ar ebol, llwdn asen.
Tyr ymaith y cerbyd o Effraim
a'r meirch o Jerwsalem;
a thorrir ymaith y bwa rhyfel.
Bydd yn siarad heddwch â'r cenhedloedd;
bydd ei lywodraeth o fôr i fôr,
o'r Ewffrates hyd derfynau'r ddaear."

Sechareia 9: 9–10

Mae adlais o eiriau'r dorf i'w clywed yng ngeiriau'r Salmydd:

Bendigedig yw'r un sy'n dod yn enw'r ARGLWYDD.
Bendithiwn chwi o dŷ'r ARGLWYDD.

Salm 118: 26

Mae'r paratoad wedi'i wneud; mae'r orymdaith yn barod:

Daethant â'r ebol at Iesu a bwrw eu mentyll arno, ac eisteddodd yntau ar ei gefn.

Marc 11: 7

Mae'n amlwg fod rhai o'r dyrfa wedi ei adnabod ond tybed a oeddynt wedi'i ddeall?

Ac yr oedd y rhai ar y blaen a'r rhai o'r tu ôl yn gweiddi:
"Hosanna!
Bendigedig yw'r un sy'n dod yn enw'r Arglwydd."

Marc 11: 9

Ioan yn unig sy'n cyfeirio at y canghennau palmwydd:

Cymerasant ganghennau o'r palmwydd ac aethant allan i'w gyfarfod, gan weiddi:
"Hosanna!
Bendigedig yw'r un sy'n dod yn enw'r Arglwydd,
yn Frenin Israel."

Ioan 12: 13

Gweithred ddarluniadol yn null proffwydi'r Hen Destament yw'r digwyddiad hwn:

Cafodd Iesu hyd i asyn ifanc ac eistedd arno, fel y mae'n ysgrifenedig:
"Paid ag ofni, ferch Seion;
wele dy frenin yn dod,
yn eistedd ar ebol asen."

Ioan 12: 14–15

DYWEDIADAU A THRADDODIADAU

Ar Sul y Blodau mae Iesu'r Iddew yn herio ei genedl a'i grefydd. Codi'i grefydd o bydew materoliaeth, llygredd a marwolaeth. Dyna'i nod.

Pregeth weladwy oedd digwyddiad Sul y Blodau i argyhoeddi'r bobl gyffredin a'r awdurdodau.

Ar Sul y Blodau llwyddodd Iesu i argyhoeddi ei bobl nad oedd ef y Meseia yr oeddynt yn ei ddisgwyl.

Dydi dynolryw erioed wedi gallu dygymod â gwyleidd-dra, ufudd-dod, troi'r foch arall a cherdded yr ail filltir.

Mae'n amlwg ar Sul y Blodau fod y dorf wedi camddehongli a chamddeall holl arwyddocâd ac ystyr gweinidogaeth Iesu.

Y Groglith

'Mae ar ein traed ni laid Caersalem
O'r Pasg y flwyddyn tri deg tri;
Mae ar ein dwylo greithiau'r ddraenen honno
A blethwyd gennym at yr uchel sbri.
O! Yr oeddem ni yno
Ond rydym rywsut wedi hen anghofio.

Gwilym R. Jones

EMYNAU

Dawn Cecil Frances Alexander oedd seilio ei hemynau ar wahanol rannau o Gredo'r Apostolion ac y mae Elfed yn ei gyfieithiad wedi glynu'n agos at y geiriau gwreiddiol:

Ni wyddom ni, ni allwn ddweud
faint oedd ei ddwyfol loes,
ond credu wnawn mai drosom ni
yr aeth efe i'r groes.

C. F. Alexander *cyf.* Elfed (*Caneuon Ffydd*: 490)

Ym marn John Morris-Jones mae'r emyn hwn o eiddo'r Pêr Ganiedydd yn un o delynegion perffeithiaf ein hiaith:

Fe roes ei ddwylo pur ar led,
fe wisgodd goron ddrain
er mwyn i'r brwnt gael bod yn wyn
fel hyfryd liain main.

William Williams (*Caneuon Ffydd*: 493)

Emyn a gomisiynwyd gan Anne, chwaer Robert ap Gwilym Ddu ar gyfer oedfa gymun yw'r emyn hwn a thestun yr emyn oedd 'Y Gân Newydd':

Mae'r gwaed a redodd ar y groes
o oes i oes i'w gofio;
rhy fyr yw tragwyddoldeb llawn
i ddweud yn iawn amdano.

Robert ap Gwilym Ddu (*Caneuon Ffydd*: 492)

Dyhead y Pêr Ganiedydd yn yr emyn hwn yw cael ei feddiannu'n llwyr gan gariad Duw yn Iesu Grist a 'byw bob munud mewn tangnefedd pur a hedd':

O na chawn ddifyrru 'nyddiau
llwythog, dan dy ddwyfol groes,
a phob meddwl wedi ei glymu
wrth dy Berson ddydd a nos;
byw bob munud
mewn tangnefedd pur a hedd.

William Williams (*Caneuon Ffydd*: 502)

Yn ôl un beirniad llenyddol mae'r emyn hwn o waith Evan Rees (Dyfed) yn rhy raenus ei gelfyddyd ac yn rhy farddonol i'w alw'n emyn:

Dringo'r mynydd ar fy ngliniau
geisiaf, heb ddiffygio byth;
tremiaf drwy gawodydd dagrau
ar y groes yn union syth:
pen Calfaria
dry fy nagrau'n ffrwd o hedd.

Dyfed (*Caneuon Ffydd*: 496)

Pennill olaf y 'Cyfamod Di-sigl' o eiddo Huw Derfel, lle mae'r emynydd yn dyheu am gael aros yn y cariad tragwyddol am byth:

Y Gŵr a fu gynt o dan hoelion
dros ddyn pechadurus fel fi,
a yfodd y cwpan i'r gwaelod
ei hunan ar ben Calfarî;
ffynhonnell y cariad tragwyddol,

40

hen gartref meddyliau o hedd;
dwg finnau i'r unrhyw gyfamod
na thorrir gan angau na'r bedd.

Huw Derfel (*Caneuon Ffydd*: 518)

GWEDDÏAU

Rhannwn yn artaith Iesu a'i droi'n obaith:

Y Groes,
  fe'i cymerwn.
Y Bara,
  fe'i torrwn.
Y Boen,
  fe'i dioddefwn.
Y Llawenydd,
  fe'i rhannwn.
Yr Efengyl,
  fe'i dilynwn.
Y Cariad,
  fe'i rhoddwn.
Y Goleuni,
  fe'i hanwylwn.
Y Tywyllwch,
  Duw a'i dinistria. Amen.

Cymuned Iona

Cariad a welwyd yn marw ar y groes:

Dy gariad, Arglwydd Iesu,
a barodd i ti gael dy hoelio ar y groes.
Dy gariad a'th gadwodd yno
pan allet fod wedi galw am lengoedd o angylion.
Dy gariad a ymbiliodd dros dy lofruddion
drwy weddïo, 'Dad, maddau iddynt.'
Cynorthwya ni, Arglwydd grasol,

41

i gydio mwy yn dy gariad,
i dderbyn maddeuant,
ac i ddysgu maddau i eraill
fel y cawsom ni faddeuant
er mwyn dy gariad. Amen.

Frank Colquhoun

Gweddïwn dros bawb sy'n dioddef:

Edrych mewn tosturi ar bawb a gleisiwyd neu a archollwyd gan
ddioddefaint.
Yn nioddefiadau Crist bydded iddynt hwy gael iachâd. Amen.

Raymond Chapman

Mae'n werth cyfannu poenau'r groes â byd mewn trallod ac artaith heddiw:

Cofiwn i ti gymryd ein gwendid a'n doluriau ni.
Cofiwn am yr ing yng Ngethsemane,
Cofiwn am y chwipio a'r goron ddrain,
Cofiwn am daith ddolurus a gwawd y dyrfa,
Cofiwn am yr hoelion a'r bicell.
Cofiwn am yr ufudd-dod yn plygu i ewyllys y Tad.
Grist ein haberth,
yr anharddwyd dy degwch
ac y rhwygwyd dy gorff ar y groes:
lleda dy freichiau i gofleidio byd mewn artaith,
fel na thrown ymaith ein llygaid,
ond ymollwng i'th drugaredd di. Amen.

Janet Morley

Ym marwolaeth Iesu y mae'n estyn i ni fywyd tragwyddol:

Wrth fyfyrio ar aberth ei groes,
arwain ni i ddirgelwch ei ddioddefiadau,
fel y gwelwn mai trwy aberthu y mae'n teyrnasu,

trwy garu y mae'n gorchfygu,
trwy ddioddef y mae'n achub,
a thrwy farw y mae'n estyn i ni fywyd tragwyddol. Amen.

Elfed ap Nefydd Roberts

ADNODAU

Uniaethodd Iesu â'r Gwas Dioddefus yn Ail Eseia:

Eto, ein dolur ni a gymerodd,
a'n gwaeledd ni a ddygodd –
a ninnau'n ei gyfrif wedi ei glwyfo
a'i daro gan Dduw, a'i ddarostwng.
Ond archollwyd ef am ein troseddau ni,
a'i ddryllio am ein camweddau ni;
roedd pris ein heddwch ni arno ef,
a thrwy ei gleisiau ef y cawsom ni iachâd.

Eseia 53: 4–5

Yn ei ing a'i boen cofiodd Iesu am ei fam:

Pan welodd Iesu ei fam, felly, a'r disgybl yr oedd yn ei garu yn sefyll yn
ei hymyl, meddai wrth ei fam, "Wraig, dyma dy fab di." Yna dywedodd
wrth y disgybl, "Dyma dy fam di." Ac o'r awr honno, cymerodd y disgybl
hi i mewn i'w gartref.

Ioan 19: 26–27

Mae Iesu yn gofyn i Dduw faddau i'r troseddwyr:

Daethpwyd ag eraill hefyd, dau droseddwr, i'w dienyddio gydag ef. Pan
ddaethant i'r lle a elwir Y Benglog, yno croeshoeliwyd ef a'r troseddwyr,
y naill ar y dde a'r llall ar y chwith iddo. Ac meddai Iesu, "O Dad, maddau
iddynt, oherwydd ni wyddant beth y maent yn ei wneud." A bwriasant
goelbrennau i rannu ei ddillad.

Luc 23: 32–34

Rhoddwyd diod iddo i dorri'i syched:

Ar ôl hyn yr oedd Iesu'n gwybod bod pob peth bellach wedi ei orffen, ac er mwyn i'r Ysgrythur gael ei chyflawni dywedodd, "Y mae arnaf syched." Yr oedd llestr ar lawr yno, yn llawn o win sur, a dyma hwy'n dodi ysbwng, wedi ei lenwi â'r gwin yma, ar ddarn o isop, ac yn ei godi at ei wefusau. Yna, wedi iddo gymryd y gwin, dywedodd Iesu, "Gorffennwyd." Gwyrodd ei ben, a rhoi i fyny ei ysbryd.

Ioan 19: 28–30

Yn y tywyllwch roedd Iesu'n amau fod Duw wedi'i adael:

A phan ddaeth yn hanner dydd, bu tywyllwch dros yr holl wlad hyd dri o'r gloch y prynhawn. Ac am dri o'r gloch gwaeddodd Iesu â llef uchel, "Eloï, Eloï, lema sabachthani", hynny yw, o'i gyfieithu, "Fy Nuw, fy Nuw, pam yr wyt wedi fy ngadael?"

Marc 15: 33–34

Yng nghanol y tywyllwch cyflwynodd Iesu ei fywyd i Dduw:

Erbyn hyn yr oedd hi tua hanner dydd. Daeth tywyllwch dros yr holl wlad hyd dri o'r gloch y prynhawn, a'r haul wedi diffodd. Rhwygwyd llen y deml yn ei chanol. Llefodd Iesu â llef uchel, "O Dad, i'th ddwylo di yr wyf yn cyflwyno fy ysbryd." A chan ddweud hyn bu farw.

Luc 23: 44–46

DYWEDIADAU A THRADDODIADAU

Ar Galfaria bu un farw mewn pechod, un arall i bechod, a'r gŵr yn y canol dros bechod.

T. Glyn Thomas

Y testun gwawd eithaf oedd awgrymu mai'r truan hwn oedd Brenin yr Iddewon.

Bu'r Iesu farw fel y gwnaeth i'n dysgu – i ddysgu'r ddynoliaeth i iawn ddeall yr elfen odidocaf a pheryclaf ei phosibiliadau a roddwyd yn ei ddwylo, sef nerth.

J. R. Jones

Ffaith waelodol y Grefydd Gristnogol ydi fod Duw yn credu fod pob dyn yn werth aberth ei Fab.

William Barclay

Dim ond un all estyn llaw
A hoelion drwy ei ddwylaw.

Ken Griffiths

A dyna ddyfnder eithaf pob ing, nid aberthu er mwyn yr annheilwng ond tywallt enaid i farwolaeth dros y diwerth.

E. Tegla Davies

Y Pasg

Crist y Pasg, er na allwn dy weld, teimlwn dy agosatrwydd. Nid cymeriad mewn stori wyt ti ond person byw. Tyrd atom i'n bywhau.

EMYNAU

Geiriau Job, 'Oherwydd gwn fod fy amddiffynnwr yn fyw' (19: 25) yw sylfaen yr emyn hwn o waith Thomas Jones o Ddinbych:

Mi wn fod fy Mhrynwr yn fyw,
   a'm prynodd â thaliad mor ddrud; ...
er ised, er gwaeled fy ngwedd,
   teyrnasu mae 'Mhrynwr a'm Brawd;
ac er fy malurio'n y bedd
   ca'i weled ef allan o'm cnawd.

Thomas Jones (Caneuon Ffydd: 547)

Fel hyn y mae emyn Morgan Rhys yn mynd yng nghasgliad Joseph Harris ym 1821. Cymharwch â'r fersiwn yn emyn 552 *Caneuon Ffydd*:

Er gwaetha'r maen a'r milwyr dig, Cyfododd Iesu'n fyw;
   Daeth yn ei hollalluog Law Ryddhad i ddynolryw.
Gwnaeth etifeddion uffern ddu Yn etifeddion nef;
   Fy enaid, byth na thawed mwy A chanu iddo ef.

Morgan Rhys (Caneuon Ffydd: 552)

Byrdwn o orfoledd geir yng nghwpled olaf pob pennill yn emyn E. Cefni Jones, y nos yn troi'n ddydd a'r ocheneidiau'n troi'n gân:

   Cododd Iesu!
Nos eu trallod aeth yn ddydd.

E. Cefni Jones (Caneuon Ffydd: 550)

Annog y Cristion i gydlawenhau yng ngwaith y Crist byw mae Elfed ym mhennill olaf ei emyn:

Cydlawenhawn, y mae i ninnau waith
i gofio'i achos drwy y ddaear faith;

Elfed (*Caneuon Ffydd*: 558)

Mae'r emyn hwn, o waith J. Henry Jones, yn tystio i ymddangosiad y Crist byw i'r gwragedd ac i'r ddau ar ôl teithio i Emaus, a dangos ôl yr hoelion i'r disgyblion:

Daeth gwragedd trist eu gwedd
  â'u llwyth o beraroglau
i geisio newydd fedd
  y Gŵr a garent orau;

J. Henry Jones (*Caneuon Ffydd*: 561)

Cais i lunio emyn y Pasg ar gyfer plant ac ieuenctid fu'n symbyliad i O. M. Lloyd fynd ati i gyfansoddi ei emyn ar eiriau Ffrangeg E. L. Budry ac efelychiad Saesneg o hwnnw gan R. B. Hoyle:

Crist a orchfygodd fore'r trydydd dydd,
cododd ein Gwaredwr, daeth o'r rhwymau'n rhydd:
gwisgoedd ei ogoniant sydd yn ddisglair iawn,
wedi gweld ei harddwch ninnau lawenhawn.
  Crist orchfygodd fore'r trydydd dydd,
  cododd ein Gwaredwr, daeth o'r rhwymau'n rhydd.

E. L. Budry *efel.* R. B. Hoyle ac O. M. Lloyd (*Caneuon Ffydd*: 562)

GWEDDÏAU

Ein dymuniad yw cael cydlawenhau yn llawenydd y Pasg:

Ar fore'r Pasg datodwyd y rhwymau oedd yn clymu Iesu wrth le ac amser. Bellach mae'n 'llond pob lle' ac yn 'bresennol ymhob man'.

Oherwydd hyn rho fywyd newydd i'r Eglwys drwy'r byd a maddau inni am adael i draddodiad ein llethu a'n gwanio. Amen.

Awn ati i dreiglo'r maen i ffwrdd:

Pan yw'r drylliedig yn cael ei gyfannu,
pan yw'r clwyfedig yn cael iachâd,
pan yw'r ofnus yn cael ymgeledd:
    Y mae'r maen wedi ei dreiglo i ffwrdd.
Pan yw'r unig yn canfod cyfeillgarwch,
pan yw'r trallodus yn canfod cysur,
pan yw'r pryderus yn canfod tawelwch meddwl:
    Y mae'r maen wedi ei dreiglo i ffwrdd.
Pan ddysgwn rannu yn hytrach na hawlio,
pan ddysgwn gofleidio yn hytrach na tharo,
pan ymunwn yn deulu o amgylch y bwrdd:
    Y mae'r maen wedi ei dreiglo i ffwrdd.
Ynot ti, Grist Iesu,
y mae pob maen yn cael ei dreiglo i ffwrdd:
y mae cariad yn torri trwy gasineb;
y mae gobaith yn torri trwy anobaith;
y mae bywyd yn torri trwy angau.
    Crist a gyfodwyd. Amen.

Cymuned Iona

Tyrd i'n bywyd ni a rho lawenydd i ni:

O Grist, yn dy atgyfodiad yr wyt wedi trechu dy ddienyddwyr, dy elynion, dy warchodwyr, ac wedi llawenhau calonnau dy ddisgyblion.
    Trwy dy fuddugoliaeth, ymbiliwn arnat,
    rho i ni lawenydd yn dy wasanaeth. Amen.

Cymuned Taizé

Y Crist Byw, arwain ni i gyhoeddi dy efengyl i'r byd:

Bydded i'r Duw sy'n ysbryd nef a daear,
yr hwn na all angau mo'i orchfygu,
sy'n byw i'n cyffroi a'n hiacháu
ein bendithio â nerth i fynd allan
a chyhoeddi'r Efengyl. Amen.

Janet Morley

Diolchwn a gorfoleddwn ym muddugoliaeth Iesu sy'n troi'r byd wyneb i waered:

O Dduw Byw,
Moliannwn di am ryfeddod y Pasg,
dydd i ddathlu, rhyfeddu a diolch –
dydd sy'n newid ein ffordd o weithredu,
dydd sy'n newid ein ffordd o fyw,
dydd sy'n newid popeth.
Gorfoleddwn ym muddugoliaeth Iesu Grist. Amen.

Nick Fawcett

Rho weledigaeth newydd i'r eglwys – gweledigaeth yr atgyfodiad:

Bywha dy eglwys, O Arglwydd, â grym yr atgyfodiad:
adnewydda'i bywyd a grymusa'i chenhadaeth. Amen.

Elfed ap Nefydd Roberts

ADNODAU

Os nad ydych yn credu yn yr atgyfodiad gwagedd yw'r cwbl:

Ac os nad yw Crist wedi ei gyfodi, gwagedd yw'r hyn a bregethir gennym ni, a gwagedd hefyd yw eich ffydd chwi, ... Ond y gwir yw fod Crist wedi ei gyfodi oddi wrth y meirw, yn flaenffrwyth y rhai sydd wedi huno.

1 Corinthiaid 15: 14, 20

Profiad Mair oedd gweld fod y maen wedi'i dynnu oddi wrth y bedd:

Ar y dydd cyntaf o'r wythnos, yn fore, tra oedd hi eto'n dywyll, dyma Mair Magdalen yn dod at y bedd, ac yn gweld bod y maen wedi ei dynnu oddi wrth y bedd.

Ioan 20: 1

Mae'r llais yn galw, 'Mair', ac mae hithau'n ei adnabod:

"Wraig," meddai Iesu wrthi, "pam yr wyt ti'n wylo? Pwy yr wyt yn ei geisio?" Gan feddwl mai'r garddwr ydoedd, dywedodd hithau wrtho, "Os mai ti, syr, a'i cymerodd ef, dywed wrthyf lle y rhoddaist ef i orwedd, ac fe'i cymeraf fi ef i'm gofal." Meddai Iesu wrthi, "Mair." Troes hithau, ac meddai wrtho yn iaith yr Iddewon, "Rabbwni" (hynny yw, Athro).

Ioan 20: 15–16

Ar doriad y bara mae'r ddau yn ei adnabod:

Wedi cymryd ei le wrth y bwrdd gyda hwy, cymerodd y bara a bendithio, a'i dorri a'i roi iddynt. Agorwyd eu llygaid hwy, ac adnabuasant ef. A diflannodd ef o'u golwg.

Luc 24: 30–31

DYWEDIADAU A THRADDODIADAU

Nid un a fu yw Iesu ond un sydd yn fyw heddiw.

Nid sŵn yn unig oedd gair Duw ond gair yn gweithredu'n nerthol a chreadigol.

Mae Iesu bob amser o'n blaenau yn ein galw i brofiadau newydd a chyffrous.

Cerdded i'r machlud oedd hanes y ddau ar eu ffordd i Emaus ond ar ôl sacrament y swper trodd y ddau i wynebu'r wawr a dychwelyd i Jerwsalem.

Mae'r Testament Newydd yn dystiolaeth fod Iesu'n fyw. Pwy fyddai eisiau ysgrifennu am un a fu farw ar y groes?

Trwy atgyfodi Iesu daeth yn amlwg mai gan Dduw oedd y gair terfynol.

Treiglodd Duw y maen i ffwrdd, nid er mwyn i'w fab atgyfodi, ond er mwyn i ni wybod iddo atgyfodi, ac er mwyn i ni gael mynediad i'r bedd gwag a gweld bod angau wedi colli ei rym a'i ddychryn.

Dim atgyfodiad. Dim Cristnogaeth.

A. M. Ramsey

Y Sulgwyn

Tyrd, Ysbryd Glân, ysbrydola ni ag ynni dwyfol, defnyddia ni yn dy wasanaeth, a bendithia ni â'th ddoniau. Tyrd, Ysbryd Glân.

EMYNAU

Mae geiriau Roger Edwards yn yr emyn hwn yn seiliedig ar addewid Iesu i'w ddisgyblion yn Efengyl Ioan. 'Nid chwi a'm dewisodd i, ond myfi a'ch dewisodd chwi, a'ch penodi i fynd allan a dwyn ffrwyth, ffrwyth sy'n aros.' (15: 16):

Iesu roes addewid hyfryd
  cyn ei fynd i ben ei daith
yr anfonai ef ei Ysbryd
  i roi bywyd yn ei waith;
    dawn yr Ysbryd,
    digon i'r disgyblion fu.

Roger Edwards (Caneuon Ffydd: 576)

Profiad uniongyrchol, ysgytwol yn eglwys St Michael-le-Belfrey yng Nghaerefrog fu'n symbyliad i Dan Lynn James gyfansoddi'r geiriau hyn:

Ti yr Un sy'n adnewyddu,
  ti yw'r Un sy'n bywiocáu;
ti yw'r Un sy'n tangnefeddu
  wedi'r cilio a'r pellhau:
bywiol rym roddaist im,
bellach ni ddiffygiaf ddim.

Dan Lynn James (Caneuon Ffydd: 579)

Bu gweledigaeth dyffryn yr esgyrn sychion ym mhroffwydoliaeth Eseciel (37: 1–9) yn symbyliad i R. R. Morris gyfansoddi ei emyn:

Ysbryd byw y deffroadau,
    disgyn yn dy nerth i lawr,
rhwyga'r awyr â'th daranau,
    crea'r cyffroadau mawr;
chwyth drachefn y gwyntoedd cryfion
    ddeffry'r meirw yn y glyn,
dyro anadliadau bywyd
    yn y lladdedigion hyn.

R. R. Morris (*Caneuon Ffydd*: 584)

Mae emyn Dewi Jones, a gyfansoddwyd ar gais Eisteddfod Genedlaethol Môn 1999, yn gofyn i Dduw 'gyffwrdd ynom' a'n nerthu â'r Ysbryd Glân fel y gallwn gyhoeddi maint ei ras, lliniaru ofnau'r anghenus a phrofi'r cariad 'gwyd o'i atgyfodiad mawr':

Cyffwrdd ynom, Dduw pob rhinwedd,
    nertha ni â'th Ysbryd Glân
i droi'n gweddi'n edifeirwch
    a throi'n ffydd yn golofn dân:
rhoist dy unig Fab i farw
    dros anufudd deulu'r llawr;
gad i ninnau brofi'r cariad
    gwyd o'i atgyfodiad mawr.

Dewi Jones (*Caneuon Ffydd*: 585)

Mae yna elfen o dangnefedd ac esmwythâd yn emyn Elfed sy'n galw ar yr Ysbryd i ddod i'n hiacháu, ein bywhau a'n glanhau:

O tyred i'n hiacháu,
    garedig Ysbryd;
tydi sy'n esmwytháu
    blinderau bywyd:
er dyfned yw y loes,
er trymed yw y groes,
dwg ni bob dydd o'n hoes
    yn nes i'r gwynfyd.

Elfed (*Caneuon Ffydd*: 591)

Gwrando ar yr emyn Saesneg, 'Be still, for the presence of the Lord' yn cael ei ganu mewn cynhadledd ym Mhrifysgol Caerhirfryn fu'n symbyliad i R. Glyn Jones gyfansoddi'r emyn Cymraeg:

Distewch, cans mae nerth yr Arglwydd Iôr yn symud yn ein plith;
daw i'n hiacháu yn awr, gweinydda'i ras fel gwlith:
fe glyw ein hegwan lef, drwy ffydd derbyniwch ef;
distewch, cans mae nerth yr Arglwydd Iôr yn symud yn ein plith.

David J. Evans cyf. R. Glyn Jones (Caneuon Ffydd: 600)

GWEDDÏAU

Ysbryd Glân, ti sy'n rhoi bywyd, yn ein cryfhau, yn ein hysbrydoli, yn maddau, yn ein cyfiawnhau ac yn rhoi tangnefedd, helpa ni i rannu hyn i gyd gydag eraill:

Ti, Ysbryd Glân, a rydd fywyd:
    galw ni i rannu'n bywyd ag eraill.
Ti, Ysbryd Glân, sy'n ein cryfhau:
    helpa ni i ddwyn cysur i eraill.
Ti, Ysbryd Glân, sy'n ysbrydoli:
    galluoga ni i ysbrydoli eraill.
Ti, Ysbryd Glân, sy'n maddau:
    dyro ras i ninnau faddau'n llwyr.
Ti, Ysbryd Glân, sy'n cyfiawnhau:
    nertha ni i frwydro dros gyfiawnder.
Ti, Ysbryd Glân, sy'n rhoi tangnefedd:
    gwna ni'n weithredwyr heddwch. Amen.

John H. Tudor

O Dduw, y Drindod, tyrd atom i'n disgyblu a'n gwaredu ac i roi bywyd newydd i ni:

Dduw'r Tad, tyrd atom ni, dy blant, i'n disgyblu yn dy ffyrdd, ac i'n cofleidio yn dy drugaredd;

Dduw'r Mab, tyrd atom i'n gwaredu o'n pechod, a'n hadfer i lwybr dy ewyllys a'th deyrnas;
Dduw'r Ysbryd Glân, anadla arnom i'n bywhau, gan sefyll yn ein hymyl i eiriol trosom. Amen.

Maurice Loader

Boed i'r Ysbryd, sy'n rhoi bywyd i ni, hefyd ein harwain i ddeall ac amgyffred:

O Arglwydd Iesu, rho i ni galonnau a meddyliau sy'n barod i ddysgu fel, o wrando, y cawn ddysgu ac ufuddhau.
O Arglwydd Iesu, rho i ni dy Ysbryd fel y cofiwn amdanat pan dueddwn i'th anghofio, ac fel y cawn ein hatgoffa o'th orchmynion pan demtir ni i'w torri.
O Arglwydd Iesu, helpa ni i sylweddoli bod pob darganfyddiad a llwyddiant, pob harddwch a gwirionedd, ym myd llenyddiaeth, meddygaeth a gwyddoniaeth yn waith yr Ysbryd, yn defnyddio pobl heb yn wybod iddyn nhw eu hunain.
O Arglwydd Iesu, pan na ddeallwn fel y dylen, rho i ni dy Ysbryd fel y daw'r cyfan yn eglur i ni. Amen.

Dietrich Bonhoeffer

Boed i'r Ysbryd ein cyfannu a dod â ni yn nes at ein gilydd:

Trugarha wrth fyd lle ceir siarad heb gyfathrebu a pherthynas heb gariad, a lle mae ffiniau hil a chenedl yn gwahanu pobl. Anfon dy Ysbryd Glân i ddangos i ni beth yw ein gwir anghenion ac i'n dysgu i gyd-fyw heb ofni. Amen.

Raymond Chapman

Tyrd ar hyd ffyrdd annisgwyl a chyffwrdd â ni yn holl amrediad ein bywyd:

Yr wyt ti fel y gwynt yn chwythu lle y mynni,
   yn dod atom ar hyd llwybrau anhysbys ac annisgwyl,
   yn cyffwrdd â ni yn holl brofiadau ein bywyd;

55

tyrd atom yn awr
ac aros gyda ni dros byth. Amen.

Elfed ap Nefydd Roberts

Mae dy Ysbryd wedi bod yn rym yn y gorffennol; boed i'r Ysbryd heddiw ein cyffwrdd o'r newydd:

Cofiwn sut yr wyt wedi gweithio gyda phob cenhedlaeth,
  yn cymhwyso,
  yn galluogi,
  yn dysgu,
  yn ysbrydoli,
  yn anadlu bywyd newydd i hen strwythurau,
  yn dod â gweledigaethau newydd i draddodiadau sefydledig,
  ac yn tanio dy bobl ar gyfer mentrau dyfeisgar
  a adeiladwyd ar seiliau'r gorffennol.
Rwyt yn parhau i ddod heddiw:
  maddau i ni am gau allan dy bresenoldeb sy'n bywiocáu. Amen.

Nick Fawcett

ADNODAU

Gofynnwn heddiw am rym yr Ysbryd yn ein plith:

Oherwydd nid ar air yn unig y daeth atoch yr Efengyl yr ydym ni yn ei phregethu, ond mewn nerth hefyd, ac yn yr Ysbryd Glân, a chydag argyhoeddiad mawr. Fe wyddoch chwithau hefyd pa fath rai oeddem ni yn eich plith, ac er eich mwyn chwi.

1 Thesaloniaid 1: 5

Ysbryd yw Duw ac mae'n rhaid i ninnau ei addoli mewn ysbryd a gwirionedd:

Ysbryd yw Duw, a rhaid i'w addolwyr ef addoli mewn ysbryd a gwirionedd.

Ioan 4: 24

Yr Ysbryd Glân sy'n goleuo ac yn egluro:

Yr ydym yn mynegi'r rhain mewn geiriau a ddysgwyd i ni, nid gan ddoethineb ddynol, ond gan yr Ysbryd, gan esbonio pethau ysbrydol i'r rhai sydd yn meddu'r Ysbryd.

1 Corinthiaid 2: 13

Dyma brofiad y disgyblion ar y Pentecost cyntaf:

Ar ddydd cyflawni cyfnod y Pentecost yr oeddent oll ynghyd yn yr un lle, ac yn sydyn fe ddaeth o'r nef sŵn fel gwynt grymus yn rhuthro, ac fe lanwodd yr holl dŷ lle'r oeddent yn eistedd. Ymddangosodd iddynt dafodau fel o dân yn ymrannu ac yn eistedd un ar bob un ohonynt; a llanwyd hwy oll â'r Ysbryd Glân, a dechreusant lefaru â thafodau dieithr, fel yr oedd yr Ysbryd yn rhoi lleferydd iddynt.

Actau 2: 1–4

Mae Iesu'n paratoi ei ddisgyblion ar gyfer ei ymadawiad:

"Yr wyf wedi dweud hyn wrthych tra wyf yn aros gyda chwi. Ond bydd yr Eiriolwr, yr Ysbryd Glân, a anfona'r Tad yn fy enw i, yn dysgu popeth ichwi, ac yn dwyn ar gof ichwi y cwbl a ddywedais i wrthych."

Ioan 14: 25–26

Mae Pedr yn ei bregeth ar ddydd y Pentecost yn dyfynnu proffwydoliaeth Joel:

"Ar ôl hyn
tywalltaf fy ysbryd ar bawb;
bydd eich meibion a'ch merched yn proffwydo,
bydd eich hynafgwyr yn gweld breuddwydion,
a'ch gwŷr ifanc yn cael gweledigaethau."

Joel 2: 28

DYWEDIADAU A THRADDODIADAU

Nid oes gwell sgrin i gau'r Ysbryd allan na hyder yn ein deallusrwydd ein hunain.

John Calfin

Ers dyddiau'r Pentecost, a yw'r Eglwys wedi rhoi pob gwaith heibio a disgwyl wrtho Ef er mwyn i nerth yr Ysbryd gael ei amlygu? Rhown ormod o sylw i ddulliau, peirianwaith ac adnoddau, a rhy ychydig i ffynhonnell y grym.

Jeremy Taylor

Cyn i Grist anfon yr eglwys i'r byd, anfonodd ei Ysbryd. Mae'n rhaid dilyn yr un drefn heddiw.

John Stott

Mae'r Ysbryd Glân yn creu tangnefedd a thawelwch meddwl.
Mae'n rhaid i ni heddiw gael gweld a phwyso a mesur popeth. Gallu anweledig ydi'r Ysbryd.
Yr Ysbryd Glân sy'n gwneud Iesu yn berthnasol. Crea gyswllt rhwng dynion a Iesu Grist.

R. Tudur Jones

Yr Haf

Fe doddodd yr eira, dadmera yr iâ
A dychwel llawenydd yng ngobaith yr ha'.

EMYNAU

Hyderu mae T. Elfyn Jones y bydd digwyddiadau ym myd natur fel cân yr adar, y blodau a'r perthi yn ein hannog ninnau i'w efelychu a dangos ein gwerthfawrogiad:

Tydi sy'n deffro'r adar
  i flaenu'r wawr â chân,
O deffro ni i'th foli
  bob dydd â chalon lân.

T. Elfyn Jones (Caneuon Ffydd: 78)

Mae Rebecca Powell wedi ymserchu yn rhinweddau tymor yr haf:

Ac yna'r haf a'i ddyddiau mwyn,
  yr wybren las, a'r haul uwchben,
a chlywir hyfryd chwerthin plant
  yn atsain eto hyd y nen.

Rebecca Powell (Caneuon Ffydd: 81)

Emyn yn clodfori byd natur ac ar yr un pryd yn dyrchafu Duw yw cyfansoddiad W. T. Pennar Davies:

Hyfryd gorfoleddu yn ei greaduriaid,
adar mân y mynydd a physgod mawr y môr,
hynod rywogaethau llwythau'r anifeiliaid –
  clod yw eu bywyd am mai byw yw'r Iôr.

W. T. Pennar Davies (Caneuon Ffydd: 123)

Mae dau bennill cyntaf cyfieithiad H. J. Hughes yn fawl i'r byd o'n cwmpas ac yn gyfle i'r credadun ddiolch i Dduw y Tad:

Am heulwen glir ac awel fwyn,
  i ti, O Dad, diolchwn;
am harddwch ir pob maes a llwyn,
  i ti, O Dad, diolchwn;
am flodau tlws a blagur mân,
am goed y wig a'u lliwiau'n dân,
am adar bach a'u melys gân,
  i ti, O Dad, diolchwn.

Anad. cyf. H. J. Hughes (Caneuon Ffydd:128)

Tro trwy'r tymhorau a geir yn emyn W. J. Gruffydd (Elerydd) ac mae'r ail bennill yn disgrifio'r haf yn hyfrydwch y mynydd a chyfaredd y môr:

Dwed yr haf â'i fwyn diriondeb
  am ogoniant mawr yr Iôr,
mae hyfrydwch yn y mynydd,
  mae cyfaredd yn y môr.

W. J. Gruffydd (Elerydd) (Caneuon Ffydd: 136)

Ar gais Alun Guy yr ysgrifennodd Gwyn Thomas y geiriau hyn ar gyfer y dôn 'Savez – vous?':

Wyddoch chi pwy wnaeth yr haf?
Neb ond Duw, neb ond Duw.
Pwy a wnaeth y tywydd braf?
Neb ond Duw, neb ond Duw.

Gwyn Thomas (Caneuon Ffydd: 129)

GWEDDÏAU

Trwy ddirgelion byd natur boed i ni addoli Duw y Creawdwr:

Cynorthwya ni i ganfod prydferthwch yn y cread.
Dyro i ni glust i glywed synau'r haf,
cân yr adar a suo'r pryfed.
Dyro i ni lygaid i werthfawrogi lluniau'r haf,
glesni'r môr ac aur y tywod;
a thrwy'r profiadau hyn gad i ni dy addoli di,
Arglwydd y cread. Amen.

Arhoswn i ymlacio ac i fwynhau creadigaeth Duw yn nhymor yr haf:

Pan ddaw'r haf heibio diolch am gael ysbaid i ymlacio o waith bob dydd
a chyfle i ymlonyddu a diogi yn haul yr haf. Cyfle i fynd ar wyliau, i
newid byd ac i ehangu gorwelion. Diolch am nosweithiau braf pan gawn
gyfle i hamddena yn yr ardd a'r haul yn machlud dros y gorwel. Diolch
i ti am wefr y tymor hwn. Amen.

**Wrth syllu ar ehangder yr awyr o'n cwmpas diolchwn i Dduw am ei
greadigaeth:**

Pan fyddaf yn edrych i fyny ar awyr y nos
ac yn gweld goleuadau disglair yr Arth Mawr,
ysblander y Llwybr Llaethog
neu ddisgleirdeb arbennig seren newydd,
caf fy llenwi gydag ymdeimlad o dangnefedd,
o wybod mai'r Duw a greodd
y cyfanfyd eang yn ei harddwch,
a luniodd blanedau nid adwaenir
mewn hyfrydwch heb ei ddarganfod,
a'n creodd ninnau hefyd a'n hadnabod,
gan ein dal yng nghledr ei law
a dyheu am inni gael iechyd a daioni,
ac mewn cymundeb dwfn ag ef
y caffom ein tangnefedd. Amen.

John Johansen-Berg

Diolch am harddwch ac amrywiaeth tymor yr haf:

Diolch i ti, O Dduw, am rinweddau haf.
Dyddiau haf, yn boeth a diog, a murmur gwenyn
ac amrywiol alwadau llu o adar.
Y cnydau ysblennydd yn y meysydd
a'r ffermwyr yn brysur o gwmpas eu gwaith.
Rhedodd y nentydd yn sych; llosgwyd y rhosydd yn gols;
a'r mwyalch yn ddiwyd yn y llwyni.
Diolch iti, Dduw'r nefoedd a'r ddaear
am harddwch a gwres yr haf. Amen.

John Johansen-Berg

Gofynnwn am dy gymorth di i ymlacio yn ystod cyfnod yr haf fel y byddwn yn barod i ailafael yn y gwaith:

Diolchwn, ein Tad, am iechyd i fwynhau'r haf ac am nerth i gyflawni ein gwaith o ddydd i ddydd. Diolchwn hefyd am wyliau'r haf i ymryddhau o gyfrifoldeb gwaith, ac i atgyfnerthu'n gorfforol, yn feddyliol ac yn ysbrydol. Gweddïwn ar i'r cyfnod hwn fod yn fendithiol i bawb ohonom fel y cawn nerth i wynebu ein gwaith ym mis Medi gydag ymroddiad newydd, ac ysbryd parotach i'th wasanaethu yn enw Iesu Grist. Amen.

John Lewis Jones

ADNODAU

Ar ôl y dilyw mawr dyma addewid Duw i'w bobl:

Tra pery'r ddaear,
ni pheidia pryd hau a medi, oerni a gwres,
haf a gaeaf, dydd a nos.

Genesis 8: 22

Ti, O Dduw, yw'r creawdwr a'r cynhaliwr:

Ti a osododd holl derfynau daear,
ti a drefnodd haf a gaeaf.

Salm 74: 17

Mae'r morgrugyn yn ystod yr haf yn paratoi ar gyfer y gaeaf:

Y mae'n darparu ei gynhaliaeth yn yr haf,
yn casglu ei fwyd amser cynhaeaf.

Diarhebion 6: 8

Mae tymor yr haf yn rhoi cyfle i ni fod yn ddarbodus:

Y mae mab sy'n cywain yn yr haf yn ddeallus,
ond un sy'n cysgu trwy'r cynhaeaf yn dod â chywilydd.

Diarhebion 10: 5

Roedd gweledigaeth Amos yn arwydd o ddyddiau drwg i'w genedl:

A gofynnodd ef, "Beth a weli, Amos?" Atebais innau, "Basgedaid o ffrwythau haf." Yna dywedodd yr ARGLWYDD wrthyf, "Daeth y diwedd ar fy mhobl Israel; nid af heibio iddynt byth eto."

Amos 8: 2

DYWEDIADAU A THRADDODIADAU

Marw i fyw mae'r haf o hyd.

R. Williams Parry

Cadw lawnder yr haf at lymder y gaeaf.

Brain yn nythu'n uchel – haf braf.

15 Gorffennaf – Dydd Sant Swiddin, Esgob Caer-wynt. Bu farw yn y flwyddyn 862 a chladdwyd ef, yn ôl ei ddymuniad, yn y fynwent ac nid yn yr eglwys. Dros ganrif yn ddiweddarach penderfynwyd symud ei weddillion i mewn i'r eglwys ond ar y diwrnod hwnnw, sef y 15 Gorffennaf, daeth yn storm enbyd a bu'n rhaid gohirio a bu'n bwrw'n ddi-baid am ddeugain niwrnod. Mae'n amlwg bod Swiddin yn ddigon

hapus yn y fynwent! Byth ers hynny mae'r 15 Gorffennaf yn cael ei ystyried fel arwydd o'r tywydd i ddod am y deugain niwrnod nesaf.

Dyddiau'r Cŵn – o 3 Gorffennaf hyd 10 Awst. Fe'u gelwir ar ôl seren y ci, Sirius, y seren fwyaf llachar yn ystod y cyfnod hwn. Credai'r Rhufeiniaid fod y seren lachar hon yn ychwanegu at wres yr haul a dyna pam oedd yr hin mor boeth yn y cyfnod hwn sef y *caniculares dies* – dyddiau'r cŵn.

1 Awst yw Calan Awst neu Lammas ac ar y diwrnod hwnnw byddai bara'n cael eu pobi o rawn cynta'r tymor – a'r enw Lammas yn tarddu o Loaf-mass.

Diolchgarwch

Bydd ffrwythlonder tra pery – haul a gwlith,
Yn wyn o wenith rhag ein newynu.

Dic Jones, 'Cynhaeaf'

EMYNAU

**Ugain oed oedd David Charles pan gyfansoddodd yr emyn hwn o fawl
i Arglwydd y cread:**

Tydi sy deilwng oll o'm cân,
   fy Nghrëwr mawr a'm Duw;
dy ddoniau di o'm hamgylch maent
   bob awr yr wyf yn byw.

David Charles (*Caneuon Ffydd*: 64)

**Ym mhob un o'r penillion mae Hywel Cernyw Williams yn ei emyn yn
cyfeirio at fendith dafnau, tonnau a thawel afon Duw sy'n seiliedig
mae'n debyg ar yr afon oedd yn llifo allan o Eden i ddyfrhau'r ardd:**

Am gael cynhaeaf yn ei bryd
   dyrchafwn foliant byw;
fe gyfoethogwyd meysydd byd
   gan fendith afon Duw.

Cernyw (*Caneuon Ffydd*: 65)

**Emyn a ysgrifennwyd yn benodol ar gyfer yr ŵyl Ddiolchgarwch yw
hwn gan J. Pinion Jones sy'n ein galw i ddiolch ond hefyd i gofio am
waedd y rhai o bellter byd:**

Wrth inni loddesta ar lawnder pob pryd
   mae'r anghenus yn wylo yn lli;
ei waedd sydd i'w chlywed o bellter ein byd:

"O rhanna dy fara â mi," medd ef,
"O rhanna dy fara â mi."

J. Pinion Jones (*Caneuon Ffydd*: 160)

Ynghanol ein llawnder mae'n rhaid cofio am y rhai sydd heb ddim, a dyhead yr emynydd W. Rhys Nicholas yw ein gwneud yn gyson-hael:

Agor di ein llygaid, Arglwydd,
 i weld angen mawr y byd,
gweld y gofyn sy'n ein hymyl,
 gweld y dioddef draw o hyd: ...

Agor di ein calon, Arglwydd,
 a gwna ni yn gyson-hael, ...

W. Rhys Nicholas (*Caneuon Ffydd*: 841)

Mae'r emyn hwn o waith D. J. Davies yn seiliedig ar hanes Iesu a'i ddisgyblion yn tynnu tywysennau wrth gerdded trwy gaeau ŷd:

Enynner diolchgarwch,
 mae ffiol dyn yn llawn;
bu Duw mewn mawr ddirgelwch
 yn taenu'r gwyrthiau grawn: ...

mae Mab y Dyn yn rhodio
 bob blwyddyn drwy yr ŷd,
diolched dyn wrth gofio
 bod Duw yn cofio'i fyd.

D. J. Davies (*Caneuon Ffydd*: 85)

Gellir tybio mai o Salm 65 (11–12) y cafodd John Davies (Gwyneddon) ei ysbrydoliaeth ar gyfer yr emyn hwn:

Anfeidrol Dduw rhagluniaeth,
 a Thad y greadigaeth,
coronaist eto'r flwyddyn hon

â'th dirion ddoniau'n helaeth:
ti Arglwydd pob daioni,
beth mwy a dalwn iti
na chydymostwng, lwch y llawr,
yn awr i'th wir addoli?

Gwyneddon (*Caneuon Ffydd*: 97)

GWEDDÏAU

Gadewch inni weddïo ar Dduw, sydd yn Arglwydd y cynhaeaf ym mhob peth materol ac ysbrydol:

Fel yr wyt ti wedi bendithio'r Eglwys â helaethrwydd o ras, cadw hi'n ffyddlon wrth inni offrymu'r gair a'r sacrament, gan wybod fod pob peth yn dod oddi wrthyt ti ac yn dychwelyd atat ti. Anfon allan dy weithwyr i grynhoi cynhaeaf y byd, fel bod eraill yn cael adnabod dy gariad.

Gweddïwn dros bawb sydd yn gweithio er mwyn bwydo eraill, a thros y rhai sydd yn casglu cynhaeaf y tir a'r môr. Gweddïwn dros y rhai sy'n gweithio i brosesu a chludo bwyd. Caniatâ y bydd nwyddau'r byd yn cael eu dosbarthu yn fwy teg.

Dyro i ni, ein teuluoedd a'n ffrindiau, galonnau diolchgar am dy holl haelioni, a gofala am anghenion eraill. Bendithia bawb sydd yn llafurio i roi prydau i'r tlawd a'r methedig yn y gymuned hon.

Gweddïwn dros bawb sydd yn newynog ac yn dioddef oherwydd diffyg maeth. Gweddïwn yn arbennig dros blant y mae prinder bwyd yn effeithio ar eu hiechyd. Bendithia'r sawl sy'n gweithio i fwydo'r newynog. Amen.

Raymond Chapman

Diolch am y cydbwysedd rhyfeddol yn dy fyd:

Diolch i Ti am ein cynhaeaf yr ydym yn bennaf heddiw, am gysondeb rhod y tymhorau. 'Haf a gaeaf ni phaid holl ddyddiau'r ddaear.'

Diolch i Ti am y bywyd a'r had, sy'n para i fod yn ddirgelwch. Plannu yn unig a wnawn ni, ond 'Duw sy'n rhoi y cynnydd.'

Diolch i Ti fod pob deilen werdd, pob llafn o laswelltyn yn anadlu gwenwyn, ac yn ei buro'n awyr iach i ni. Pe peidiai'r drefn yna, fe fyddai ar ben arnom.

Diolch i Ti am drai a llanw'r môr; am fod dy fôr Di mor aflonydd y mae bywyd yn bosibl. Pe safai'r môr byddai ar ben arnom.

Diolch i Ti am y cydbwysedd rhyfeddol yma rhwng dyn a'i amgylchfyd yn y Greadigaeth. Amen.

Cynnal Oedfa

Diolchwn i ti am bopeth sydd o'n plaid yn dy greadigaeth:

Ein Tad, awdur bywyd, cynhaliwr pob dim byw,
a'n harweinydd trwy Iesu, i fywyd llawn:
diolchwn i ti am gynnyrch y ddaear a'r môr,
llysiau y caeau a'r gerddi,
a ffrwythau'r coed a'r llwyni;
am yr haul a'r gwynt a'r glaw
a roes gynnydd ac aeddfedrwydd i'r had;
am yr amaethwr a'r garddwr
fu'n bartneriaid ffyddlon a diwyd i ti,
yn trin y tir ac yn hau,
yn cywain ac yn casglu i ysguboriau;
am y crefftwyr a'r gweithwyr fu'n gyfrifol
fod y cynhaeaf yn gynhaliaeth wrth law ar ein cyfer,
i'n cadw ni a'n teuluoedd yn fyw ac yn iach.

Ond, O Dad, rho i ni raslonrwydd Iesu Grist
i gofio am y rhai sydd mewn angen,
trwy weddïo, trwy rannu
a thrwy geisio trefn decach i'r gwan a'r tlawd.

'Rho i ni nerth i wneud ein rhan',
yn enw Iesu Grist. Amen.

John Owen

Derbyn ein diolch ac arwain ni i gydweithio â Thi er mwyn eraill:

Trown atat ti, ein Tad trugarog, y bore newydd hwn i'th gydnabod di yn
ddiolchgar am dy ddaioni parhaus tuag atom. Dyro i ni weld mai i ti yr
ydym i ddiolch am roddi i ni gnwd y maes a ffrwythau'r coed, gan ddwyn
llawnder i ddyn ac anifail. Derbyn ein diolch am i ti ein cynnal a'n cadw.
Arwain ni i ddeall mai fel cydweithwyr â thydi y meddiannwn holl gyfoeth
dy drugaredd, ac y gogoneddwn dy enw; er mwyn Iesu Grist ein
Harglwydd. Amen.

Edwin C. Lewis

Defnyddiwn dy roddion yn unol â'th ewyllys di:

Hollalluog a thragwyddol Dduw, sy'n coroni'r flwyddyn â'th ddaioni,
ac yn rhoddi inni ffrwythau'r ddaear yn eu tymor, rho i ni galonnau
diolchgar, fel y defnyddiwn dy roddion yn unol â'th ewyllys; trwy Iesu
Grist ein Harglwydd. Amen.

Llyfr Gweddi Gyffredin

Boed i Dduw sy'n cynnal byd natur ein cynnal ninnau:

Bydded i Dduw sy'n dilladu'r lili a bwydo adar y nefoedd, sy'n arwain
yr ŵyn i borfa a'r carw i lan yr afon, a gynyddodd y torthau a'r pysgod
a throi'r dŵr yn win, ein harwain ni, a'n bwydo ni, a'n cynyddu, a'n
newid ni i adlewyrchu gogoniant ein Creawdwr drwy holl dragwyddoldeb.
Amen.

Edwin C. Lewis

ADNODAU

Dyma addewid Duw:

Tra pery'r ddaear,
ni pheidia pryd hau a medi, oerni a gwres,
haf a gaeaf, dydd a nos.

Genesis 8: 22

Diolchwn oll i Dduw:

Ti yw fy Nuw, a rhoddaf ddiolch i ti;
fy Nuw, fe'th ddyrchafaf di.

Salm 118: 28

Duw yw'r Creawdwr:

Oni wyddost, oni chlywaist?
Duw tragwyddol yw'r ARGLWYDD
a greodd gyrrau'r ddaear;
ni ddiffygia ac ni flina,
ac y mae ei ddeall yn anchwiliadwy.

Eseia 40: 28

Rhown ddiolch ymhob peth:

Ym mhob dim rhowch ddiolch, oherwydd hyn yw ewyllys Duw yng Nghrist Iesu i chwi.

1 Thesaloniaid 5: 18

Mae'n rhaid i ninnau fod yn amyneddgar fel y ffermwr:

Byddwch yn amyneddgar, gyfeillion, hyd ddyfodiad yr Arglwydd. Gwelwch fel y mae'r ffermwr yn aros am gynnyrch gwerthfawr y ddaear, yn fawr ei amynedd amdano nes i'r ddaear dderbyn y glaw cynnar a diweddar. Byddwch chwithau hefyd yn amyneddgar, a'ch cadw eich hunain yn gadarn, oherwydd y mae dyfodiad yr Arglwydd wedi dod yn agos.

Iago 5: 7–8

Gwaith y Cristion bob amser yw rhoi diolch:

Diolchwn bob amser am bob dim i Dduw y Tad yn enw ein Harglwydd Iesu Grist;

Effesiaid 5: 20

DYWEDIADAU A THRADDODIADAU

Cynhelid Sul y Diolchgarwch yng Ngwynedd a Môn ar y trydydd Sul ym mis Hydref a hefyd ar y Llun (Dydd Llun Pawb). Roedd hwn yn ddiwrnod o wyliau a byddai'r addoldy wedi ei addurno â llysiau, blodau a ffrwythau.

Cynhaliodd R. S. Hawker, Ficer Morwenstow yng Nghernyw, ŵyl Ddiolchgarwch yn ei eglwys ym 1843. Eisoes, ym 1838 gofynnodd Esgob Henffordd i'r Arglwydd Melbourne am ŵyl Ddiolchgarwch flynyddol ond fe'i gwrthodwyd am y byddai'n rhaid darparu diolchgarwch ar bob achlysur ac am bob peth os caniateid hyn.

Yn ystod yr ŵyl o Ddiolchgarwch mae'r Cristion yn diolch am y Cread. Duw ydi'r Creawdwr a ninnau ydi'r tenantiaid. A gwaith y tenant ydi gofalu am y byd sef cydweithio â Duw yn y broses o gadw, gofalu a chreu.

Mewn cymdeithas sy'n rhoi pwyslais ar hawliau mor bwysig ydi plygu i ddiolch am yr hyn a gawn.

Ar y pedwerydd Iau yn Nhachwedd bydd yr Americanwyr yn dathlu eu diwrnod o Ddiolchgarwch (Thanksgiving), diwrnod o wyliau cenedlaethol pan fydd y teulu ar wasgar yn ymgynnull i fwynhau pastai a thwrci.

Yr Hydref

Caea y dydd ei lygad
Cysglyd yn gynt a chynt;
Clywir lle bu'r uchedydd
Ryferthwy y glaw a'r gwynt:
Crin y binwydden ieuanc,
Cydia'n y mynydd mawr –
Ni ellir goroesi gaeaf
Heb wreiddio yn ddwfn i lawr.

Eifion Wyn

EMYNAU

Tymor amrywiaeth lliwiau a chyfoeth y cnydau yw'r hydref:

A phan ddaw'r hydref yn ei rwysg
a'i law yn euro dail y coed
cawn brofi cyfoeth cnwd y maes
eleni eto fel erioed.

Rebecca Powell (*Caneuon Ffydd*: 81)

Gwyrth yr hydref yw'r sgubor lawn:

Gwelir Duw yn lliwiau'r hydref
pan aeddfedo'r cnwd a'r grawn,
mae ei roddion yn y berllan,
mae ei wyrth mewn sgubor lawn.

W. J. Gruffydd (Elerydd) (*Caneuon Ffydd*: 136)

Canmol haelioni Duw mae Nantlais trwy gyfeirio at y meysydd, coed yr ardd, y llysiau a'r ffrwythau:

Beth yw iaith y meysydd ŷd,
coed yr ardd a'r llysiau i gyd?
Dweud mae'r ffrwythau o bob rhyw,
blentyn bach, mor hael yw Duw.

Nantlais (Caneuon Ffydd: 115)

Yn wythnosau cyntaf tymor yr hydref bydd y grug, yn ei fantell borffor, ar ei orau:

Yr Arglwydd sy'n cofio y lili fwyn, wen
a'i gwisgo yn hyfryd o'i thraed hyd ei phen;
rhydd wisgoedd o borffor i'r grug ar y bryn
a mantell y rhosyn yn goch ac yn wyn.

Gomer M. Roberts (Caneuon Ffydd: 157)

Ni allwn anghofio mai tymor y cynhaeaf ydi tymor yr hydref:

Mae'n rhoddi'r cynhaeaf, mor dda yw ein Duw,
mae'n rhoddi'r cynhaeaf, mor dda yw ein Duw,
mae'n rhoddi'r cynhaeaf, mor dda yw ein Duw,
fe roes ei unig Fab er mwyn i ni gael byw.

Anad. cyf. Olive Edwards (Caneuon Ffydd: 158)

GWEDDÏAU

Amrywiaeth yw nod amgen tymor yr hydref:

Arglwydd mae'r dydd yn byrhau,
mae ias oer ar yr awel,
mae'r adar wedi mudo,
mae blodau'r haf wedi marw,
mae'r ddaear yn dechrau llonyddu.
Ond fe ddaw haf bach Mihangel
a'i obaith
a'i heulwen
i godi calon.
Diolch, Arglwydd am amrywiaeth tymor yr hydref. Amen.

I rai, tymor y canol oed a throsodd ydi'r hydref:
Arglwydd,
os mai tymor yr ehangu ydi'r gwanwyn
tymor yr heneiddio a'r crebachu ydi'r hydref.
Mae'r gwanwyn yn fwrlwm o fywyd newydd.
Mae'r hydref yn araf heneiddio'n brydferth –
lliwiau'r coed,
rhwd melyn y rhedyn,
aeddfedrwydd y ffrwythau
oll yn fynegiant o dymor heneiddio. Amen.

Fel mae'r gwanwyn yn ein paratoi ar gyfer yr haf mae'r hydref yn ein paratoi ar gyfer y gaeaf:

Yn raddol mae'r tymhorau'n mynd a dod.
Y gwanwyn yn ymestyn o drymder y gaeaf,
tywydd yn cynhesu,
y dydd yn ymestyn.
Felly mae'r hydref.
Yn araf mae'r tywydd yn oeri,
y dydd yn byrhau
a'r adar mudol wedi mynd.
Cymaint llai fydd gafael y gaeaf
oherwydd bendithion tymor y prydferthwch.
Arglwydd, diolch am dy ofal. Amen.

Er fod gogoniant yr haf wedi diflannu mae gan yr hydref ei brydferthwch a'i amrywiaethau:

Arglwydd,
gwelwn y coed wedi eu gwisgo'n wych yn gynnes-goch,
yn felyn aur, llwytgoch a choch llachar.
Gwelwn y gweunydd yn troi'n hydrefol
a chlywn gân yr adar fel simffoni.
Diflannodd gwres yr haf
ond yn y myllder mae natur yn gwisgo gwisg yr hydref.

Rhown ddiolch a chlod iti, Dduw'r greadigaeth,
am raslonrwydd hydrefol diwrnod arall. Amen.

John Johansen-Berg

**Dymuniad yw ein gweddi ar i hyfrydwch a gogoniannau'r hydref
ddylanwadu ar ein bywydau:**

Annwyl Arglwydd pob tiriondeb,
bydd yn agos atom yn hydref y flwyddyn.
Wrth i ddail ddisgyn,
boed i ni gofio gogoniannau'r cynhaeaf,
cnydau'r meysydd,
y ffrwythau'n pwyso ar y coed.
Dysg i ninnau rannu cynhaeaf dy Gariad Di
efo'r rhai rydym yn eu cwrdd bob dydd.
Boed i harddwch euraidd y tymor hwn
aros yn ein bywydau a'n calonnau yn wastadol. Amen.

Addasiad o eiriau traddodiadol o Iwerddon

ADNODAU

Byd Duw yw hwn; ef yw'r sylfaenydd a'r cynhaliwr:

Eiddo'r ARGLWYDD yw'r ddaear a'i llawnder,
y byd a'r rhai sy'n byw ynddo.

Salm 24: 1

**Diolch mae'r Salmydd drwy'r Salm hon am gymorth Duw ymhob
argyfwng:**

Diolchwn i ti, O Dduw, diolchwn i ti;
y mae dy enw yn agos wrth adrodd am dy ryfeddodau.

Salm 75: 1

**Y mae hyd yn oed y crëyr yn adnabod ei dymor, ond nid dyna hanes y
bobl yn ôl y proffwyd Jeremeia:**

Y mae'r crëyr yn yr awyr yn adnabod ei dymor;
y durtur a'r wennol a'r fronfraith yn cadw amser eu dyfod;
ond nid yw fy mhobl yn gwybod trefn yr ARGLWYDD.

Jeremeia 8: 7

Cyfeirio at fendithion Gwlad yr Addewid mae'r adnod hon, bendithion sy'n dangos fod Duw gyda'i bobl ymhob profiad newydd:

yna byddaf yn anfon glaw yn ei bryd ar gyfer eich tir yn yr hydref a'r gwanwyn, a byddwch yn medi eich ŷd, eich gwin newydd a'ch olew;

Deuteronomium 11: 14

Mae 'amser i bopeth' meddai'r hen gyfieithiad ond 'tymor i bopeth' meddai'r cyfieithiad newydd:

Y mae tymor i bob peth, ac amser i bob gorchwyl dan y nef:

Pregethwr 3: 1

Beirniadaeth Paul yw fod y Galatiaid yn y gorffennol wedi cadw'n rhy gaeth at rhythm bywyd a heb weld y gogoniant:

Cadw dyddiau, a misoedd, a thymhorau, a blynyddoedd, yr ydych.

Galatiaid 4: 10

DYWEDIADAU A THRADDODIADAU

Hydref teg a wna aeaf gwyntog.

Hydref gwlyb – gaeaf caled.

Eira ar Eryri cyn Ffair Llan [Ffair Llanllechid, Gwynedd 29 Hydref] yn erthylu'r gaeaf.

Yn ôl Geiriadur Prifysgol Cymru mae'r gair 'Hydref' yn tarddu o 'hydd-fref' a cheir hyn mewn hen ddywediad:

Hydref – hydraedd hyddod
Melyn blaen bedw, gweddw hafod.
ac ystyr 'hydraedd hyddod' yw bref ceirw gwylltion yn ystod tymor yr ymlid a'r ymladd.

Y rheswm dros gwymp y dail ydi i roi cyfle i'r goeden osgoi llymder barrug y gaeaf. Mae deilen sy'n dal i weithio yn agored iawn i rewi yn ystod y gaeaf wrth i'r dŵr yn ei chelloedd rewi a chwyddo a chwalu. Felly mae'r dail yn crino a marw.

Mae'r adar sy'n byw ar bryfed yn ymfudo fel y gog a'r wennol ac mae rhai anifeiliaid yn mynd i drwmgwsg. Un o'r gaeafgysgwyr hyn ydi'r pathew. Dydi'r wiwer ddim yn gaeafgysgu – llonyddu mae hi yn ystod y tywydd oer.

Y Gaeaf

Na ddywed ddrwg am y flwyddyn
Hyd nes dyfod at ei therfyn

EMYNAU

Mae gan bob tymor ei rinweddau fel y gwelwn ym mhennill olaf emyn Rebecca Powell:

Ac er bod hin y gaea'n oer
    a mantell wen yn cuddio'r llawr,
clodforwn eto ryfedd wyrth
    amrywiaeth byd y Crëwr mawr.

Rebecca Powell (Caneuon Ffydd: 81)

Mae rhyfeddod y gaeaf ar ei orau pan fo'r eira'n drwch ar y llawr:

Y mae Duw yng ngrym y gaeaf
    pan fo'r storm dros bant a bryn,
ac fe welir ei ryfeddod
    pan fo'r llawr dan eira gwyn.

W. J. Gruffydd (Elerydd) (Caneuon Ffydd: 136)

Dweud y mae'r emynydd fod Duw yn gyfrifol am wyntoedd oer y gaeaf:

Mae'r nefoedd a'i chymylau
    o dan ei gadarn law,
mae'n rhoddi'r heulwen olau,
    mae'n rhoddi gwlith a glaw;
mae gwyntoedd oer y gaeaf
    yn ufudd iddo ef,
ac ni ddaw un cynhaeaf
    ond drwy ragluniaeth nef.

Elfed (Caneuon Ffydd: 130)

Er mai 'Cân yr Haf' yw'r dôn cyfeirio mae'r bardd ym mhennill cyntaf yr emyn at y gwynt a'r storm:

Duw a wnaeth y byd,
y gwynt a'r storm a'r lli,
ond nid yw e'n rhy fawr
  i'n caru ni.

Gwyn Thomas (*Caneuon Ffydd*: 141)

Pan oedd Morswyn yn gwylio'r tonnau'n torri ar y graig uwchlaw traeth Porthdafarch, Caergybi, cofiodd am graig arall, craig safadwy gadarn:

Arglwydd Iesu, arwain f'enaid
  at y graig sydd uwch na mi,
craig safadwy mewn tymhestloedd,
  craig a ddeil yng ngrym y lli;
llechu wnaf yng nghraig yr oesoedd,
  deued dilyw, deued tân,
a phan chwalo'r greadigaeth
  craig yr oesoedd fydd fy nghân.

Morswyn (*Caneuon Ffydd*: 740)

Yng nghanol stormydd a threialon bywyd mae'r emynydd yn troi at Dduw mewn gweddi:

Ni fethodd gweddi daer erioed
  â chyrraedd hyd y nef,
ac mewn cyfyngder, f'enaid, rhed
  yn union ato ef.

William Williams (*Caneuon Ffydd*: 166)

GWEDDÏAU

Diolchwn am brydferthwch tymor y gaeaf:

Greawdwr, diolchwn i ti am fyd mor amrywiol ei brydferthwch;
pelydrau'r haul wedi eu hadlewyrchu ar bibonwy disglair
ac ar wyneb rhewllyd llyn fel drych;
eira'n lluwchio'n ddwfn ar y bronnydd
ac esgyrn eira ar ganghennau'r coed.
Dyma ryfeddod y gaeaf mewn plu eira a rhew.
Dyma harddwch dy greadigaeth, Arglwydd yr eira.
Diolchwn i ti am blaned sy'n llawn harddwch. Amen.

John Johansen-Berg

Diolch i Dduw am wyrth y gaeaf:

Arglwydd,
er mor llwm a difywyd
ydi bywyd yn nhymor y gaeaf,
yr eira'n drwch,
y barrug yn wyn,
a'r gwynt yn brathu,
yn dawel
mae'r egin yn ffurfio,
mae'r gwreiddiau o'r golwg
yn sugno maeth
ac yn araf
mae bywyd newydd
yn ymagor ac yn ymddangos.
Gwyrth natur. Amen.

Gofynnwn am nerth i wynebu treialon y gaeaf:

O Dduw
pan fo stormydd y gaeaf ar eu gwaethaf
a'r barrug yn drwm ar ein bywydau

a'r eira'n drwch nes cuddio'r cyfan.
Bryd hynny, Arglwydd
rho nerth i ni
i wneud y gorau o'r gwaethaf,
i ddefnyddio'r gwaethaf i gynnal y gorau
ac er mor anodd ydi gwneud hynny
ar ein pennau'n hunain,
rho di dy nerth
i dawelu'r storm,
i feirioli'r hin,
i ddadmer yr eira,
a rho obaith i ni
fod dyddiau gwell gerllaw. Amen.

Diolchwn am ogoniannau natur yn nhrymder y gaeaf:

Er mor fendigedig ydi'r haf
a'i haul a'i gynhesrwydd
mae'n rhaid wrth y gaeaf
i lonyddu ac i natur
gael sbel o seibiant.
Diolch am y gaeaf.
Yn y gaeaf gwerthfawrogwn
geinder y canghennau noeth,
rhwydwaith a phlethiad y brigau,
ac osgo a siâp y coed.
Diolch am gyfle i weld o'r newydd. Amen.

Cyflwynwn bawb sy'n ei chael hi'n anodd i ymgodymu â gerwinder y gaeaf:

Wrth inni brofi gerwinder y gaeaf, O! Dduw, gofynnwn i ti yn dy dosturi gofio'r rhai sy'n teimlo'r diwrnodau byr a'r nosweithiau hir, y tywydd oer a'r diffyg haul, yn pwyso'n drwm ar eu hysgwyddau. Cofia'n arbennig y rhai sy'n oedrannus yn ein mysg; y rhai sy'n cael anhawster cadw'n gynnes oherwydd prinder arian i dalu am drydan, glo neu nwy i wresogi eu cartrefi; y rhai sy'n ddigartref heb do uwch eu pennau; y rhai sy'n ofni gadael eu haelwydydd wedi iddi dywyllu rhag ofn i rywun ymosod arnynt neu dorri i mewn i'w cartrefi; y rhai sy'n unig a digalon, sy'n methu mynd i gymdeithasu â'u cyfeillion, na chroesawu cyfeillion i'w cartrefi oherwydd y tywydd gaeafol. Cyflwynwn y rhain i gyd i ti, O! Dduw. Amen.

Menna Green

ADNODAU

Gorfoleddu mae'r bardd yn niflaniad y gaeaf ac ymhyfrydu yn nyfodiad dyddiau gwell:

oherwydd edrych, aeth y gaeaf heibio,
ciliodd y glaw a darfu;

Caniad Solomon 2: 11

Onid ydi'r cymal hwn yn cyfleu'n haniaethol y berthynas rhwng Iesu a'r Iddewon?

Yna daeth amser dathlu gŵyl y Cysegru yn Jerwsalem. Yr oedd yn aeaf.

Ioan 10: 22

Pan ddaw'r gaeaf, meddai Paul wrth Timotheus, efallai na welwn ni byth mo'n gilydd wedyn:

Gwna dy orau i ddod cyn y gaeaf.

2 Timotheus 4: 21

Rhagfynegi'r dyddiau olaf mae Iesu wrth ei ddisgyblion. Bydd pethau'n ddrwg, gan obeithio na fydd hyn yn digwydd yn y gaeaf:

A gweddïwch na ddigwydd hyn yn y gaeaf,

Marc 13: 18

Yn y ffwrnais, canu mawl i Dduw mae tri llanc a'i fendithio:

Bendithiwch yr Arglwydd, chwi aeaf a haf;
molwch ef, a'i dra-dyrchafu dros byth.

Cân y Tri Llanc 1: 45

Yn Nydd y Farn dim ond llewyrch ysblennydd y Goruchaf fydd yno:

heb na haf na gwanwyn na gwres; heb na gaeaf na rhew nac oerfel; heb
na chenllysg na glaw na gwlith;

2 Esdras 7: 41

DYWEDIADAU A THRADDODIADAU

Cynhelid y Saturnalia o 17 i'r 20 o Ragfyr sef tri diwrnod y naill ochr i'r
dydd byrraf. Dathlu dyfodiad y goleuni oedd yr ŵyl Rufeinig hon oedd
yn gyfuniad o ŵyl duw'r cynhaeaf, Sadwrn a gŵyl i ddathlu genedigaeth
duw'r haul, Mithras. Yn ôl pob hanes byddai'r hen Frythoniaid yn dathlu
genedigaeth eu duw haul nhw sef Lleu yn ystod yr un cyfnod.

Dengys y gaeaf o beth y gwnaed yr haf.

Os ceir gwyntoedd mawr ar ddechrau'r gaeaf – ni cheir llawer o eira.

Gaeaf tyner – haf gwlyb.

Haf sych, gaeaf caled.

Dulliau mwyaf effeithiol yr eglwys o ddisodli'r hen wyliau paganaidd
oedd sefydlu gwyliau Cristnogol yn eu lle – gŵyl geni'r haul yn troi'n
ŵyl geni Haul Cyfiawnder. Awstin Sant ddywedodd y dylid rhoi'r gorau
i addoli'r haul (sun) a throi'n hytrach i addoli'r Mab (son).

Yr Adfent

Tyrd, ddirgelwch cuddiedig.
Tyrd, berson tu hwnt i bob deall.
Tyrd, lawenydd diddarfod.
Tyrd, fy anadl a'm heinioes.
Tyrd, gysur fy enaid gwan.
Tyrd, fy niddanwch tragwyddol.

Simeon y Diwinydd Newydd

EMYNAU

Cyfieithiad o emyn Lladin o'r ddeunawfed ganrif yw hwn sy'n disgwyl dyfodiad Iesu i'r byd:

O tyred di, Emanŵel,
a datod rwymau Isräel
sydd yma'n alltud unig, trist
hyd ddydd datguddiad Iesu Grist:
 O cân, O cân: Emanŵel
 ddaw atat ti, O Isräel.

O tyred, olau'r Seren Ddydd,
diddana ein calonnau prudd;
gwasgara ddu gymylau braw
a chysgod angau gilia draw:
 O cân, O cân: Emanŵel
 ddaw atat ti, O Isräel.

Emyn Lladin o'r 18fed ganrif cyf. J. D. Vernon Lewis (Caneuon Ffydd: 432)

Mae'r emyn hwn yn cyfleu neges ganolog yr Adfent o farn ac ail-ddyfodiad Iesu:

Wele'n dyfod ar gymylau
Farnwr dyn a brenin nef;
Myrdd myrddiynau sydd o'i seintiau
Yn ei amgylchynu ef;
Haleliwia,
Iesu a deyrnasa byth.

1 *Cyf. Psalmau a Hymnau S.P.C.K.* 2 a 3 Benjamin Francis (*Emynau 'r Llan*: 24)

Mae'r cysyniad o ddyfodiad Iesu i'r galon unigol yn amlwg yn emyn Ieuan o Lŷn:

Wele wrth y drws yn curo,
Iesu, tegwch nef a llawr;
clyw ei lais ac agor iddo,
paid ag ofni funud awr;
agor iddo,
mae ei ruddiau fel y wawr.

Ieuan o Leyn (*Caneuon Ffydd*: 317)

Mae adlais o eiriau Paul yn ei lythyr at y Rhufeiniaid yn yr emyn hwn, 'Y mae'r nos ar ddod i ben, a'r dydd ar wawrio. Gadewch inni, felly, roi heibio weithredoedd y tywyllwch, a gwisgo arfau'r goleuni' (Rhufeiniaid 13: 12):

Clywch yr eglur lais yn galw,
"Crist," medd ef, "gerllaw y sydd";
Holl freuddwydion y tywyllwch
Bwriwch ymaith, blant y dydd.

Wele'r Oen a hir ddisgwyliwyd,
Gyda phardwn daw o'r nef,
Awn ar frys gan wylo dagrau
Am faddeuant ato ef.

Cyf. Emynau Mynyw (*Emynau 'r Llan*: 23)

Fel llawer o garolau'r plygain mae'r emyn hwn yn cwmpasu bywyd Iesu o Fethlehem i Galfaria:

Wele, cawsom y Meseia,
   cyfaill gwerthfawroca' 'rioed;
darfu i Moses a'r proffwydi
   ddweud amdano cyn ei ddod:
Iesu yw, gwir Fab Duw,
Ffrind a Phrynwr dynol-ryw.

Hwn yw'r Oen, ar ben Calfaria
   aeth i'r lladdfa yn ein lle,
swm ein dyled fawr a dalodd
   ac fe groesodd filiau'r ne';
trwy ei waed, inni caed
bythol heddwch a rhyddhad.

Dafydd Jones (Caneuon Ffydd: 441)

Nid aros gyda'r geni'n unig mae Ann Griffiths ond crynhoi bywyd Iesu yn ystod ei weinidogaeth:

Rhyfedd, rhyfedd gan angylion,
   rhyfeddod mawr yng ngolwg ffydd,
gweld Rhoddwr bod, Cynhaliwr helaeth
   a Rheolwr popeth sydd ...

Efe yw'r Iawn fu rhwng y lladron,
   efe ddioddefodd angau loes,
nerthodd freichiau'i ddienyddwyr
   i'w hoelio yno ar y groes; ...

Ann Griffiths (Caneuon Ffydd: 446)

GWEDDÏAU

Hiraethwn am gael dy gyfarfod a thyrd i'n bywydau i'n hysgwyd a'n herio:

Dduw y tlodion,
    hiraethwn am dy gyfarfod,
    ond bron â'th golli wnawn;
    ymdrechwn i roi cymorth i ti,
    ond darganfod ein hangen a wnawn.
Tarfa ar ein cysur
    â'th noethni;
    cyffwrdd ein hunanoldeb
    â'th dlodi,
    tor ar draws ein heuogrwydd
    â gras dy groeso,
    yn Iesu Grist. Amen.
Janet Morley

Cwestiwn ac ateb i Mair y forwyn:

Dywed, Fair, pa bryd i'n llesu
Y derbyniaist i'th fru Iesu?
    'Gwelais gennad Duw yn canu
    Ger fy mron a'm syfrdanu.'
Dywed, Fair, pa nefol riniau
Ganodd Gabriel ar ei liniau?
    'Afe, ffiol trugareddau
    I druenus hil camweddau.'
Dywed, Fair, pa orfod fu
Iti dderbyn Duw i'th fru?
    'Rhydd y creodd Duw bob oed,
    Ni thresbasodd ef erioed.'
Henffych well, O ufudd eiddgar,
Syndod y seraffiaid treiddgar,
    Mam a morwyn, dôr a ffynnon
    Y Goleuni a ddaeth i ddynion. Amen.
Saunders Lewis

Paratown ein hunain ar gyfer dyfodiad Iesu:

Diolchwn i ti, O Arglwydd, am roi i ni dy Fab Iesu Grist,
    a ddaeth atom yn ostyngedig yn nhlodi Bethlehem.
Wrth i ni baratoi i ddathlu ei eni,
    glanha ein calonnau a'n bywydau
    er mwyn i ni allu ei groesawu'n llawen
    yn Waredwr ein bywyd,
    a phan ddaw mewn gogoniant
    y byddwn yn bobl barod iddo ef,
    sy'n byw ac yn teyrnasu gyda thi a'r Ysbryd Glân
    byth heb ddiwedd. Amen.

Frank Colquhoun

Boed i wawr ei bresenoldeb dorri ar ein byd:

Dihuna
    dy fyd cysglyd,
    Dduw'r Adfent,
    i gyfarch
    gwawr dy bresenoldeb
    â llawenydd llygad agored.
Cyhoedda
    eto
    mewn gair a chân
    dy fwriad tragwyddol
    i gau'r llwybr
    sy'n arwain i ddisberod
    a gwneud y ffordd sy'n arwain i'r uchelder
    yn ddiogel. Amen.

David Jenkins

Daethost i'r byd yn gyflawniad o broffwydoliaeth, yn wireddiad o bwrpas Duw ac yn fynegiant o'i gariad:

Ein Harglwydd Iesu Grist,
rydym yn cofio heddiw
sut y bu i nifer edrych ymlaen at dy ddyfodiad,
ond cofiwn hefyd
fod parhau i gredu wedi mynd yn fwy anodd
wrth i'r blynyddoedd lithro heibio;
sut y bu i obaith gychwyn cloffi a breuddwydion ddechrau marw,
nes, yn y diwedd, fe ddaethost –
yn gyflawniad o'r broffwydoliaeth,
yn wireddiad o bwrpas Duw,
yn fynegiant pendant o'i gariad. Amen.

Eirian a Gwilym Dafydd

Gweddi ar ddechrau'r Adfent:

Erbyn hyn, ein Tad, yr ydym yn dechrau meddwl am y Nadolig. Anrhegion a chardiau, addurniadau a dramâu'r geni, paratoadau yn y cartref, y capel, yr eglwys a'r ysgol: edrychwn ymlaen oherwydd y mae hyn i gyd yn dwyn hapusrwydd arbennig. Wrth i ni gael ein hatgoffa am enedigaeth Iesu, cymorth ni i ddeall yr hyn a wnawn, ac i weld pwysigrwydd yr hyn sydd y tu ôl i'n gweithgareddau a'n paratoadau. Boed i ni fod yn barod i groesawu'r Nadolig pan ddaw, fel y cofiwn enedigaeth Iesu gyda diolchgarwch mawr, gan glywed eto neges dy gariad; Haleliwia! Amen.

R. Chapman a D. Hilton

ADNODAU

Mae'r paratoadau ar gyfer y Nadolig yn dechrau gyda Duw yn dewis merch ifanc gyffredin:

Yn y chweched mis anfonwyd yr angel Gabriel gan Dduw i dref yng Ngalilea o'r enw Nasareth, at wyryf oedd wedi ei dyweddïo i ŵr o'r enw Joseff, o dŷ Dafydd; Mair oedd enw'r wyryf.

Luc 1: 26–27

Grym ysbryd Duw ei hun oedd yn gyfrifol am y wyrth:

Atebodd yr angel hi, "Daw'r Ysbryd Glân arnat, a bydd nerth y Goruchaf yn dy gysgodi; am hynny, gelwir y plentyn a genhedlir yn sanctaidd, Mab Duw."

Luc 1: 35

Mae'r proffwyd yn disgwyl yn eiddgar am 'ein Duw ni':

Yn y dydd hwnnw fe ddywedir,
"Wele, dyma ein Duw ni.
Buom yn disgwyl amdano i'n gwaredu;
dyma'r ARGLWYDD y buom yn disgwyl amdano,
gorfoleddwn a llawenychwn yn ei iachawdwriaeth."

Eseia 25: 9

Gweledigaeth fawr yr Ail Eseia yw paratoi'r genedl ar gyfer dyfodiad y Meseia:

Llais un yn galw,
"Paratowch yn yr anialwch ffordd yr ARGLWYDD,
unionwch yn y diffeithwch briffordd i'n Duw ni."

Eseia 40: 3

Mae dyddiau digofaint yn mynd heibio, bydd y dyfodol yn llaw bachgen a bydd yr awdurdod ar ei ysgwydd ef:

Canys bachgen a aned i ni,
mab a roed i ni,
a bydd yr awdurdod ar ei ysgwydd.
Fe'i gelwir, "Cynghorwr rhyfeddol, Duw cadarn,
Tad bythol, Tywysog heddychlon".

Eseia 9: 6

Mae'r proffwyd yn gweld dydd barn yn agosáu pan fydd Duw yn anfon ei gennad i baratoi'r ffordd:

"Wele fi'n anfon fy nghennad i baratoi fy ffordd o'm blaen; ac yn sydyn fe ddaw'r Arglwydd yr ydych yn ei geisio i mewn i'w deml; y mae cennad y cyfamod yr ydych yn hoff ohono yn dod," medd ARGLWYDD y Lluoedd.

Malachi 3: 1

DYWEDIADAU A THRADDODIADAU

Cyfnod o ymprydio cyn y Nadolig oedd tymor yr Adfent yn wreiddiol. Roedd yn dechrau ar Sul y Dyfodiad, sef y pedwerydd Sul cyn y Nadolig. Yn ôl pob tebyg arferiad ddaeth o'r Almaen ganol yr ugeinfed ganrif yw Calendr yr Adfent.

Yn ystod tymor yr Adfent dethlir Gŵyl Sant Niclas ar 6 Rhagfyr. Dyma Sinfer Klaus yn yr Iseldiroedd, ac o'r enw hwn y cawsom Santa Clos. Fe'i ganed yn Lycia yn Asia Leiaf o gwmpas OC 270 ac yn ddwy ar bymtheg oed fe'i hordeiniwyd yn offeiriad. Er ei fod yn ŵr cyfoethog, ei ddymuniad oedd rhannu ei ffortiwn efo pobl dlawd a hynny yn y dirgel heb i neb wybod pwy oedd yn dosbarthu'r anrhegion. Sant Niclas ydi nawddsant gwlad Groeg a Rwsia.

Mae ail Sul yr Adfent yn Sul y Beibl. Sul i gofio am orchestion William Morgan, William Salesbury a Thomas Charles o'r Bala a oedd i raddau helaeth iawn yn gyfrifol am sefydlu'r Feibl Gymdeithas ym 1804.

Fel mae tymor yr Adfent yn dirwyn i ben dathlwn Droad y Rhod neu Alban Arthen, y dydd byrraf ar 21 Rhagfyr. Yn ôl hen arferiad rhoddwyd torch o ganghennau bytholwyrdd i warchod y beudy. Hen goel arall oedd y byddai'r gwartheg am hanner nos yn penlinio i gydnabod geni Iesu Grist.

Roedd 21 Rhagfyr hefyd yn Ddydd Gŵyl Tomos ac o pa le bynnag y byddai'r gwynt yn chwythu ar y diwrnod hwn yno y byddai am weddill y gaeaf.

Y Nadolig

Yr unig Iesu mae'r rhan fwyaf ohonom yn ei adnabod yw Iesu'r preseb a'r bugeiliaid, y seryddion a Herod Fawr. Ac mae teip Herod bob amser yn awyddus i'w adael yn faban diymadferth yn y preseb.

EMYNAU

Emyn yw hwn sy'n mynegi'r llawenydd a'r gorfoledd sydd ynghlwm wrth y Nadolig:

Awn i Fethlem, bawb dan ganu,
neidio, dawnsio a difyrru,
i gael gweld ein Prynwr c'redig
aned heddiw, Ddydd Nadolig.

Rhys Prichard (Caneuon Ffydd: 436)

Crynhoir yn yr emyn hwn holl rychwant bywyd a phwrpas gweinidogaeth a marwolaeth Iesu Grist:

Peraidd ganodd sêr y bore
  ar enedigaeth Brenin nef;
doethion a bugeiliaid hwythau
  deithient i'w addoli ef:
    gwerthfawr drysor,
  yn y preseb Iesu gaed.

Morgan Rhys (Caneuon Ffydd: 439)

Emyn sy'n gyforiog o gyfeiriadau Beiblaidd sy'n arwain i uchafbwynt o lawenydd:

Halelwia! Halelwia!
  Aeth i'r lladdfa yn ein lle;
Halelwia! Halelwia!
  Duw sy'n fodlon ynddo fe:

sain Hosanna i Fab Dafydd,
Iesu beunydd fyddo'n ben;
am ei haeddiant sy'n ogoniant
bydded moliant mwy, Amen.

John Edwards (*Caneuon Ffydd*: 448)

Fydd hi ddim yn Nadolig heb eiriau Joseph Mohr a thôn Franz Grüber:

Dawel nos, sanctaidd yw'r nos,
cwsg a gerdd waun a rhos,
eto'n effro mae Joseff a Mair;
faban annwyl ynghwsg yn y gwair,
cwsg mewn gwynfyd a hedd,
cwsg mewn gwynfyd a hedd.

Joseph Mohr *cyf.* T. H. Parry-Williams (*Caneuon Ffydd*: 467)

Hanes y geni yn ôl Mathew fu'n symbyliad i W. R. P. George fynd ati i gyfansoddi'r emyn hwn:

Ganwyd Iesu'n nyddiau Herod,
ganwyd Iesu'n Frenin nef,
gwelwyd seren yn y dwyrain
oedd yn arwain ato ef.

Rhown ein moliant uwch ei breseb;
mae'r gogoniant ar ei ŵyneb,
ŵyneb Iesu, ŵyneb Iesu, Brenin nef.

W. R. P. George (*Caneuon Ffydd*: 477)

Galwad ar y ffyddloniaid i ddod i ganu a gorfoleddu yng nghreadigaeth y Gair tragwyddol a geir yn yr emyn hwn:

O henffych, ein Ceidwad,
henffych well it heddiw;
gogoniant i'th enw drwy'r ddaear a'r nef:
Gair y tragwyddol

yma'n ddyn ymddengys:
O deuwch ac addolwn,
O deuwch ac addolwn,
O deuwch ac addolwn Grist o'r nef!

Priodolir i J. F. Wade *cyf.* Anad. (*Caneuon Ffydd*: 463)

GWEDDÏAU

Mae Duw yn dod atom yn aml iawn yn yr annisgwyl:

Gweddïwn:
Tydi, crëwr yr holl fyd, mewn cadachau!
Tydi, Arglwydd y greadigaeth, yn swpyn gwinglyd, diymadferth!
Ond dyna hanes y baban hwn o'i grud i'w groes, bob amser yn
cyflawni'r annisgwyl –
Plygu yn lle torsythu,
y Meistr, fel gwas bach, yn golchi traed.
Cerdded yr ail filltir a throi y foch arall;
maddau'n lle melltithio a charu'n lle casáu.
Dewis ffôl bethau'r byd a dod i'n plith yn faban heb ei wannach. Amen.

Gareth Maelor

Ar ôl clywed cân yr angylion, awn yng nghwmni'r bugeiliaid i ryfeddu at y peth hwn:

O Dduw ein Tad, clodforwn dy enw am i ti drwy dy ras ymweld
â'n daear ni yn dy Fab, Iesu Grist.
Cynorthwya ni y Nadolig hwn i fynd yng nghwmni'r bugeiliaid
a'r doethion at ei breseb,
i ryfeddu at dy drugaredd di tuag atom,
ac i'w addoli ef a ddaeth yn Waredwr i ni.
Cynorthwya ni, O Arglwydd,
i wrando o'r newydd ar gân yr angylion
ac i geisio tangnefedd yn ein byd.
Gwared ni rhag anghofio, ynghanol ein digonedd,
y rhai fydd yn dioddef y Nadolig hwn,
a dysg i ni ein cyfrifoldeb tuag atynt. Amen.

Llyfr Gwasanaeth yr Annibynwyr Cymraeg

Yng nghwmni'r seryddion awn ninnau i gyflwyno ein rhoddion:

Ein Tad, wrth i ni gofio am y doethion yn dilyn y seren at y crud, gweddïwn am fedru cyflwyno i ti aur ein hufudd-dod, thus gwyleidd-dra, a myrr ein haddoliad, er anrhydedd a gogoniant i ti. Amen.

Frank Colquhoun

Pob Nadolig gweddïwn nad ydym yn anghofio gwir ystyr yr ŵyl:

Arglwydd Iesu, cofiwn dy eni ar y Nadolig cyntaf.
Cynorthwya ni i gofio nad oedd lle yn y llety,
a chadw ni rhag llenwi'n bywyd fel na byddo lle i ti.
Cynorthwya ni i gofio'r stabl, a'r preseb yn grud,
a chadw ni rhag chwennych y cyfoeth, y cysur a'r hawddfyd
na chefaist ti mohonynt.
Cynorthwya ni i gofio dyfodiad y bugeiliaid a'r doethion
a deled y syml a'r dysgedig, y mawr a'r bach yn un
wrth dy addoli a'th garu di. Amen.

William Barclay

Wrth baratoi ar gyfer yr ŵyl fasnachol gwyliwn rhag i ni anghofio paratoi ar gyfer yr ŵyl ysbrydol:

Diolchwn i ti, O Dduw ein Tad, am gael dy Fab Iesu Grist yn rhodd, y bu ei ddyfodiad i'r byd hwn yn hysbys gan y proffwydi gynt, ac a gafodd ei eni er ein mwyn mewn gostyngeiddrwydd a thlodi ym Methlehem. Wrth i ni baratoi unwaith eto i ddathlu ei eni, llanw ein calonnau â'th lawenydd di a'th dangnefedd, a galluoga ni i'w groesawu fel ein Hiachawdwr; fel y caiff ynom, pan ddaw eto yn ei ogoniant a'i fawredd, bobl wedi'u paratoi ar ei gyfer; yr hwn sy'n byw a theyrnasu gyda thi a'r Ysbryd Glân, yn un Duw, yn awr a hyd byth. Amen.

Frank Colquhoun

Yng nghanol ein llawenydd gwae ni rhag anghofio'r rhai mewn angen:

Gweddïwn dros y rhai na fedrant deimlo llawenydd y Nadolig am eu bod yn cario beichiau salwch, profedigaeth neu ryw aflwydd arall. Cysura â'th bresenoldeb bawb sydd wedi cael eu gwahanu oddi wrth y rhai a garant. Tyrd â goleuni Crist i'w bywydau trallodus. Amen.

Raymond Chapman

ADNODAU

Mae'r Logos (y Gair) wedi dod i breswylio i fyd pobl:

A daeth y Gair yn gnawd a phreswylio yn ein plith, yn llawn gras a gwirionedd; gwelsom ei ogoniant ef, ei ogoniant fel unig Fab yn dod oddi wrth y Tad.

Ioan 1: 14

Cyhoeddi'r newyddion da oedd gwaith yr angel a dyna waith angylion Duw ym mhob oes:

Yna dywedodd yr angel wrthynt, "Peidiwch ag ofni, oherwydd wele, yr wyf yn cyhoeddi i chwi y newydd da am lawenydd mawr a ddaw i'r holl bobl: ganwyd i chwi heddiw yn nhref Dafydd, Waredwr, yr hwn yw'r Meseia, yr Arglwydd; a dyma'r arwydd i chwi: cewch hyd i'r un bach wedi ei rwymo mewn dillad baban ac yn gorwedd mewn preseb."

Luc 2: 10–12

Mae teip Herod Fawr yn amlygu ei hun ym mhob oes a chyfnod:

Wedi i Iesu gael ei eni ym Methlehem Jwdea yn nyddiau'r Brenin Herod, daeth seryddion o'r dwyrain i Jerwsalem a holi, "Ble mae'r hwn a anwyd yn frenin yr Iddewon? Oherwydd gwelsom ei seren ef ar ei chyfodiad, a daethom i'w addoli." A phan glywodd y Brenin Herod hyn, cythruddwyd ef, a Jerwsalem i gyd gydag ef.

Mathew 2: 1–3

Trwy'r distaw, y diymhongar, y llariaidd a'r gostyngedig y mae Duw yn gweithio:

Ac meddai Mair:
"Y mae fy enaid yn mawrygu yr Arglwydd,
a gorfoleddodd fy ysbryd yn Nuw, fy Ngwaredwr,
am iddo ystyried distadledd ei lawforwyn."

Luc 1: 46–48(a)

Datgelodd yr angel y newyddion da i wehilion y gymdeithas:

Wedi i'r angylion fynd ymaith oddi wrthynt i'r nef, dechreuodd y bugeiliaid ddweud wrth ei gilydd, "Gadewch inni fynd i Fethlehem a gweld yr hyn sydd wedi digwydd, y peth yr hysbysodd yr Arglwydd ni amdano." Aethant ar frys, a chawsant hyd i Fair a Joseff, a'r baban yn gorwedd yn y preseb; ac wedi ei weld mynegasant yr hyn oedd wedi ei lefaru wrthynt am y plentyn hwn.

Luc 2: 15–17

Dychwelyd ar hyd ffordd arall mae pawb sydd wedi dod wyneb yn wyneb â Mab Duw:

Yna, ar ôl cael eu rhybuddio mewn breuddwyd i beidio â dychwelyd at Herod, aethant yn ôl i'w gwlad ar hyd ffordd arall.

Mathew 2: 12

DYWEDIADAU A THRADDODIADAU

Yn draddodiadol, digwyddai'r plygain rhwng tri a chwech o'r gloch y bore. Byddai'r gwasanaethau yn dechrau mewn tywyllwch ac yn gorffen yng ngolau dydd.

Ar noswyl y Nadolig, cyn gwasanaeth y Plygain, byddai'r gymdeithas yn dod at ei gilydd i wneud cyflaith a hynny'n cael ei wneud fel arfer ar garreg yr aelwyd.

97

Fel y byddai cyfnod y Nadolig yn dirwyn i ben ar y 6 Ionawr, nos Ystwyll, byddai'r dryw bach yn cael ei ladd, ei addurno a'i roi mewn tŷ bychan. Yna byddai criw o ddynion yn mynd ag ef o dŷ i dŷ a byddai'r trigolion yn rhoi arian iddynt am gael cipolwg ar yr aderyn bach.

Arferiad hynod o boblogaidd dros y Nadolig yw'r Fari Lwyd. Mae gwreiddiau'r arferiad hwn yn mynd â ni'n ôl i'r cyfnod cyn-Gristnogol. Penglog ceffyl wedi'i orchuddio â lliain a rhubanau oedd y Fari Lwyd. Byddai'r penglog yn cael ei roi ar bolyn fel bod modd i'r person oedd o dan y lliain agor a chau genau'r penglog. Byddai criw o ddynion yn mynd o gwmpas y tai yn gofyn am wahoddiad i'r tŷ i ddiddanu ac i gael bwyd a diod yn gyfnewid am hynny. Byddai'n anlwcus gwrthod y Fari Lwyd.

Gŵyl Sant Steffan yw'r enw ar y diwrnod ar ôl y Nadolig. Yn ôl Llyfr yr Actau Steffan oedd y merthyr cyntaf.

Diwedd Blwyddyn

Nid yw'r sawl a osododd ei law ar yr aradr, ac sy'n edrych yn ôl, yn addas i deyrnas Dduw.   Luc 9: 62

EMYNAU

Ar ddiwedd blwyddyn fel ar ddechrau blwyddyn erfyniwn am fendith Duw:

Dyro inni fendith newydd
   gyda'n gilydd yn dy dŷ;
ti sy'n rhoddi nerth i dderbyn,
   rho'r gyfrinach oddi fry
      fel y teimlwn
   rym dy anorchfygol ras.

           Derwyn Jones (*Caneuon Ffydd*: 21)

Mor bwysig ar drothwy cyfnod newydd ydi gwybod fod Duw yn dal yr un mor ffyddlon:

Un a gefais imi'n gyfaill,
   pwy fel efe!
Hwn a gâr yn fwy nag eraill,
   pwy fel efe!
Cyfnewidiol ydyw dynion
a siomedig yw cyfeillion;
hwn a bery byth yn ffyddlon,
   pwy fel efe!

           Marianne Nunn *efel.* Pedr Fardd (*Caneuon Ffydd*: 368)

'All day hymn' oedd teitl yr emyn hwn ond fe wnaiff y tro ar gyfer pob achlysur:

99

Arglwydd pob gobaith ac Arglwydd pob hoen,
na threchwyd dy ffydd gan na gofal na phoen,
bydd yma pan godwn, a dyro yn rhydd
lawenydd i'n calon ar doriad y dydd.

Jan Struther *cyf.* D. Eirwyn Morgan (*Caneuon Ffydd*: 394)

Dymuniad y Cristion ar bob achlysur ydi cael bod gyda Duw yn wastad:

Yn wastad gyda thi
dymunwn fod, fy Nuw,
yn rhodio gyda thi 'mhob man
ac yn dy gwmni'n byw.

J. D. Burns *cyf.* Elfed (*Caneuon Ffydd*: 672)

Mae'r arweiniad a gais yr emynydd yn troi'n ymddiriedaeth lwyr:

Arglwydd, arwain drwy'r anialwch
fi, bererin gwael ei wedd,
nad oes ynof nerth na bywyd,
fel yn gorwedd yn y bedd:
hollalluog
ydyw'r Un a'm cwyd i'r lan.

William Williams (*Caneuon Ffydd*: 702)

**Dyhead sydd yma ar i Dduw ar ddiwedd blwyddyn wrando ac ateb cri
yr unigolyn:**

O Dduw, clyw fy nghri,
O Dduw, clyw fy nghri,
galw 'rwyf, ateb fi:
O Dduw, clyw fy nghri,
O Dduw, clyw fy nghri,
tyred, erglyw fy llef.

Cymuned Taizé *cyf.* Mawl ac Addoliad (*Caneuon Ffydd*: 799)

100

GWEDDÏAU

Ynghanol amrywiaethau bywyd diolch am y nerth sy'n dal i'n cynnal:

Ar ddiwedd blwyddyn, O Dad, diolchwn i Ti am fendithion y flwyddyn aeth heibio. Bu'r flwyddyn, fel pob blwyddyn, yn amrywiol ei phrofiadau i ni i gyd. Blwyddyn o lwyddiant, dathlu a llawenydd i rai; blwyddyn o fethiant, galar a loes i eraill. I rai ohonom roedd y ffordd yn un hawdd ei thramwyo ond i eraill yn serth ac yn rhwystr. Ond yn yr amrywiaeth o brofiadau roeddem yn teimlo fod dy nerth di yn ein cynnal. Diolch i ti. Amen.

Ar derfyn blwyddyn gofynnwn am nerth i bydru ymlaen i'r flwyddyn newydd a byw yn fwy tebyg i Iesu Grist:

Moliannwn di, O! Dduw, am yr etifeddiaeth a ddaeth i ni o'r gorffennol, ac am holl lafur y rhai fu'n llafurio'n ddiwyd yn dy winllan. Amlheaist dy gariad drwy eu llafur, eu ffydd a'u deall; gwna ninnau'n gyffelyb iddynt i ddiogelu'r ffydd Gristnogol. Bendithia ni heddiw, y rhai sy'n ceisio'r ffordd newydd, i agor ac i wella ansawdd bywyd. Goleua ein llwybrau; prydfertha ein bywyd; gwna ni'n fwy tebyg i Iesu Grist, yn byw gan lwyr gysegru'n bywyd i'th wasanaethu di, ein Duw. Amen.

Carys Ann

Ar ddiwedd blwyddyn diolchwn am yr hyn a fu ac edrychwn ymlaen a gofynnwn am dy gynhaliaeth yn y flwyddyn newydd:

O Dduw, ein Tad nefol,
a'n digonaist â daioni dros ein holl ddyddiau,
deuwn yn ostyngedig o'th flaen i'th addoli.
Diolchwn am y flwyddyn a dynnodd i'w therfyn:
am y gwersi a ddysgasom wrth wrando ar dy Air,
am brofiadau o'th agosrwydd mewn dyddiau dwys,
am y sicrwydd i ti faddau ein camgymeriadau ffôl,
ac am i ti ein coroni â chariad a thrugaredd.
Wrth i ni wynebu yfory yn dy gwmni,

derbyn ein hymgysegriad a chryfha'n ffydd;
cysegra'n dyhead am adnewyddiad ysbrydol;
cynnal ni yn wyneb pob dieithrwch,
a chyffwrdd ni â golau a gwres yr Ysbryd Glân;
yn enw Iesu Grist ein Harglwydd. Amen.

Idwal Wynne Jones

Diolchwn i Dduw am ei gysondeb a'i ffyddlondeb dros y dyddiau a fu:

Ein Duw byw,
    wrth ddod ynghyd ar ddiwrnod olaf y flwyddyn,
    diolchwn a molwn di
    am y modd y bu i ti ein harwain drwy'r da a'r drwg,
    llawenydd a thristwch,
    gobaith a siomedigaeth,
    pleser a phoen.
Am gysondeb dy gariad,
    yn ffyddlon ar hyd y blynyddoedd,
    derbyn ein mawl diolchgar. Amen.

Eirian a Gwilym Dafydd

Ar ddiwedd blwyddyn cyffeswn fethiannau'r gorffennol:

Cyffeswn, ein Tad, nad ydym wedi d'adnabod fel y dylem, dy ddilyn yn ôl traed Iesu Grist, nac ymddiried ynot ar hyd y ffordd.
Cyffeswn i'n hofnau a'n pryderon am y gorffennol, y presennol a'r dyfodol ein llethu a'n gwneud yn ddiymadferth yn dy waith.
Cyffeswn nad ydym wedi gwneud y defnydd gorau o'r amser a'r doniau a roddaist inni. Yr ydym wedi eu gwastraffu, eu camddefnyddio a'u colli. O Dad, maddau inni ein gwendidau, ein pechodau a'n hanallu a'n diffyg ymddiriedaeth ynot.
'Crea galon lân ynof, O Dduw, rho ysbryd newydd cadarn ynof.' Amen.

Cau'r Adwy

102

ADNODAU

Mae'r proffwyd yn canu clodydd yr Arglwydd am ei ddoniau, ei drugaredd a'i lawnder:

Mynegaf ffyddlondeb yr ARGLWYDD,
a chanu ei glodydd
am y cyfan a roddodd yr ARGLWYDD i ni,
a'i ddaioni mawr i dŷ Israel,
am y cyfan a roddodd iddynt o'i drugaredd,
ac o lawnder ei gariad di-sigl.

Eseia 63: 7

Yn llaw Duw y mae ein hamseroedd, felly dowch i ni ymddiried ynddo:

Y mae fy amserau yn dy law di;
gwared fi rhag fy ngelynion a'm herlidwyr.

Salm 31: 15

Os yw Duw yn agos atom dyma'r cam cyntaf i ninnau glosio'n nes ato ef:

Ond da i mi yw bod yn agos at Dduw;
yr wyf wedi gwneud yr Arglwydd DDUW yn gysgod i mi,
er mwyn imi fynegi dy ryfeddodau.

Salm 73: 28

Wrth gamu ymlaen o'r hen i'r newydd nod y Cristion yw byw bywyd y deyrnas:

Ceisiwch yn hytrach ei deyrnas ef, a rhoir y pethau hyn yn ychwaneg i chwi.

Luc 12: 31

Nesawn mewn hyder at orsedd gras a hynny er mwyn derbyn trugaredd a gras:

Felly, gadewch inni nesáu mewn hyder at orsedd gras, er mwyn derbyn trugaredd a chael gras yn gymorth yn ei bryd.

Hebreaid 4: 16

Wrth i ni droi at Dduw, boed i hynny ddod yn brofiad byw i ni. Nesewch at Dduw, ac fe nesâ ef atoch chwi:

Nesewch at Dduw, ac fe nesâ ef atoch chwi. Glanhewch eich dwylo, chwi bechaduriaid, a phurwch eich calonnau, chwi bobl ddau feddwl.

Iago 4: 8

DYWEDIADAU A THRADDODIADAU

Gŵyl yr Ystwyll ydi'r ŵyl sy'n dilyn y Nadolig a hynny'n dechrau ar y 6 Ionawr. Enw arall ar yr ŵyl hon yw'r Seren Ŵyl gan mai dyma, yn ôl traddodiad, yr adeg y cyrhaeddodd y seryddion i Fethlehem.

'Hed Amser, meddi. Na! Erys Amser; Dyn â.'

Ni all yr holl dywyllwch yn y byd ddiffodd y gannwyll leiaf.

Hanfod crefydd yw'r ymdeimlad o ddibyniaeth lwyr.

F. Schleiermacher

Na felltithiwch y tywyllwch – goleuwch gannwyll.

Na ddywed ddrwg am y flwyddyn
Hyd nes dyfod at ei therfyn.

Sul Addysg

Fy nhad o'r nef, O gwrando 'nghri:
un o'th eiddilaf blant wyf fi.

EMYNAU

Yn syml iawn, gofynnwn am gymorth Iesu'r athro ar gyfer ein taith:

Athro da, ar ddechrau'r dydd
dysg ni oll yng ngwersi'r ffydd,
boed ein meddwl iti'n rhodd
a'n hewyllys wrth dy fodd.

> Ifor Rees (*Caneuon Ffydd*: 20)

Dyhead yr emynydd yw bod geiriau'r athro yn cael eu derbyn a bod awch am fwy:

Wele'r Athro mawr yn dysgu
    dyfnion bethau Duw;
dwyfol gariad yn llefaru –
    f'enaid, clyw!

Arglwydd, boed i'th eiriau groeso
    yn fy nghalon i;
crea hiraeth mwy am wrando
    arnat ti.

> Nantlais (*Caneuon Ffydd*: 384)

Er fod gwybodaeth a dysgeidiaeth yn newid mae Efengyl Iesu'n ddigyfnewid:

Newid mae gwybodaeth
    a dysgeidiaeth dyn;
aros mae Efengyl
    Iesu byth yr un;

Athro ac Arweinydd
    yw efe 'mhob oes;
a thra pery'r ddaear
    pery golau'r groes.

Elfed (*Caneuon Ffydd*: 381)

Defnyddiwn ein corff a'n synhwyrau er mwyn dangos i bawb mai Duw a'n gwnaeth:

Ces lygaid ganddo imi weld
    y ddaear hardd i gyd,
a heb fy llygaid ni chawn weld
    yr un o blant y byd;
ces glust i glywed glaw a gwynt
    a thonnau ar y traeth:
rhaid imi ddweud wrth bawb o'r byd,
        ef a'm gwnaeth.

Alan Pinnock *cyf*. R. Gwilym Hughes (*Caneuon Ffydd:* 155)

Geiriau yw'r rhain wedi'u seilio ar wahoddiad Iesu Grist i'r plant ddod ato:

Fe rodiai Iesu un prynhawn
    yng Ngalilea mewn rhyw dref,
a'r mamau'n llu a ddug eu plant
    yn eiddgar ato ef.

Ac yn ei freichiau cymerth hwy
    a'i fendith roddodd i bob un;
"Gadewch i'r plant," medd ef yn fwyn,
    "ddod ataf fi fy hun."

Stopford A. Brooke *cyf*. G. Wynne Griffith (*Caneuon Ffydd*: 349)

Gwahoddiad sydd yma i ddilyn Iesu o'r cychwyn cyntaf:

Da yw bod wrth draed yr Iesu
  ym more oes;
ni chawn neb fel ef i'n dysgu
  ym more oes;
dan ei groes mae ennill brwydrau
a gorchfygu temtasiynau;
achos Crist yw'r achos gorau
  ar hyd ein hoes.

Elfed (*Caneuon Ffydd*: 771)

GWEDDÏAU

Rho i ni'r gallu i ryfeddu a synnu at y pethau gorau yn dy fyd di:

Wrth i ni ymhyfrydu yn dy fyd di, gad inni ddysgu rhyfeddu at dy greadigaeth wyrthiol di. Ym mhob ymchwil, agor ein llygaid i weld ôl dy law di; ac ym mhob darganfod, pâr inni arddel dy ewyllys adeiladol di. Maddau i ni am droi addysg ac ymchwil yn foddion difa a dinistrio mor aml. Diolch i ti am bob darganfyddiad a fu'n gyfrwng bendith i'th bobl trwy hyrwyddo iechyd, cyfathrebu, a pherthynas dda rhwng pobloedd a chenhedloedd. Amen.

Saunders Davies

Arwain ni i dderbyn addysg fydd yn ein diwyllio a dyrchafu ein cymeriad:

Cofiwn, ein Tad, am bawb sy'n gyfrifol am gyfrannu addysg a gwybodaeth mewn ysgol, coleg ac unrhyw sefydliad arall. Sancteiddia eu dawn i ddarganfod ac i rannu gwybodaeth, fel y bydd yr hyn a dderbynnir gan y myfyrwyr, nid yn unig yn ehangu meddyliau, ond hefyd yn adeiladu cymeriadau. Gweddïwn nid yn unig dros allu academaidd plant a phobl o bob oed i elwa ar addysg, ond ar i ti, ein Tad, drwy rym dy Ysbryd a thystiolaeth Eglwys dy Fab, eu diwyllio. Nid paganiaid gwybodus ac addysgedig yw'r nod, ond creaduriaid newydd yng Nghrist, wedi eu hyfforddi i sylweddoli eu llawn botensial fel plant i Dduw. Amen.

Dafydd Roberts

Diolchwn am y rhai fu'n ein harwain ym more oes:

Diolchwn i ti am y rhai a'n dysgodd yn blant,
gan agor meysydd newydd i'w darganfod,
gan gyfathrebu dealltwriaeth wahanol,
a rhoi inni'r sgiliau y bu arnom eu hangen
er mwyn parhau ymhellach gyda'n hastudiaethau.
Rwyt ti wedi rhoi inni fyd o gyfoeth annherfynol:
diolch i ti am bawb sy'n ein cynorthwyo i'w ddarganfod. Amen.

Eirian a Gwilym Dafydd

Arwain ni i ddefnyddio'n hyfforddiant i wneud ein gorau yn ein cymdeithas:

Diolchwn i ti am fod pawb yn y wlad hon
yn cael y rhodd o addysg ddi-dâl yn blentyn,
ac am y cyfleon trwy'n hoes
i ddysgu sgiliau newydd a chymathu gwybodaeth
a fydd o wasanaeth i ni trwy'n bywyd.
Dysg i bawb wneud y gorau o'r cyfleon a roddir iddynt,
a chynorthwya ni fel cymdeithas i ddiogelu'r etifeddiaeth werthfawr
ar gyfer cenedlaethau'r dyfodol,
er mwyn i eraill, yn eu tro, fwynhau
y breintiau y cawsom ni eu profi.
Rwyt ti wedi rhoi inni fyd o gyfoeth annherfynol:
diolch i ti am bawb sy'n ein cynorthwyo i'w ddarganfod. Amen.

Eirian a Gwilym Dafydd

Tywys ni trwy gyfnod babandod, plentyndod a llencyndod Iesu er mwyn dod i'w adnabod:

Cofiwn am y Baban; y Baban a oedd yn union fel pob baban arall, ac eto'n Dduw.

Cofiwn am y bachgen, yn tyfu fel pob bachgen arall, yn gwybod am lawenydd a phoen tyfu, ac yn araf ddysgu mwy amdano'i hun a Duw.

Cofiwn am y dyn ifanc: ambell dro'n ddig, ambell dro'n ansicr; ambell dro'n ymchwilio, ond bob amser yn ymwybodol o bresenoldeb Duw yn ei fywyd ac yn cydsefyll â phobl gyffredin mewn cariad a thosturi.

Cofiwn Iesu: a boed i'n cofio ein hadnewyddu, ein helpu i'w adnabod yn well, a'n tywys yn nes atat ti O Dduw, mewn addoliad a moliant diolchgar. Amen.

addas. Trefor Lewis

ADNODAU

Mae llyfr y Diarhebion yn gyforiog o gynghorion i ddyn ifanc ac un ohonynt yw peidio diystyru doethineb ac addysg:

Ofn yr ARGLWYDD yw dechrau gwybodaeth,
ond y mae ffyliaid yn diystyru doethineb a disgyblaeth.

Diarhebion 1: 7

Mae gan y rhieni gyfraniad mawr yn hyfforddiant eu plant:

Fy mab, gwrando ar addysg dy dad,
paid â gwrthod cyfarwyddyd dy fam;

Diarhebion 1: 8

Fe ddylai addysg ein harwain i greu cytgord a heddwch:

Fy mhlant, daliwch afael ar eich addysg, i fyw mewn heddwch.
Doethineb guddiedig a thrysor anweledig,
pa fudd sydd yn y naill na'r llall?

Ecclesiasticus 41: 14

Ar ddechrau'r daith, yn gynnar, mae dechrau hyfforddi'r plentyn:

Hyffordda blentyn ar ddechrau ei daith,
ac ni thry oddi wrthi pan heneiddia.

Diarhebion 22: 6

Mae disgyblaeth yn rhan annatod o addysg plentyn:

Gosod dy feddwl ar gyfarwyddyd,
a'th glust ar eiriau deall.

Diarhebion 23: 12

Gosod y plentyn yn y canol mae Iesu a'i roi'n fodel i'w ddisgyblion:

Galwodd Iesu blentyn ato, a'i osod yn eu canol hwy,

Mathew 18: 2

DYWEDIADAU A THRADDODIADAU

Nid paratoad ar gyfer bywyd yw addysg; bywyd ei hun yw addysg.

Nid yw popeth sy'n digoni yn bodloni.

Peth peryglus iawn yw ychydig o ddysg.

Po fwyaf yr ehangwn gylch ein gwybodaeth, cryfaf yw ein hymwybyddiaeth o gylch ehangach ein hanwybodaeth.

Y dyn doeth yw'r dyn sy'n gweld ei gamsyniad cyn ei wneud.

Yr unig beth sydd ei angen i'r drwg orchfygu yw i ddynion da wneud dim.

Sul y Beibl

Nac anghofiwn y clagwydd herciog
A roes ambell gwilsyn i'r Esgob Morgan,
Gan roddi nawdd ei esgyll i'r iaith Gymraeg.

Gwilym R. Jones, 'Salm i'r Creaduriaid'

EMYNAU

Profiad y genedl yn yr anialwch dan arweiniad Moses a geir yn yr emyn hwn:

Mae dy air yn abl i'm harwain
    drwy'r anialwch mawr ymlaen,
mae e'n golofn olau, eglur,
    weithiau o niwl, ac weithiau o dân;
mae'n ddi-ble ynddo fe,
fwy na'r ddaear, fwy na'r ne'.

William Williams (*Caneuon Ffydd*: 185)

Mae cryn amheuaeth ynglŷn ag awdur y pennill hwn ond pwy bynnag yw'r awdur mae ei neges yn glir a diamwys:

Dyma Feibil annwyl Iesu,
    dyma rodd deheulaw Duw;
dengys hwn y ffordd i farw,
    dengys hwn y ffordd i fyw;
dengys hwn y golled erchyll
    gafwyd draw yn Eden drist,
dengys hwn y ffordd i'r bywyd
    drwy adnabod Iesu Grist.

Casgliad T. Owen *priodolir i* Richard Davies (*Caneuon Ffydd*: 198)

Emyn o fawl am air Duw yw emyn Tilsley a luniwyd yn arbennig ar gyfer oedfaon y Synod Fethodistaidd yn Rhuthun, Ebrill 1975:

Mawl i Dduw am air y bywyd,
gair y nef yn iaith y llawr,
gair y cerydd a'r gorchymyn,
gair yr addewidion mawr;
gair i'r cadarn yn ei afiaith,
gair i'r egwan dan ei bwn,
cafodd cenedlaethau daear
olau ffydd yng ngeiriau hwn.

Gwilym R. Tilsley (*Caneuon Ffydd*: 201)

'Yr ydych yn chwilio'r Ysgrythurau,' meddai Iesu, 'oherwydd tybio yr ydych fod ichwi fywyd tragwyddol ynddynt. Ond tystiolaethu amdanaf fi y mae'r rhain; eto ni fynnwch ddod ataf fi i gael bywyd':

O Arglwydd, dysg im chwilio
i wirioneddau'r Gair
nes dod o hyd i'r Ceidwad
fu gynt ar liniau Mair;
mae ef yn Dduw galluog,
mae'n gadarn i iacháu;
er cymaint yw fy llygredd
mae'n ffynnon i'm glanhau.

Grawn-Syppiau Canaan, 1805 (*Caneuon Ffydd*: 333)

Mewn cyfnod o anniddigrwydd o fewn ei eglwys y cyfansoddodd Elfed yr emyn hwn a hynny er mwyn tawelu'r cynnwrf:

Hyfryd eiriau'r Iesu,
bywyd ynddynt sydd,
digon byth i'n harwain
i dragwyddol ddydd:
maent o hyd yn newydd,
maent yn llawn o'r nef;
sicrach na'r mynyddoedd
yw ei eiriau ef.

Elfed (*Caneuon Ffydd*: 381)

Y mae geiriau'r emyn hwn yn seiliedig ar adnod o'r Salm Fawr sy'n cyfeirio at y gair fel 'llusern i'm troed a goleuni i'm llwybr':

Am air ein Duw rhown â'n holl fryd
soniarus fawl drwy'r eang fyd;
mae'n llusern bur i'n traed, heb goll,
mae'n llewyrch ar ein llwybrau oll.

Gomer (Caneuon Ffydd: 172)

GWEDDÏAU

Agor ein llygaid o'r newydd i ni geisio cerdded dy ffordd di:

O! Arglwydd ein Duw, sydd mor agos atom, diolchwn i ti am wahoddiad dy Air i alw arnat mewn gweddi. Ond inni dy geisio di, fe allwn dy gael, oherwydd yr wyt ti'n ein ceisio ni eisoes ac yn galw arnom. Yng nghanol tryblith ein hoes, diolch i ti am ein sicrhau nad ydym ar drugaredd ein syniadau a'n meddyliau ni ein hunain. Fe'n rhybuddiaist nad yr un yw dy feddyliau di â'n meddyliau ni, na'th ffyrdd di â'n ffyrdd ni. Agor ein llygaid i weld dy ffordd di, a'n calonnau i ymglywed â'th feddyliau di, yn Iesu Grist. Amen.

Saunders Davies

Gweddïwn dros y rhai fydd yn agor tudalennau'r Beibl am y tro cyntaf heddiw:

Fe gyflwynwn i ti, Dad Nefol, y rhai hynny a fydd heddiw yn agor y Beibl am y tro cyntaf a dysgu am gyflawnder dy gariad a'th ras achubol yn Iesu Grist. Gweddïwn y daw pob un ohonynt yn ymwybodol o bresenoldeb yr Ysbryd Glân fel eu cymorth a'u harweinydd, fel y llu a fydd yn agor eu calonnau a'u meddyliau i Iesu y Gair tragwyddol a ddaeth yn gnawd, ac a drigodd yn ein plith. Gweddïwn y bydd neges y newyddion da i bawb ym mhob man yn cael ei dderbyn, ei ddeall a'i weithredu ym mywydau beunyddiol pob un ohonom, gan ddiolch fod Iesu wedi dod i wneud y Gwirionedd yn rhodd i bobl pob oes a diwylliant. Amen.

Gweddïau ar gyfer Dydd yr Arglwydd, D. Ben Rees (gol.)

Diolch am Feibl yn ein hiaith ond gofynnwn am dy gymorth i'w ddarllen a'i ddeall:

Mor llawen ydym, Arglwydd, fod gennym Feibl,
A hwnnw yn ein hiaith ein hunain.
Maddau ein hamharodrwydd i'w agor yn amlach.
Cyfaddefwn ein bod yn ysu am ddarllen popeth ond dy Air di.
Rho inni help i'w ddeall, nes meddiannu'r trysor sydd yn ei eiriau.
Agor ein llygaid i weld drwy'r geiriau y Gair – dy ryfedd Fab.
Agor ein clustiau i glywed ei lais fel y deallom neges ei ddyfodiad i'n byd.
Agor ein calon i roi lle i Iesu fel ein Gwaredwr a'n Harglwydd.
Gwna ein Beibl, Arglwydd, yn Air y Bywyd i ni –
ac i lu o'n cyd-Gymry. Amen.

Elfed ap Nefydd Roberts

Cofiwn fod Duw yn cyfathrebu â'i bobl mewn amryfal ffyrdd:

Gwared ni rhag ymhyfrydu yng ngeiriau'r ysgrythur yn unig. Pâr inni gofio mai tystiolaethu am dy annwyl Fab, Iesu Grist, y mae'r ysgrythurau, a'th fod yn ein gwahodd i ddod ato ef i gael bywyd yn nerth yr Ysbryd Glân. Ynot ti, O! Drindod Sanctaidd, y gorwedd ein hunig obaith. Amen.

Saunders Davies

Nid digon yw gwybod y geiriau; mae'n rhaid adnabod y Gair:

Heddiw, ar Sul y Beibl, diolchwn i ti am y geiriau sy'n dwyn tystiolaeth i'r 'Gair a ddaeth yn gnawd', y geiriau sy'n llefaru wrthym am dy lefaru rhyfeddol di. Gofynnwn ar i ti, trwy dy Ysbryd Glân, blannu'r awydd ynom i ddarllen, fel ein bod yn 'gwybod y geiriau', ac ar yr un pryd yn clywed dy lais di yn llefaru wrthym fel ein bod wedyn yn 'adnabod y Gair'.

Diolchwn i ti am y trysor godidog hwn sydd yn ein meddiant a maddau i ni ein bod yn medru bod mor ddi-hid ohono. Maddau'r cloriau caeedig a dieithrwch y tudalennau, a dysg i ni eto ei werth a'i gyfoeth. Amen.

Trefor Jones Morris

ADNODAU

Ar ddechrau ei weinidogaeth darllenodd Iesu'r Ysgrythur o lyfr y proffwyd Eseia:

"Y mae Ysbryd yr Arglwydd arnaf,
oherwydd iddo f'eneinio
i bregethu'r newydd da i dlodion.
Y mae wedi f'anfon i gyhoeddi rhyddhad i garcharorion,
ac adferiad golwg i ddeillion,
i beri i'r gorthrymedig gerdded yn rhydd,"

Luc 4: 18

Mae'r Ysgrythurau wedi eu rhoi i'n dysgu a'n harwain:

Ac fe ysgrifennwyd yr Ysgrythurau gynt er mwyn ein dysgu ni, er mwyn i ni, trwy ddyfalbarhad a thrwy eu hanogaeth hwy, ddal ein gafael yn ein gobaith.

Rhufeiniaid 15: 4

Profiad o'r galon ar dân oedd profiad y ddau pan oedd y cydymaith yn dehongli'r Ysgrythurau iddynt ar y ffordd i Emaus:

Meddent wrth ei gilydd, "Onid oedd ein calonnau ar dân ynom wrth iddo siarad â ni ar y ffordd, pan oedd yn egluro'r Ysgrythurau inni?"

Luc 24: 32

Mae Iesu'n gweld ei hun fel un sy'n dod i gyflawni'r Ysgrythurau:

Plant Duw ydynt, am eu bod yn blant yr atgyfodiad. Ond bod y meirw yn codi, y mae Moses yntau wedi dangos hynny yn hanes y Berth, pan ddywed, 'Arglwydd Dduw Abraham a Duw Isaac a Duw Jacob'.

Luc 20: 36–37

Pan oedd Iesu'n llefaru roedd y bobl yn gwrando ar air uniongyrchol Duw:

Unwaith pan oedd y dyrfa'n gwasgu ato ac yn gwrando ar air Duw, ac ef ei hun yn sefyll ar lan Llyn Genesaret,

Luc 5: 1

Mae Iesu'n dod i'r byd i gyflawni y gair a lefarwyd trwy'r proffwyd:

A digwyddodd hyn oll fel y cyflawnid y gair a lefarwyd gan yr Arglwydd trwy'r proffwyd:
"Wele, bydd y wyryf yn beichiogi, ac yn esgor ar fab, a gelwir ef Immanuel".

Mathew 1: 22–23

DYWEDIADAU A THRADDODIADAU

Y ffordd orau i adfywio eglwys yw cynnau tân yn y pulpud.

Mae'r Beibl wedi'i gyfieithu i o leiaf 2,018 o ieithoedd.

Llyfrgell o 66 o lyfrau yw'r Beibl wedi eu hysgrifennu gan 44 o wahanol awduron dros gyfnod o 1,600 o flynyddoedd a hynny mewn tair iaith – Hebraeg, Aramaeg a Groeg.

Mae'r Beibl yn cynnwys 31,173 o adnodau i gyd – 23,214 yn yr Hen Destament a 7,959 yn y Testament Newydd.

Llyfr Esther ydi'r unig lyfr yn y Beibl nad yw'n cynnwys yr enw Duw.

Sul y Gwahanglwyf

Hanfod pob profiad yw gwybod fod Duw, yn Iesu, yn barod i gyffwrdd â ni ac estyn ei law.

EMYNAU

Mae'r Cristion yn ymddiried yn Nuw yn y fagddu dywyll, dan bwysau'r groes a phan fo'r llwybr yn serth, ac ni chaiff ei siomi:

Ymddiried wnaf yn Nuw
　　er dued ydyw'r nos;
daw ei addewid ef
　　fel golau seren dlos:
mae nos a Duw yn llawer gwell
na golau ddydd a Duw ymhell.

Penrith (*Caneuon Ffydd*: 77)

Iesu sy'n cynnig iachâd yn ogystal â gobaith a dyhead:

Am iddo gynnig ei iachâd
　　a balm i glwyfau'r byd,
a throi'r tywyllwch dilesâd
　　yn fore gwyn o hyd,
moliannwn ef, moliannwn ef
sy'n rhoi i'r ddaear harddwch nef.

W. Rhys Nicholas (*Caneuon Ffydd*: 132)

Yr un yw Iesu oedd yn cynnig ei law i'r gwahanglwyfus pan oedd yma yn nyddiau ei gnawd â'r un sydd yn cynnig ei law i drueiniaid heddiw:

O Iesu mawr, y Meddyg gwell,
gobaith yr holl ynysoedd pell,
dysg imi seinio i maes dy glod
mai digyfnewid wyt erioed.

William Williams (*Caneuon Ffydd*: 306)

'Estyn dy law' yw cyfarchiad Iesu ymhob oes:

Dwylo ffeind oedd dwylo
Iesu ymhob man,
yn iacháu y cleifion
a bendithio'r gwan;
golchi traed blinedig,
dal rhai isa'r byd,
dwylo ffeind oedd dwylo
Iesu Grist o hyd.

Margaret Cropper cyf. Dafydd Owen (Caneuon Ffydd: 372)

Ar drothwy'r Nadolig 1918 a'r byd dan glwyfau rhyfel y canodd yr emynydd y geiriau hyn am y tro cyntaf:

Cofia'r byd, O Feddyg da,
a'i flinderau;
tyrd yn glau, a llwyr iachâ
ei ddoluriau;
cod y bobloedd ar eu traed
i'th was'naethu;
ti a'u prynaist drwy dy waed,
dirion Iesu.

J. T. Job (Caneuon Ffydd: 846)

Dro ar ôl tro mae Duw yn dod ar ein traws yn ein gwendid ac mae'n defnyddio pob math o gyfryngau i'n hadfer:

Deui atom yn ein gwendid
gan ein codi ar ein traed,
drwy dy Ysbryd, drwy dy bobol,
sefyll yr wyt ti o'n plaid.

Glen Baker cyf. Cynthia Saunders Davies (Caneuon Ffydd: 849)

GWEDDÏAU

Uniaethu efo'r dyn mewn angen wyt ti bob gafael:

Ti yr un sydd, yn dy ras,
yn dewis pethau ffôl y byd i gywilyddio'r doeth,
yn dewis y gwan i gywilyddio'r cedyrn.

Ti sydd yn adfer y gwahanglwyf,
yn cofleidio'r gwrthodedig,
yn rhoi urddas i'r dirmygedig,
ac yn rhoi gobaith i'r gwangalon.

Rhoes dy Fab heibio ei ogoniant
i olchi traed pechaduriaid.
Daeth i'n plith megis un wedi ei ddirmygu a'i wrthod;
cymerodd ein gwendidau, a dygodd ein clwyfau;
safodd yn unig i ddioddef ein cosbedigaeth. Amen.

Tecwyn Ifan

Diolchwn am feiddgarwch Iesu yn herio hualau a rheolau ei gymdeithas:

Diolchwn i ti, O! Dad pawb oll, am feiddgarwch Iesu yn estyn ei law i gyffwrdd â'r anghyffyrddadwy. Hyd at ein dyddiau ni, bu'n duedd i neilltuo'r rhai a drawyd â'r gwahanglwyf a'u cadw ar wahân. Maddau inni am barhau'r duedd hon er i Iesu danseilio'r hen arferiad ugain canrif yn ôl. Molwn di am Iesu Grist a ddug y sawl a adawyd o'r neilltu yn ôl i gymdeithas lawn â'u cyd-ddynion. Gweddïwn yn awr dros bob un sy'n teimlo'n wrthodedig gan ei deulu neu ei gymdeithas yn ein gwlad a'n byd heddiw. Gofynnwn i ti faddau inni am fod mor barod i wahaniaethu rhyngom ni a nhw. Gwna ni'n gyfryngau hedd a chymod; helpa ni i ehangu ein cortynnau fel y medrwn gyfrif mwy a mwy o'th anwyliaid di ymhlith y 'ni'. Dilea wahanfuriau rhagfarn, cred, lliw, iaith, cenedl a hil o'n plith a dyro i ni i gyd brofiad byw o gael ein cynnwys yng nghymundeb diwarafun y Tad, y Mab a'r Ysbryd Glân. Amen.

Saunders Davies

Maddau i ni am roi bri ar ryfel a dinistr yn hytrach na chodi creadur o ddyn ar ei draed:

Maddau i ni ein bod yn byw mewn cymdeithas sy'n teimlo bod creu arfau ac offer dinistr yn rhagori ar feddyginiaeth a gwellhad i'r gwahanglwyfus. Cynorthwya ni i'th wasanaethu di drwy ofalu am ein gilydd mewn trugaredd a thosturi, fel y gall y clwyfus edrych ymlaen i'r dyfodol mewn gobaith a hyder. Arwain ni at gymdeithas sy'n amddifad o newyn a thlodi fel y dilëir yr afiechyd hwn o'n byd.
  'Rho inni'n fuan weled dydd
  Na cheir, drugarog Dduw,
  Na newyn blin na thlodi chwaith,
  Na neb heb gyfle i fyw.'

Gwyddom, O! Dad, dy fod yn y canol yn cyd-ddioddef gyda'th blant sydd dan eu doluriau. Amen.

Gwyn Thomas

Gwaith pob Cristion yw eiriol dros y cleifion a'r cystuddiol, y galarus a'r unig:

Eiriolwn, Arglwydd,
Ar ran y cleifion a'r cystuddiol
  a'r sawl sydd heb obaith gwellhad;
Ar ran y rhai sy'n gweini ar eraill,
  yn lleddfu poen ac yn iacháu afiechydon:
Arglwydd, clyw ein gweddi.

Ar ran y galarus a'r unig
  a'r sawl y mae hiraeth yn eu llethu;
Ar ran yr amddifad a'r digyfaill
  a'r sawl sydd heb neb i weddïo trostynt:
Arglwydd, clyw ein gweddi. Amen.

Elfed ap Nefydd Roberts

Treuliodd Iesu ran helaeth o'i weinidogaeth yn gwella ac adfer y cleifion:

Canmolwn di, Arglwydd, am gael Iesu i'n byd, ac am ei fywyd daionus ar y ddaear. Am iddo fynd o amgylch gan wneud daioni, clodforwn di, O Dduw. Diolch i ti am ei gariad mawr tuag atom, ac am ei ymwneud grasol â ni. Diolchwn i ti am ei barodrwydd i gyfeillachu â phobl o bob gradd a chefndir, ac yn arbennig y rhai oedd ar lawr: y claf a'r clwyfus, yr unig a'r amddifad, y llesg a'r gwan. Bendigwn di am y berthynas iachusol fu rhyngddo a'r bobl hyn ac â phawb, yn wir, a welodd yn dda i ddod ato. Rhyfeddwn, Arglwydd, at dy allu i iacháu. Iachawdwr byd wyt ti, ac nid da gennyt weld byd poenus a dioddefus. Amen.

Oedfaon Ffydd: (gol.) Aled Davies

ADNODAU

Mae'r ddeddf ynglŷn â'r gwahanglwyf yn mynd â ni'n ôl i'r Pum Llyfr:

Mewn achos o wahanglwyf, gofalwch wneud popeth yn ôl fel y bydd yr offeiriaid o Lefiaid yn eich cyfarwyddo; gofalwch wneud yn union fel y gorchmynnais i iddynt.

Deuteronomium 24: 8

Bu'n rhaid i'r brenin Usseia, brenin Jwda, ymneilltuo o gyrraedd pobl o achos y gwahanglwyf:

Aeth yntau allan ar frys, oherwydd i'r ARGLWYDD ei daro. A bu'r Brenin Usseia yn wahanglwyfus hyd ddydd ei farw, yn byw o'r neilltu yn ei dŷ o achos y gwahanglwyf, ac wedi ei dorri allan o dŷ'r ARGLWYDD. Daeth Jotham ei fab i oruchwylio'r palas ac i reoli pobl y wlad.

2 Cronicl 26: 21

Ar ôl ei lanhau gorchymyn Iesu i'r gŵr oedd iddo ddangos ei hun i'r offeiriad:

A dyma ddyn gwahanglwyfus yn dod ato ac yn syrthio o'i flaen a dweud. "Syr, os mynni, gelli fy nglanhau."

Mathew 8: 2

Mae'n amlwg nad oedd ar Iesu ofn ymwneud â'r gwahanglwyfus na chyffwrdd ynddynt. Yma y mae yn nhŷ Simon y gwahanglwyfus:

Pan oedd Iesu ym Methania yn nhŷ Simon y gwahanglwyfus, daeth gwraig ato a chanddi ffiol alabaster o ennaint gwerthfawr, a thywalltodd yr ennaint ar ei ben tra oedd ef wrth bryd bwyd.

Mathew 26: 6–7

Yn ôl Marc, yn gynnar ar ddechrau'r weinidogaeth daeth dyn ato yn ymbil ar ei liniau i gael ei wella:

Ymadawodd y gwahanglwyf ag ef ar unwaith, a glanhawyd ef.

Marc 1: 42

Daeth deg i gael eu gwella ond dim ond un a fentrodd yn ôl i ddiolch:

Atebodd Iesu, "Oni lanhawyd y deg? Ble mae'r naw? Ai'r estron hwn yn unig a gafwyd i ddychwelyd ac i roi gogoniant i Dduw?"

Luc 17: 17–18

DYWEDIADAU A THRADDODIADAU

Yn ôl hen ddogfennau arferid defnyddio gwaed fel meddyginiaeth i wella'r gwahanglwyf. Roedd gwaed morwynol a gwaed plant yn eithriadol o nerthol. Defnyddid hefyd waed cŵn, gwaed ŵyn a hyd yn oed gwenwyn y neidr cobra i wella'r aflwydd.

O'r drydedd ganrif ar ddeg ymlaen i'r ugeinfed ganrif alltudiwyd y gwahangleifion i ynysoedd pellennig neu ardaloedd a elwid yn *leprosarium*.

Rhwng 2001 a 2010 roedd 129 o bobl yn dioddef o'r gwahanglwyf yng Nghymru a Lloegr.

Yn eglwys hynafol Pistyll ym Mhenrhyn Llŷn mae agen wrth ymyl yr allor lle byddai'r gwahangleifion oedd allan yn yr awyr agored yn gallu derbyn y cymun gan nad oeddynt yn cael mynediad i mewn i'r eglwys.

Mae'r dystiolaeth fwyaf hynafol o'r gwahanglwyf ym Mhrydain yn mynd â ni'n ôl i weddillion gŵr ifanc yn ei arddegau mewn bedd y Llychlynwyr ar Ynysoedd Erch. O ddadansoddi ei weddillion mae'n amlwg ei fod wedi dioddef yn arw gan fod esgyrn ei wyneb wedi datgymalu'n llwyr ac felly'n ei gwneud hi'n anodd iddo anadlu a bwyta.

Sul Cymorth Cristnogol

Nid am fod caru'n rhwydd mewn unrhyw oes,
Ond am fod caru'n rhaid yng ngolau'r Groes,
Heb grybwyll ffin, nac un gwahanfur chwaith,
Na hil, na lliw ei groen, na llwyth nac iaith –
Câr dy gymydog fel tydi dy hun,
Can's Duw a'i creodd yntau ar ei lun.

Maurice Loader

EMYNAU

Mae symlrwydd yr emyn hwn yn drawiadol a'i neges mor bellgyrhaeddol:

Rho imi nerth i wneud fy rhan
  i gario baich fy mrawd,
i weini'n dirion ar y gwan
  a chynorthwyo'r tlawd.

E. A. Dingley cyf. Nantlais (Caneuon Ffydd: 805)

Adlais o eiriau Paul a geir yn yr emyn hwn sef ein bod ni oll yn un yng Nghrist:

Nid oes yng Nghrist na dwyrain, de,
  gorllewin, gogledd chwaith;
cymdeithas gref o gariad sydd
  yn un drwy'r ddaear faith.

John Oxenham cyf. William Morris (Caneuon Ffydd: 807)

Gwylio rhaglen deledu fu'n symbyliad i Tudor Davies gyfansoddi'r emyn hwn yn benodol ar gyfer Wythnos Cymorth Cristnogol:

Cofia'r newynog, nefol Dad,
filiynau llesg a thrist eu stad

124

sy'n llusgo byw yng nghysgod bedd,
ac angau'n rhythu yn eu gwedd.

Tudor Davies (*Caneuon Ffydd*: 816)

Anghofiwn ein bywyd bras a chofiwn am ein dyletswydd, fel Cristnogion, tuag at y rhai sydd heb ddim:

Arglwydd, maddau in mor dlodaidd
    fu ein diolch am bob rhodd
ddaeth o'th ddwylo hael i'n cynnal
    fel dy bobol wrth dy fodd:
yn dy fyd rhown ynghyd
ddiolch drwy ein gwaith i gyd.

Siôn Aled (*Caneuon Ffydd*: 828)

Thema'r emyn hwn drwyddo draw yw cofio a charu cymydog sydd mewn angen:

A glywaist ti waedd yr anghenus
    o'i dlodi yn anterth ei drin?
Mae'n ymbil o galon ddolurus
    am nerth a chynhaliaeth i'r blin:
ymateb i'w gri yn drugarog,
    rho brawf fod tosturi yn fyw,
mewn angen mae eisiau cymydog
    sy'n tystio bod gras wrth y llyw.

D. Hughes Jones (*Caneuon Ffydd*: 843)

Agorwn ein llygaid, ein meddyliau a'n calonnau i weld yr angen, i ddirnad y sefyllfa ac i ymateb yn gyson-hael:

Agor di ein llygaid, Arglwydd,
    i weld angen mawr y byd,
gweld y gofyn sy'n ein hymyl,
    gweld dioddef draw o hyd:
maddau inni bob dallineb

sydd yn rhwystro grym dy ras,
a'r anghofrwydd sy'n ein llethu
wrth fwynhau ein bywyd bras.

W. Rhys Nicholas (*Caneuon Ffydd*: 841)

GWEDDÏAU

Maddau i ni ein methiant a'n diffyg cydymdeimlad:

Addefwn fod ein dwylo'n llawn gwaed; rydym yn byw ar gorn yr
anghenus, yn masnachu ar draul y tlawd, yn adeiladu byd sy'n
anghyfartal ac yn annheg. Maddau i ni am fethu amgyffred maint ein
pechod, a'r dioddef a achosodd ein hunanoldeb hyd eithafoedd y byd.
Agor ein llygaid i weld canlyniadau dinistriol ein ffordd o fyw a dyro
inni benderfyniad i godi ein llais o du y gwan. Rwyt ti yn ein hannog.
Amen.

Saunders Davies

**Ymfalchïwn ein bod ni yn gallu rhannu dy gariad ag eraill a thrwy
hynny gallwn ninnau dderbyn llawenydd:**

Gad inni sylwi bod gwir lawenydd i'w ganfod wrth inni gynnal ein gilydd
yn dy gariad di, oherwydd mai gwasanaethu ein gilydd sy'n ein galluogi
i'th wasanaethu di, 'Gad inni weld dy wyneb di ymhob cardotyn gwael.'
Amen.

Gwyn Thomas

**Codwn ein llais fel Cristnogion i wrthwynebu'r ffordd mae'n brodyr
a'n chwiorydd yn cael eu cam-drin:**

Yn anad dim, dwysbiga ein cydwybod â'r gwirionedd fod dyn yn rhy
fawr i gardod. Nid cardod ond cyfiawnder yw dy ewyllys di i bob cenedl
ac unigolyn. Dyro inni'r dewrder i annog arweinwyr ein gwlad a holl
wledydd y byd i roi lle i'th economeg gyfiawn di.
Rwyt ti'n gwrthwynebu trachwant y trahaus ac yn bwriadu i
adnoddau dy fyd gael eu rhannu'n deg ymhlith holl bobloedd dy fyd.

Rho weledigaeth newydd i arweinwyr ein byd o'th fwriad daionus di. O ufuddhau, caiff pawb fwyta o ddaioni'r tir; o wrthod a gwrthryfela yn erbyn dy ewyllys, fe'n difrodir gan drais anochel ein hunanoldeb ni. Amen.

Saunders Davies

Diffrwyth a difywyd yw'r Gair pan fo pobl yn dal mewn caethiwed a gorthrwm:

O! Dduw, y mae dy Air di yn ddiffrwyth
    pan yw'r treisgar heb ei ddarostwng,
    a'r darostyngedig yn dal i gael ei sathru dan draed,
    pan ddigonir y cyfoethog â phethau da
    a gadael y tlawd heb ddim.
Cywira dy Air, O! Dduw, gan ddechrau gyda ni;
    tynera ein calonnau, agor ein clustiau,
    er mwyn inni glywed llais y tlodion
    a bod â rhan yn eu brwydr;
    ac anfon ni ar ein taith
    gyda newyn a hiraeth yn ein calon
    am i'th addewidion gael eu gwireddu yn Iesu Grist. Amen.

Maurice Loader

Rydym yn rhy barod o lawer i weiddi am ein hawliau; cofiwn hefyd am ein cyfrifoldebau:

Dad trugarog, cofiwn mewn tristwch am y rhai sy'n dioddef newyn a thlodi, ac am y plant sy'n gorfod ffarwelio â llwyfan ein byd cyn dechrau cerdded arno. Arglwydd, maddau'r anghyfiawnder sydd ar ein daear. Cofiwn, mewn cywilydd, fod ein hunanoldeb a'n dihidrwydd ni yn cyfrannu at yr anghyfiawnder hwnnw. Mor fynych y buom yn gweiddi am ein hawliau a'n cysur a'n ffyniant, heb sylweddoli bod ein ffyniant ni wedi ei blethu â ffyniant ein brodyr a'n chwiorydd drwy'r byd. Boed yr wythnos hon, felly, yn gyfle, yn enw Iesu Grist, i ddatod llinynnau trugaredd ein calon. Amen.

Llyfr Gwasanaeth yr Annibynwyr Cymraeg

Trwy helpu'r rhai sydd mewn angen rydym yn dy helpu di:

Dduw cariadlon,
 rwyt yn ein galw i'th wasanaethu mewn byd o angen.
Wrth inni fwydo'r newynog
 rydym yn offrymu bara i Grist yn yr anialwch;
pan fyddwn yn helpu i suddo pydew ar gyfer pentref sychedig
 rydym yn offrymu cwpaned o ddŵr i Grist ar y groes.
Cynorthwya ni i weld ein bod ym mhob gofal a roddwn
 yn byw'r Efengyl yn enw Iesu ein Gwaredwr.
Diolchwn iti am ein partneriaeth yn yr Efengyl
 â Christionogion mewn sawl gwlad.
Bydded inni galonogi'n gilydd
 wrth inni roi a derbyn yn enw Crist.
Pan glywir cri'r weddw a'r amddifad yn ein tir,
 gwna ni'n barod i ymateb gyda'n gilydd
 â thrugaredd a chyda ffydd. Amen.

John Johansen-Berg

ADNODAU

Mae pob unigolyn sydd mewn angen yn cael sylw Iesu:

A bydd y Brenin yn eu hateb, 'Yn wir, rwy'n dweud wrthych, yn gymaint ag ichwi ei wneud i un o'r lleiaf o'r rhain, fy nghymrodyr, i mi y gwnaethoch.'

Mathew 25: 40

Yr ydym oll yn blant i Dduw, i ba hil neu genedl bynnag y perthynwn:

Nid oes yma ragor rhwng Groegiaid ac Iddewon, enwaediad a dienwaediad, barbariad, Scythiad, caeth, rhydd; ond Crist yw pob peth, a Christ sydd ym mhob peth.

Colosiaid 3: 11

Daeth Iesu i'n byd ar ffurf gwas er mwyn uniaethu â'r distadl a'r gorthrymedig:

Er ei fod ef ar ffurf Duw, ni chyfrifodd fod cydraddoldeb â Duw yn beth i'w gipio, ond fe'i gwacaodd ei hun, gan gymryd ffurf caethwas a dyfod ar wedd ddynol.

Philipiaid 2: 6–7

Mae Crist yn ein galw ninnau i gyd-ddioddef yn artaith y byd:

Canys i hyn y'ch galwyd, oherwydd dioddefodd Crist yntau er eich mwyn chwi, gan adael ichwi esiampl, ichwi ganlyn yn ôl ei draed ef.

1 Pedr 2: 21

Mae awdur y Llythyr at yr Hebreaid yn ein hatgoffa fod Iesu, mab Duw, yn cyd-ddioddef â ni yn ein gwendidau:

Canys nid archoffeiriad heb allu cyd-ddioddef â'n gwendidau sydd gennym, ond un sydd wedi ei demtio ym mhob peth, yn yr un modd â ni, ac eto heb bechod.

Hebreaid 4: 15

Wrth i ni wasanaethu'n cyd-ddynion rydym hefyd yn gwasanaethu Duw:

Yn ddiorffwys eich ymroddiad, yn frwd eich ysbryd, gwasanaethwch yr Arglwydd.

Rhufeiniaid 12: 11

DYWEDIADAU A THRADDODIADAU

Mae gwreiddiau Cymorth Cristnogol yn mynd yn ôl i'r flwyddyn 1944 pan benderfynodd eglwysi Prydain sefydlu corff i helpu anffodusion y rhyfel wrth yr enw Christian Reconstruction in Europe. Pan sefydlwyd Cyngor Eglwysi'r Byd ym 1948 penderfynwyd y dylid ehangu gorwelion y corff hwn a chynnwys y byd i gyd a'r flwyddyn ddilynol newidiwyd

129

yr enw a'r nod i Department of Inter-Church Aid Refugee Service. Erbyn 1957 penderfynwyd ar ledaenu gorwelion a chynnwys pawb i gynorthwyo ac ym mis Mai y flwyddyn honno cafwyd ymgyrch o ddrws i ddrws ac enw'r ymgyrch oedd 'Wythnos Cymorth Cristnogol'.

Mae Cymorth Cristnogol yn pwysleisio fod yn rhaid i'r tlawd sefyll ar ei draed ei hun a bod yn hunangynhaliol.

Nid arian yn nwylo'r tlodion yw'r ateb ond yn hytrach meithrin sgiliau a chynorthwyo i godi'r truan ar ei draed. Bydd arian a gasglwn ni yn mynd ymhellach a bydd y tlawd yn cadw ei hunan-barch.

Slogan Cymorth Cristnogol yw 'Credwn mewn bywyd cyn marw' ac mae'r asiantaeth yn gweithio gyda phobl mewn 50 o wahanol wledydd.

Ym 2013 casglwyd £12.6 miliwn yn ystod Wythnos Cymorth Cristnogol. Felly, i'r rhai fu'n mynd o ddrws i ddrws i gasglu'r amlenni coch doedd yr ymdrech ddim yn ofer!

Sul yr Urdd

Sefydlwyd yr Urdd ym 1922 gan Syr Ifan ab Owen Edwards a sefydlwyd y gangen gyntaf yn Nhreuddyn yn yr un flwyddyn. Erbyn hyn mae oddeutu 1,500 o ganghennau a thros 50,000 o aelodau yng Nghymru.

EMYNAU

Galwad i fentro, i gredu, i brofi a rhodio gyda Duw sydd ynghlwm yn yr emyn hwn:

Tydi sydd heddiw fel erioed
  yn cymell, "Dilyn fi";
dy ddilyn wnaf, O Iesu mawr,
  fy ymffrost ydwyt ti.

        J. Edward Williams (*Caneuon Ffydd*: 679)

Dyhead ar i'r profiad o Dduw droi'n ddatguddiad a'r datguddiad droi'n gynnydd mewn gwybodaeth a gras:

Arglwydd, gad im fyw i weled,
  gad im weled mwy i fyw,
gad i'm profiad droi'n ddatguddiad
  ar dy fywyd, O fy Nuw;
    a'r datguddiad
  dyfo'n brofiad dwysach im.

        Gwili (*Caneuon Ffydd*: 694)

Cerddwn trwy'r byd yn ôl troed Iesu a thrwy hynny gwneud ei waith ar y ddaear:

Arglwydd Iesu, dysg im gerdded
  drwy y byd yn ôl dy droed;
'chollodd neb y ffordd i'r nefoedd
  wrth dy ganlyn di erioed:
    mae yn olau
  ond cael gweld dy ŵyneb di.

        Elfed (*Caneuon Ffydd*: 710)

Cyflwynwn ein hunain i Iesu a rhoi ein hunain yn gyfan gwbl iddo:

I ti dymunwn fyw, O Iesu da,
ar lwybrau esmwyth oes, dan heulwen ha':
neu os daw'r niwl i guddio'r wybren las
na ad i'm hofnau atal gwaith dy ras.

Elfed (*Caneuon Ffydd*: 757)

Mae ffyddlondeb Iesu tuag atom yn amlygu'i hun ymhob argyfwng a chaledi. Daliwn ninnau'n ffyddlon iddo ef:

Un a gefais imi'n gyfaill,
  pwy fel efe!
Hwn a gâr yn fwy nag eraill,
  pwy fel efe!
Cyfnewidiol ydyw dynion
a siomedig yw cyfeillion;
hwn a bery byth yn ffyddlon,
  pwy fel efe!

Marianne Nunn *efel.* Pedr Fardd (*Caneuon Ffydd*: 368)

Mae arwyddair yr Urdd wedi'i ymgorffori yn emyn Rhys Nicholas – caru Cymru, caru cyd-ddyn a charu Iesu:

Dysg imi garu Cymru,
  ei thir a'i broydd mwyn,
rho help im fod yn ffyddlon
  bob amser er ei mwyn;
O dysg i mi drysori
  ei hiaith a'i llên a'i chân
fel na bo dim yn llygru
  yr etifeddiaeth lân.

W. Rhys Nicholas (*Caneuon Ffydd*: 832)

GWEDDÏAU

Gweddïwn yn unol ag arwyddair yr Urdd am dy fendith ar Gymru'n gwlad:

Diolchwn i ti am ein hiaith a'n diwylliant, am dir ein gwlad a'i thraddodiadau llenyddol a barddonol; am geinder crefft ac am arbenigrwydd a hunaniaeth ein cenedl. Ond gwyddom hefyd, O! Dad, fod Cymru'n newid. Yr ydym yn genedl o bobl gymysgryw fel pob cenedl arall, ac mae'n anochel fod gan bawb eu delwedd o Gymru. Ond yn ogystal â gweld y ddelwedd, helpa ni i geisio adnabod ein hunain am yr hyn ydym ni. Mewn hunan adnabyddiaeth y mae ymdrech at ddelfryd, a'r ddelfryd yw Cymru hyderus a'i hiaith a'i phobl yn ffynnu. Amen.

Peter Thomas

Daliwn yn ffyddlon i'n cyd-ddyn gan gydio law yn llaw â phawb:

Diolchwn i ti, O! Dad, am ein hil a'n gwna'n deulu ac yn bobl sy'n rhannu perthynas a thras a thrysor adnabyddiaeth. Mae hynny'n ein dyrchafu uwchlaw hynodrwydd iaith a diwylliant a lliw croen, ac yn ein creu yn ddynoliaeth, yn frodyr ac yn chwiorydd i'n gilydd.

Gweddïwn dros ein cyd-ddynion ymhob gwlad ar iddynt rannu'r weledigaeth a ddaw â chymod a heddwch i'n byd; iddynt gynnal y gwerthoedd hynny sy'n diogelu bywyd cymdeithas ac ymdrechu i fyw mewn cytgord â'r greadigaeth. Amen.

Peter Thomas

Gwelwn ein hunain yn un yn Iesu Grist:

Gweddïwn am nerth i fod yn ffyddlon i Grist a'i gariad ef. Diolchwn i ti, O! Dad, am y copa gwyn sydd i fathodyn yr Urdd yn arwydd o'r nod yr ymgyrchwn tuag ato. Boed inni gofio bod y gwyrdd a'r coch gwlad a chyd-ddyn yn ddarostyngedig i'w awdurdod ef.

Diolchwn i ti am ein Harglwydd Iesu Grist sy'n ein cymell ni i fod yn ddilynwyr iddo ac i weithio drosto. Helpa ni i gysegru ein doniau a'n gallu i'w wasanaethu, a boed i eraill drwy'r gwasanaeth hwnnw ei weld ef ynom ni. Amen.

Peter Thomas

Diolchwn am y rhai sydd bob amser yn barod i roi o'u hamser:

Molwn dy enw heddiw am rieni ac arweinwyr ieuenctid sy'n adnabod yr hwn sydd wedi bod o'r dechreuad ac yn aros am byth. Diolchwn yn arbennig am sylfaenwyr ac arweinwyr presennol yr Urdd a roes eu gwasanaeth yn ddiflino i rannu'r adnabyddiaeth hon â chenhedlaeth arall. Molwn di am yr athrawon a'r cerddorion, y crefftwyr a'r gwirfoddolwyr a rannodd eu hamser a'u dawn yn llawen i wasanaethu ein plant a'n pobl ifainc. Canmolwn di, O! Dduw daionus, am ddonio ein hieuenctid mor hael. Gweddïwn am iddynt hwythau dy adnabod di fel y rhoddwr rhad ac ymateb i'th ddaioni trwy berffeithio eu doniau a'u defnyddio i gyfoethogi bywyd ein cymdeithas a'n cenedl ac i ddwyn gogoniant i ti. Gweddïwn yn arbennig am dy fendith di ar Eisteddfod Genedlaethol yr Urdd fel y caiff pawb sydd ynglŷn â hi brofiad arall o geinder ac o ddaioni dy fwriadau gogoneddus di. Amen.

Saunders Davies

Diolchwn fod yna bethau dyrchafol ac arhosol ym mywyd ein plant a'n hieuenctid:

Diolch i ti am greu'r Eglwys i fod yn gnewyllyn y ddynoliaeth newydd hon. Fe'i bendithiaist â theuluoedd cyfiawn ac ag arweinwyr ifainc. Ynddi hi fe gafodd y plant brofiad ohonot ti, O! Dduw, fel Tad. Agorwyd llygaid ei phobl ifainc i weld eu bod yn gryf am fod dy Air di yn aros ynddynt ac yn galluogi iddynt orchfygu'r un drwg. Fe'u diddyfnwyd o drachwant y cnawd a balchder mewn meddiannau trwy roi eu bryd ar y pethau arhosol, trwy wneud dy ewyllys di, O! Dduw. Amen.

Saunders Davies

ADNODAU

Mae Iesu'n dewis ei ddisgyblion i fod yn gwmni iddo a'u hyfforddi yng ngwaith y deyrnas:

Pan ddaeth hi'n ddydd galwodd ei ddisgyblion ato. Dewisodd o'u plith ddeuddeg, a rhoi'r enw apostolion iddynt: Simon, a enwodd hefyd yn

Pedr; Andreas ei frawd; Iago, Ioan, Philip a Bartholomeus; Mathew, Thomas, Iago fab Alffeus, a Simon, a elwid y Selot; Jwdas fab Iago, a Jwdas Iscariot, a droes yn fradwr.

Luc 6: 13–16

Gŵr o Facedonia sy'n ymbil am gymorth Paul i ddod i'w cynorthwyo:

Ymddangosodd gweledigaeth i Paul un noson – gŵr o Facedonia yn sefyll ac yn ymbil arno a dweud, "Tyrd drosodd i Facedonia, a chymorth ni."

Actau 16: 9

Rhan gyntaf arwyddair yr Urdd yw bod yn ffyddlon i'n cenedl gan gofio mai Duw yw Arglwydd y genedl:

Gwyn ei byd y genedl y mae'r ARGLWYDD yn Dduw iddi.

Salm 33: 12

Ym marn Paul mae'r holl orchmynion wedi eu crynhoi i un sef caru cymydog fel 'ti dy hun'. Dyma ail ran arwyddair yr Urdd:

Oherwydd y mae'r gorchmynion, "Na odineba, na ladd, na ladrata, na chwennych", a phob gorchymyn arall, wedi eu crynhoi yn y gorchymyn hwn: "Câr dy gymydog fel ti dy hun."

Rhufeiniad 13: 9

Nod y Cristion ydi caru Duw, galon, enaid a nerth a dyna gyflawni arwyddair Urdd Gobaith Cymru:

Câr di yr ARGLWYDD dy Dduw â'th holl galon ac â'th holl enaid ac â'th holl nerth.

Deuteronomium 6: 5

Mae Llyfr y Pregethwr yn awyddus iawn i ni gofio am Dduw yn nyddiau ein hieuenctid cyn i'r dyddiau blin ein goddiweddyd:

Cofia dy Greawdwr yn nyddiau dy ieuenctid, cyn i'r dyddiau blin ddod, ac i'r blynyddoedd nesáu pan fyddi'n dweud, "Ni chaf bleser ynddynt."

Pregethwr 12: 1

DYWEDIADAU A THRADDODIADAU

Sefydlwyd yr Urdd ym 1922 gan Syr Ifan ab Owen Edwards a sefydlwyd y gangen gyntaf yn Nhreuddyn yn yr un flwyddyn. Erbyn hyn mae oddeutu 1,500 o ganghennau a thros 50,000 o aelodau yng Nghymru.

Bob blwyddyn ers 1925 mae'r Urdd wedi cyhoeddi Neges Heddwch ac Ewyllys Da Plant Cymru.

Erbyn hyn mae tri gwersyll yr Urdd – Llangrannog, Glan-llyn a Chanolfan y Mileniwm yng Nghaerdydd. Yn y gwersylloedd hyn y mae pob math o weithgareddau'n digwydd trwy gyfrwng y Gymraeg o sgïo a gwib-gartio i ganŵio, rafftio a mynydda.

Mae llawer o aelodau yr Urdd sydd dros ddeunaw oed yn gwneud gwaith gwirfoddol mewn gwledydd fel India, Affrica a Romania.

Yn ogystal â chyhoeddi amrywiaeth o gylchgronau ar gyfer gwahanol oedrannau mae'r Urdd hefyd yn cynnal Eisteddfod pob diwedd Mai a chynhaliwyd yr eisteddfod gyntaf yng Nghorwen ym 1929. Bellach Eisteddfod yr Urdd yw'r ŵyl fwyaf i ieuenctid yn Ewrop gyfan.

Sul Un Byd

'Maddau'r trachwant sy'n rhoi bod i'r Trydydd Byd.'

Y byd yw fy mhlwyf.
John Wesley

EMYNAU

Aros yn y winwydden mae'r canghennau ac oddi yno y daw'r nerth:

Tydi yw'r wir Winwydden, Iôr,
  sy'n fythol ir a byw,
a ninnau yw'r canghennau sydd
  dan bla ein dydd yn wyw.
Arthur Williams (Caneuon Ffydd: 285)

Cawn ein galw i gyd-fynd, cyd-ddioddef a chydgario'r groes:

Cyd-fynd o hyd dan ganu 'mlaen,
cyd-ddioddef yn y dŵr a'r tân,
cydgario'r groes, cydlawenhau,
a chydgystuddio dan bob gwae.
William Williams (Caneuon Ffydd: 241)

Dyhead yr emyn hwn yw gweld y byd i gyd dan deyrnasiad Iesu:

Yr Iesu a deyrnasa'n grwn
o godiad haul hyd fachlud hwn;
ei deyrnas â o fôr i fôr
tra byddo llewyrch haul a lloer.
Isaac Watts cyf. Dafydd Jones (Caneuon Ffydd: 245)

Nod y Cristion ymhob man ac ymhob oes yw adfer a chyfannu'r holl raniadau:

Iôr, gwna fi'n offeryn dy hedd,
lle bo casineb dof â'th gariad di,
a lle bo dagrau gad im ddod â gwên,
cyfannu'r holl raniadau boed i mi.

Gweddi a briodolir i Ffransis o Assisi
addas. Sebastian Temple *cyf*. Siân Rhiannon (*Caneuon Ffydd*: 868)

Dysg ni i ddeall ein gilydd a hynny trwy rannu a charu:

Dyro dy gariad i'n clymu,
    dy gariad fyddo'n ein plith;
dyro dy gariad i Gymru,
    bendithion gwasgar fel gwlith:
dysg inni ddeall o'r newydd
    holl ystyr cariad at frawd;
dyro dy gariad i'n clymu,
    dy gariad di.

1 Dave Bilbrough *cyf*. Catrin Alun 2, 3 Siôn Aled (*Caneuon Ffydd*: 871)

Cofiwn am drigolion byd ond hefyd mae'n rhaid i ni gynnig cymorth ymarferol a hynny trwy estyn llaw:

Yn gymaint iti gofio un o'r rhain
    a rhannu'n hael dy grystyn gyda'r tlawd,
a chynnig llaw i'r gwan oedd gynt ar lawr
    a'i arddel ef yn gyfaill ac yn frawd,
fe'i gwnaethost, do, i'r Un sy'n Arglwydd nef,
a phrofi wnei o rin ei fendith ef.

Peter M. Thomas (*Caneuon Ffydd*: 854)

GWEDDÏAU

Gofynnwn i Dduw faddau i ni am ein holl fethiannau:

Gofynnwn iti faddau pob dim sy'n gyfrwng i achosi rhaniadau yn y gymdeithas, yn yr Eglwys ac yn y byd. Maddau yr hyn sy'n creu ofn ac amheuaeth rhwng pobl a'i gilydd. Maddau'r trachwant sy'n rhoi bod i'r

Trydydd Byd. Maddau'r hunanoldeb sy'n arwain at ddioddefaint a rhyfela yn ein byd. Maddau i'r lleiafrif barus sy'n ysbeilio dy greadigaeth di ar draul y gweddill gwan. Maddau i ni am gyfeirio ein hadnoddau at ein lles ein hunain yn hytrach nag at yr anghenus. Maddau i'r cyfoethog sy'n esgyn ar draul y tlawd sy'n newynu. Maddau i'r cefnog cysurus sy'n sathru'r gwan a'r trallodus. Maddau i'r rhai uchel eu gallu sy'n manteisio ar y sawl sy'n brin o allu. Maddau i ni, ein Tad, ein bod yn llwyddo i gysgu'r nos yn berffaith esmwyth a'n cydwybod yn berffaith dawel er gwaetha'r rhaniadau sydd yn ein byd. Maddau i ni, O! Dad, ein bod wrth bellhau oddi wrthyt ti wedi pellhau oddi wrth ein gilydd, ac mai grym pechod sy'n ein gwahanu oddi wrth ein gilydd. Amen.

Gwyn Thomas

Diolchwn am y Sul hwn i agor ein llygaid a'n herio o'r newydd:

Gwasgeraist yr hil i bedwar ban yn gwlwm o genhedloedd, ac o'u gwaddol fe gyfyd, o oes i oes, flagur bywyd.
    'Bydded i'r boblogaeth dy foli di, O! Dduw.
    Bydded i'r holl bobloedd dy foli di.'
Diolchwn i ti am y Sul arbennig hwn a'n gwna ni'n ymwybodol ein bod ni oll yn ddeiliaid dy greadigaeth ac yn ddisteiniaid yr hyn yr wyt ti wedi ei ymddiried inni. Amen.

Peter Thomas

Dysg ni, O Arglwydd, i barchu ein byd a'n pobl:

Cryfha a chynorthwya dy Eglwys yn y dyddiau blin hyn i frwydro dros y Sul, ei ysbryd a'i bwrpas. Boed inni barchu a chadw'n fyw gariad, gobaith a goleuni'r efengyl drwy gadw a pharchu'r Sul, a hwnnw'n Sul Un Byd. Ti, O! Dduw, a roddodd i ni y Sul ac un byd i fyw ynddo a'i barchu. Drwy'r byd i gyd, er mwyn heddwch, tangnefedd a chyfiawnder, helpa ni i ddangos ein diolch a'n gwerthfawrogiad drwy Iesu Grist ein Harglwydd. Dymunwn dy foliannu a'th glodfori. Heddiw, felly, goleua'n meddyliau i'r gwirionedd a ddatguddiwyd i ni yn Iesu Grist. Amen.

Dewi Morris

Mae'n rhaid i ni ddysgu gwerthfawrogi'r amrywiaethau yn ein byd:

Am y goludoedd amrywiol sydd ym mywyd cenhedloedd y byd;
am ein cyd-ddynion ym mhob gwlad, o bob lliw ac iaith;
am y cyfan a gawn drwy eraill mewn llên a chelfyddyd,
addysg a chrefydd:
Diolchwn i ti, O Dduw. Amen.

Gweddïau yn y Gynulleidfa

Dyhëwn am y dydd pan fydd cenhedloedd y byd yn cyd-fyw'n heddychlon:

Tywys ni i sêl o blaid uniondeb, brawdoliaeth
ac ewyllys da ymhlith y cenhedloedd.
    Prysura'r dydd pan fydd y cleddyfau wedi eu troi'n sychau
a'r gwaywffyn yn bladurau,
pan na chyfyd cenedl gleddyf yn erbyn cenedl
ac na ddysgant ryfel mwyach.
    Diogela ni oll o dan arglwyddiaeth cariad Crist
lle nad oes ganolfur a'n gwahaniaetha.
    Gofynnwn hyn yn enw Iesu, ein Brawd a'n Prynwr. Amen.

Gweddïau yn y Gynulleidfa

Unwn i ddyrchafu'r cread cyfan yn greaduriaid a phobloedd:

Gweddïwn dros y cread cyfan:
boed i ni ddysgu cyn ei bod yn rhy hwyr
barchu dy ddaear unigryw, fregus, hardd
a'i holl greaduriaid.
    Gweddïwn dros bob cenedl a hil:
boed i'n gweithredoedd a'n ffordd o fyw ddangos ein cred
fod pob un ymhob man yn frodyr ac yn chwiorydd i ni,
beth bynnag fo'u gwlad, eu dinas neu eu llwyth,
beth bynnag fo'u haddysg neu eu diwylliant,
beth bynnag fo'u hamgylchiadau, eu crefydd neu eu lliw. Amen.

Llyfr Gwasanaeth yr Annibynwyr

ADNODAU

Mae Iesu wedi dod i'r byd i oleuo a dangos y ffordd ragorach fyth:

Yr wyf fi wedi dod i'r byd yn oleuni, ac felly nid yw neb sy'n credu ynof fi yn aros yn y tywyllwch.

Ioan 12: 46

Mae ffordd Iesu yn wahanol i ffordd a dull y byd:

Yr wyf yn gadael i chwi dangnefedd; yr wyf yn rhoi i chwi fy nhangnefedd i fy hun. Nid fel y mae'r byd yn rhoi yr wyf fi'n rhoi i chwi. Peidiwch â gadael i ddim gynhyrfu'ch calon, a pheidiwch ag ofni.

Ioan 14: 27

Yng nghanol y byd y mae lle'r Cristion yn gweithredu dulliau Iesu:

Nid wyf yn gweddïo ar i ti eu cymryd allan o'r byd, ond ar i ti eu cadw'n ddiogel rhag yr Un drwg.

Ioan 17: 15

Mae Duw yn Iesu Grist yn cymodi'r byd ag ef ei hun:

Hynny yw, yr oedd Duw yng Nghrist yn cymodi'r byd ag ef ei hun, heb ddal neb yn gyfrifol am ei droseddau, ac y mae wedi ymddiried i ni neges y cymod.

2 Corinthiaid 5: 19

Mae Paul am i'r eglwys yn Rhufain gofleidio'r cenhedloedd o'u cwmpas:

Am hynny, derbyniwch eich gilydd, fel y derbyniodd Crist chwi, er gogoniant Duw.

Rhufeiniaid 15: 7

Offeryn yn llaw Duw oedd Paul i bregethu'r anchwiliadwy olud i'r cenhedloedd:

I mi, y llai na'r lleiaf o'r holl saint, y rhoddwyd y rhodd raslon hon, i bregethu i'r Cenhedloedd anchwiliadwy olud Crist.

Effesiaid 3: 8

DYWEDIADAU A THRADDODIADAU

Yn ystod y Sul hwn a'r wythnos sy'n dilyn rhoir cyfle i bobl o wahanol gefndiroedd ddod at ei gilydd i ddysgu am anghenion dyfnaf ein byd. Y nod wedyn yw rhannu'r ddysgeidiaeth er mwyn creu byd gwell.

Ar Ddiwrnod Cymundeb Byd-eang bydd addolwyr o bob enwad a chefndir yn ymgynnull o gwmpas Bwrdd yr Arglwydd i arddangos eu hundod yng Nghrist.

Yn dilyn yr ymosodiadau ar y tyrau yn Efrog Newydd yn y flwyddyn 2001 bellach mae Twr Rhyddid wedi'i godi a hynny gyda'r gobaith i wella a hyrwyddo'r broses o dyfiant newydd ac iachâd. Mae'r twr yn symbol o gyfannu a chyd-ddyheu.

Y mae dynion da yn defnyddio'r byd i fwynhau Duw, ond y mae dynion drwg yn defnyddio Duw er mwyn mwynhau'r byd.

Awstin Sant

Sul y Genhadaeth

Nid byd ar wahân i'r byd hwn yw byd Duw, ond ansawdd gwahanol i'r byd hwn – sef bod yn ymwybodol o'r hinsawdd ysbrydol, ymdeimlo â bodolaeth Duw yn ei gread, dathlu'r cariad dwyfol a gwasanaethu eraill yn hytrach na ni ein hunain.

EMYNAU

Mae teyrnas Dduw ar y ddaear yn cofleidio pob gwlad a chenedl:

Duw, teyrnasa ar y ddaear
 o'r gorllewin pell i'r de;
cymer feddiant o'r ardaloedd
 pellaf, t'wyllaf is y ne';
  Haul Cyfiawnder,
 llanw'r ddaear fawr â'th ras.
    William Williams (*Caneuon Ffydd*: 246)

Ynghlwm wrth y comisiwn i fynd allan mae'r addewid ei fod gyda ni yn y gwaith:

Cofiwn am gomisiwn Iesu
 cyn ei fyned at y Tad:
"Ewch, pregethwch yr Efengyl,
 gwnewch ddisgyblion ymhob gwlad."
Deil yr Iesu eto i alw
 yn ein dyddiau ninnau nawr;
ef sy'n codi ac yn anfon
 gweithwyr i'w gynhaeaf mawr.
    John Roberts (*Caneuon Ffydd*: 259)

Mae pob cenhadaeth yn golygu ehangu gorwelion a helaethu terfynau:

Helaetha derfynau dy deyrnas
a galw dy bobol ynghyd,
datguddia dy haeddiant anfeidrol
i'r eiddot, Iachawdwr y byd;
cwymp anghrist, a rhwyga ei deyrnas,
O brysied a deued yr awr,
disgynned Jerwsalem newydd
i lonni trigolion y llawr.

Morgan Rhys (*Caneuon Ffydd*: 264)

Yn ysbryd yr Arglwydd awn ymlaen i gyhoeddi'r newyddion da:

Mae Ysbryd yr Arglwydd arnaf fi,
ei law a'm tywys am ymlaen;
danfonodd fi i rannu'r newydd da
a seinio nodyn gobaith yn fy nghân.

Peter M. Thomas (*Caneuon Ffydd*: 279)

Rwyt ti efo ni ymhob cenhadaeth yn y byd:

Ti, Arglwydd, fu'n dywysydd
ar hyd blynyddoedd oes,
yn gwmni ac yn gysur,
a'th ysgwydd dan ein croes:
diolchwn am bob bendith
fu'n gymorth ar y daith,
anoga ni o'r newydd
i aros yn dy waith.

Denzil Ieuan John (*Caneuon Ffydd*: 826)

Boed i olau'r groes lewyrchu i'r parthau tywyllaf:

Aed golau'r groes a'r nefol ddydd
drwy wledydd daear lydan,
a phrofer rhin Efengyl wiw
yn allu Duw ei hunan;

144

doed holl genhedloedd daear las
i gyd-ddyrchafu baner gras
a dymchwel teyrnas Satan.

J. T. Job (*Caneuon Ffydd*: 855)

GWEDDÏAU

Nid tasg un diwrnod yn unig yw cenhadu ond gwaith oes:

Diolch fod gyda ni ddydd wedi ei neilltuo i gofio am y gwaith cenhadol, ac eto sylweddolwn nad oes modd cyfyngu'n meddwl amdano i'r un diwrnod. Arwain ni yn ein haddoliad heddiw i weld o'r newydd ehangder a phwysigrwydd y genhadaeth. Y neges y mae'n rhaid ei chyhoeddi yn gyson a'r gwaith nad yw byth yn darfod.

Gobeithio y bydd ein cofio ni heddiw yn ein helpu ni i weld pob dydd yn gyfle i genhadu. Amen.

Robin Samuel

Tasg yr eglwys ymhob cyfnod ydi helpu dyn yn ei angen:

Arglwydd, fe ddest ti â'r genhadaeth atom mewn modd arbennig iawn yn Iesu Grist, gan bregethu'r newydd da i dlodion a chyhoeddi rhyddhad i garcharorion, adferiad golwg i ddeillion a pheri i'r gorthrymedig gerdded yn rhydd, i gyhoeddi blwyddyn ffafr yr Arglwydd. Helpa dy Eglwys heddiw, yn ei chenhadaeth hi, i gofio hynny. Wrth ymwneud â'r byd yn ei anobaith a'i anghyfiawnder, a phobl mewn dioddefaint a phoen, helpa ni i rannu'r iachawdwriaeth gyflawn sydd yn Iesu Grist, y newydd da sy'n diwallu pob angen ac yn cyflenwi pob diffyg. Amen.

Robin Samuel

Nod y Cristion ydi gwasanaethu ei gyd-ddyn, pwy bynnag yw:

Rho yn ein calon yr awydd i'th wasanaethu di a'r rheiny sydd o'n hamgylch. Cynorthwya ni i fanteisio ar bob cyfle i siarad, i weithredu a bod yn ffyddlon i'n ffydd a'n cred yn yr Arglwydd Iesu Grist. Gwasgara

ein hamheuon, cadarnha ein ffydd ac ysbrydola ni i gyflawni
gweithredoedd mawr yn dy enw di, drwy gyfrwng yr efengyl. Amen.

Graham Floyd

Cenhadon ydym oll i Iesu Grist:

Diolch i ti, Arglwydd,
   am y rhai fu'n ufudd i'th orchymyn
   ac a fentrodd i barthau pell a dieithr
   i fynegi dy wirionedd mewn gair a gweithred –
   apostolion, saint a chenhadon,
   efengylwyr, athrawon a meddygon.
Gwna ninnau'n barod i gael ein hanfon,
   ac i ymateb i alwad ac i antur y deyrnas. Amen.

Elfed ap Nefydd Roberts

Mae'r gwaith o genhadu yn enw Iesu mor benagored ac mor ddi-ben-draw:

Diolch i ti, Arglwydd,
   am wasanaeth dy eglwys i'r byd:
   am ei gwaith addysgol mewn ysgolion a cholegau;
   am ymdrechion meddygon a gweinyddesau,
   yn iacháu cleifion ac yn dysgu gwyddor glendid;
   am y rhai sy'n bwydo'r newynog a'r anghenus
   ac yn dysgu'r tlawd i drin y tir.
Gwna ni'n fwy parod i estyn iddynt
   ein cymorth a'n cefnogaeth. Amen.

Elfed ap Nefydd Roberts

Yn ein cyfnod ni galw eto rai i rannu'r newyddion da. Beth amdanaf fi?

Mawrygwn dy enw fod yr Efengyl wedi bod yn fodd i ddwyn eneidiau
lawer i ryddid a llawenydd, ac yn fodd i ddwyn daioni diwylliant llawer
cenedl i wasanaethu dy deyrnas.

146

Galw eto, O Dad, rywrai fydd yn barod i fynd â'r newyddion da i'r rhai sydd o hyd mewn tywyllwch, a gwna ni oll yn ddeiliaid teilwng o'r deyrnas, ac yn genhadon cymwys iddi. Amen.

C. M. Bowen

ADNODAU

Comisiwn olaf Iesu oedd gwneud disgyblion o'r holl genhedloedd ynghyd â'i addewid o'i agosatrwydd ar hyd y daith:

Ewch, gan hynny, a gwnewch ddisgyblion o'r holl genhedloedd, gan eu bedyddio hwy yn enw'r Tad a'r Mab a'r Ysbryd Glân, a dysgu iddynt gadw'r holl orchmynion a roddais i chwi. Ac yn awr, yr wyf fi gyda chwi yn wastad hyd ddiwedd amser.

Mathew 28: 19–20

Mae'r genadwri i Jona yn ymestyn yn lletach na ffiniau cenedl:

Daeth gair yr ARGLWYDD at Jona fab Amittai, a dweud, "Cod, dos i Ninefe, y ddinas fawr, a llefara yn ei herbyn; oherwydd daeth ei drygioni i'm sylw."

Jona 1: 1–2

Y mae pob cenhadaeth Gristnogol yn cynrychioli Iesu Grist:

Felly cenhadon dros Grist ydym ni, fel pe bai Duw yn apelio atoch trwom ni. Deisyf yr ydym dros Grist, cymoder chwi â Duw.

2 Corinthiaid 5: 20

Tasg fesul dau oedd cenhadaeth i ddisgyblion Iesu a deisyfwn ninnau gael ein hanfon gan fod y cynhaeaf yn fawr:

Dywedodd wrthynt, "Y mae'r cynhaeaf yn fawr ond y gweithwyr yn brin; deisyfwch felly ar arglwydd y cynhaeaf i anfon gweithwyr i'w gynhaeaf."

Luc 10: 2

Estyn ei law i'w elyn wnaeth y Samariad a dyrchafwyd ef yn arwr:

Meddai ef, "Yr un a gymerodd drugaredd arno." Ac meddai Iesu wrtho, "Dos, a gwna dithau yr un modd."

Luc 10: 37

DYWEDIADAU A THRADDODIADAU

Yn llawn o'r Ysbryd, cychwynnodd Iesu ar ei genhadaeth gyda'i bobl ei hun, yn ei gynefin ei hun, yn ei gynulliad ei hun ar y seithfed dydd. Mae'r maes yn barod a holl arfogaeth Duw o'i blaid. Ar garreg y drws y mae dechrau.

Nod cenhadaeth Iesu oedd trawsffurfio'r unigolyn ac yn sgil hyn y gymdeithas gyfan.
Er nad trwy weithredoedd da y mae dyn yn cael ei gyfiawnhau yng ngolwg Duw, eto y prawf o gywirdeb a dilysrwydd ffydd yw'r gweithredoedd sy'n deillio ohoni.

Y mae credu yng nghariad Duw yn esgor ar gariad tuag at gyd-ddyn.

Yr ydym i garu a gwasanaethu eraill oherwydd fod Crist ei hun yn ein cyfarfod yn ein cyd-ddynion.

Sul y Cofio

Roeddwn yno,
ac rwy'n ymbil arnoch,
peidiwch
peidiwch
PEIDIWCH
â gadael i hyn ddigwydd eto!

EMYNAU

Gyda dy gymorth di yn unig y daw y byd i drefn:

Llefara, Iôr, nes clywo pawb
dy awdurdodol lais,
a dyro iddynt ras i wneud
yn ôl dy ddwyfol gais.

R. J. Derfel (*Caneuon Ffydd*: 234)

Nodweddion y deyrnas yn y galon unigol ydi man cychwyn byd gwell:

O doed dy deyrnas, nefol Dad,
yw'n gweddi daer ar ran pob gwlad;
dyfodiad hon i galon dyn
a ddwg genhedloedd byd yn un.

T. Elfyn Jones (*Caneuon Ffydd*: 242)

Ein pechod ni ydi'r rhwystr, felly dilea ein pechodau a goleua ein bywydau:

Tydi a wyddost, Iesu mawr,
am nos ein dyddiau ni;
hiraethwn am yr hyfryd wawr
a dardd o'th gariad di.

John Roberts (*Caneuon Ffydd*: 810)

Duw yr holl genhedloedd, chwiliwn am y cymod sy'n cyfannu:

Gwrando di, O Dduw'r cenhedloedd,
ar ddeisyfiad teulu'r llawr;
codwn lef o fro ein trallod
atat ti, ein Harglwydd mawr:
doed dy gariad
i gymodi gwledydd byd.

D. E. Williams (Caneuon Ffydd: 817)

Deisyfwn ar i efengyl cariad a thangnefedd gofleidio'r byd:

Efengyl tangnefedd, O rhed dros y byd,
a deled y bobloedd i'th lewyrch i gyd;
na foed neb heb wybod am gariad y groes,
a brodyr i'w gilydd fo dynion pob oes.

Eifion Wyn (Caneuon Ffydd: 844)

Yng nghysgod y groes mae dysgu byw yn faddeugar:

O Dywysog ein tangnefedd,
cyfaill mwya'r ddaear hon,
gwna elynion yn gyfeillion
heb un brad i boeni bron;
gwrando gri ein henaid ni
am yr hedd sydd ynot ti.

Roger Jones (Caneuon Ffydd: 865)

GWEDDÏAU

O fyw a gweddïo'r weddi hon fe ddaw y byd ato'i hun:

Arglwydd gwna ni'n gyfryngau dy dangnefedd:
I hau cariad lle bo casineb,
I faddau lle bo cam,
I uno lle bo ysgar,
I blannu ffydd lle bo amheuon

a gobaith lle bo digalondid.
I hau goleuni lle bo tywyllwch
a llawenydd lle bo tristwch. Amen.

Sant Ignatius o Loyola

Ar Sul y Cofio mae'n rhaid dwyn i gof y rhai a wynebodd ddioddefaint:

Cymer oddi wrthym ysbryd casineb, chwerwder, cenfigen a dialedd, a phlanna yn ein calonnau ysbryd cariad. Rho awydd ynom i fyw gyda'n gilydd mewn heddwch gan gofio a gweddïo:

am y rheiny a gollodd eu bywydau mewn dau ryfel byd;
(Tawelwch)

am y teuluoedd sy'n dal i hiraethu;
(Tawelwch)

am y rheiny a anafwyd yn ddifrifol, ac a greithiwyd yn gorfforol ac yn feddyliol;
(Tawelwch)

am y rheiny sydd ag atgofion chwerw ac a gamdriniwyd, a ddifrïwyd ac a ddifenwyd ac a anrheithiwyd ac a ddioddefodd dan law y gelyn;
(Tawelwch)

am y rheiny sy'n dal i ddioddef o ganlyniad i ryfel.
(Tawelwch) Amen.

Graham Floyd

Arwain ni i gofio heddiw ac i osgoi dyrchafu'r rhwysgfawr:

Arglwydd Dduw, diolchwn i ti am y ddawn i gofio, er bod cofio ar adegau'n gallu bod yn boenus. Cwyd ni uwchlaw pob dim sy'n negyddol a rhwysgfawr mewn perthynas â'r dydd hwn a chyfeiria ni yn hytrach i sicrhau cymod a gwell dealltwriaeth yn ein byd. Helpa ni i ddysgu o gamgymeriadau ddoe ac ymdrechu i sicrhau yfory mwy heddychlon. Amen.

Peter Thomas

151

Pam, Arglwydd, yr ydym mor araf ac amharod i ddysgu gwersi?

Pwyso'n drwm yr ydym heddiw ar dy drugaredd; nid ydym deilwng o aberth y rhai a gollwyd. Cyfaddef yr ydym ein bod mor araf i ddysgu, mor barod i wylltio, i ymladd ac i ladd o hyd. Rydym wedi camddefnyddio, yn wir rydym yn dal i gamddefnyddio ein rhyddid a'n hawliau. Pechasom i'th erbyn gan fyw'n ofer a hunanol, a hynny er cymaint yr wyt ti wedi ei roi inni. Amen.

Dewi Morris

Down ger dy fron i gyffesu oherwydd ein gwendidau a'n rhan ni ym mhoenau'r byd:

Cyffeswn y pethau o'n mewn sy'n creu gwrthdaro –
    ymffrost,
    trachwant,
    eiddigedd,
    anoddefgarwch,
    ein parodrwydd i fagu cwynion bychain,
    ein hamharodrwydd i faddau,
    ein hunanoldeb a'n hesgeulustod o eraill –
    mae cymaint rydym ni'n euog ohono fel unrhyw berson arall.
Am ein rhan ni ym mhoenau parhaus y byd,
    Arglwydd, maddau i ni. Amen.

Eirian a Gwilym Dafydd

Rho i ni ddewrder a nerth i weithio dros heddwch a hynny yn enw cymod:

Arglwydd pawb,
    rho ddoethineb i bawb sy'n gweithio am heddwch,
    fel y gellir gwarantu dyfodol sicrach i bawb.
    Rho ddewrder i'r rhai sy'n ymdrechu am gyfiawnder,
    fel y gellir goresgyn achosion o wrthdaro.
    Rho nerth i'r rhai sy'n ceisio chwalu muriau,

fel y gellir rhoi terfyn ar ymraniadau oherwydd hil, lliw, credo a diwylliant.

Lle bynnag mae rhyfel neu fygythiad rhyfel
yn parhau i aflonyddu ar fywydau,
boed i lwybr cymod gael ei ddarganfod,
a boed i gytgord gael ei sefydlu rhwng pobloedd a chenhedloedd.
Arglwydd, yn dy drugaredd,
clyw ein gweddi. Amen.

Eirian a Gwilym Dafydd

ADNODAU

Y mae Duw trwy farwolaeth Iesu ar y groes wedi'n cymodi ag ef ei hun:

Oherwydd os cymodwyd ni â Duw trwy farwolaeth ei Fab pan oeddem yn elynion, y mae'n sicrach fyth, ar ôl ein cymodi, y cawn ein hachub trwy ei fywyd.

Rhufeiniaid 5: 10

Y mae Duw wedi ymddiried i ni neges y cymod:

Hynny yw, yr oedd Duw yng Nghrist yn cymodi'r byd ag ef ei hun, heb ddal neb yn gyfrifol am ei droseddau, ac y mae wedi ymddiried i ni neges y cymod.

2 Corinthiaid 5: 19

Bydd Duw, yn ôl y proffwyd Micha, yn teyrnasu mewn heddwch:

Bydd ef yn barnu rhwng cenhedloedd,
ac yn torri'r ddadl i bobloedd cryfion o bell;
byddant hwy'n curo'u cleddyfau'n geibiau,
a'u gwaywffyn yn grymanau.
Ni chyfyd cenedl gleddyf yn erbyn cenedl,
ac ni ddysgant ryfel mwyach;

Micha 4: 3

Dyhead y Salmydd yw ar i'r Arglwydd fendithio ei bobl â heddwch:

Rhodded yr ARGLWYDD nerth i'w bobl!
Bendithied yr ARGLWYDD ei bobl â heddwch!

Salmau 29: 11

Bydd y rhai sy'n ceisio a chreu heddwch yn darganfod llawenydd:

Dichell sydd ym meddwl y rhai sy'n cynllwynio drwg,
ond daw llawenydd i'r rhai sy'n cynllunio heddwch.

Diarhebion 12: 20

Nod uchaf bywyd yw creu heddwch ymhlith ein gilydd:

Ceisiwch heddwch â phawb, a'r bywyd sanctaidd hwnnw nad oes modd
i neb weld yr Arglwydd hebddo.

Hebreaid 12: 14

DYWEDIADAU A THRADDODIADAU

Cynhelir Sul y Cofio ar yr ail Sul yn Nhachwedd, yr agosaf at 11 Tachwedd
sef diwedd y Rhyfel Byd Cyntaf am un ar ddeg o'r gloch ym 1918.
Dyma'r unfed awr ar ddeg ar yr unfed dydd ar ddeg o'r unfed mis ar
ddeg.

Ar y diwrnod hwn yn Llundain o gwmpas y Senotaff bydd y frenhines
yn gosod y dorch gyntaf ac yn cael ei dilyn gan Ddug Caeredin. Bydd
aelodau eraill o'r teulu brenhinol yn gosod torchau ac yna bydd arweinwyr
y gwahanol bleidiau gwleidyddol ac yn eu mysg bydd prif weinidog
Cymru. Mae'r seremoni hon wedi ei theledu ers 1946.

Yng Nghymru bydd gwasanaeth yn digwydd yng Nghaerdydd ac mewn
sawl ardal arall ledled y wlad pan fydd arweinyddion y gwahanol enwadau
yn ymgynnull. Mae'r Eglwys yng Nghymru yn rhoi pwyslais mawr ar y
digwyddiad hwn.

Dyma'r adeg o'r flwyddyn y bydd y pabi coch yn cael ei wisgo a chasglu arian i deuluoedd y rhai a arteithiwyd gan ryfel. Erbyn hyn mae mwy a mwy yn gwisgo'r pabi gwyn sy'n symbol o heddwch ac mae'r arferiad hwn yn mynd yn ôl i'r flwyddyn 1926.

Sul y Mamau/Sul y Tadau

Hi a wylia wrth wely
heb gyfri'r oriau;
hi a ddiddana'r eiddilyn
ac a gerydda'r anystywallt,
ac a'u moldia i'w delw ei hun.
Yr Arglwydd yn ei ddoethineb
a roes i famau'r ddaear
synnwyr a deall da
a hwy a roddant i gymdeithas
ei chalon.

W. Rhys Nicholas

EMYNAU

Dyrchafu Mair y fam o'r crud i'r groes a bore'r atgyfodiad mae'r emynydd:

Fendigaid Fam, fe glywaist ti
gyfarchiad Gabriel uchel-fri;
Duw a'th ddewisodd, fam ein Rhi:
   Henffych well!

J. H. Williams (*Caneuon Ffydd*: 435)

Canmol cyfraniad tad a mam ar yr aelwyd y mae Glyndwr Williams:

Arglwydd tirion, derbyn di
Glod a mawl ein diolch ni,
Am fam Iesu, llawn o ras,
Glân ei bywyd, pur ei thras.

R. Glyndwr Williams (*Emynau'r Llan*: 76)

Ein rhieni sy'n gofalu am gartref clyd, bwyd yn ei bryd, iechyd da a nerth i weithio a mwynhau. Felly diolchwn:

Cofia bob amser, cofia bob tro,
paid ag anghofio dweud, "Diolch";
cofia bob amser, cofia bob tro,
cofia ddweud, "Diolch, Iôr."

Lynda Masson *cyf.* Delyth Wyn (*Caneuon Ffydd*: 145)

Yng Ngalilea gynt tyrrai'r mamau at Iesu er mwyn iddo fendithio'r plant:

Fe rodiai Iesu un prynhawn
    yng Ngalilea mewn rhyw dref,
a'r mamau'n llu a ddug eu plant
    yn eiddgar ato ef.

Stopford A. Brooke *cyf.* G. Wynne Griffith (*Caneuon Ffydd*: 349)

Nod y rhieni yw dysgu eu plant i adnabod Iesu a'i efelychu:

Dwylo ffeind oedd dwylo
    Iesu ymhob man,
yn iacháu y cleifion
    a bendithio'r gwan;
golchi traed blinedig,
    dal rhai isa'r byd,
dwylo ffeind oedd dwylo
    Iesu Grist o hyd.

Margaret Cropper *cyf.* Dafydd Owen (*Caneuon Ffydd*: 372)

Mae cariad Duw yn Iesu yn rhagori hyd yn oed ar gariad rhieni:

Tywys di fi i'r dyfodol
    er na welaf fi ond cam;
cariad Duw fydd eto'n arwain,
    cariad mwy na chariad mam.
Mae Calfaria'n profi digon,
    saint ac engyl byth a'i gŵyr;
er i'r groes fod yn y llwybr
    bydd goleuni yn yr hwyr.

E. Herber Evans (*Caneuon Ffydd*: 726)

GWEDDÏAU

O Dduw, ein mam, diolch am dy ofal, y cysur a'r meithrin:

Fel y mae mam yn gofalu am ei phlant,
 yn eu cysuro ar adegau o ofid,
 eu cadarnhau ar adegau o ansicrwydd,
 eu hannog ar adeg o her,
 eu nyrsio ar adeg o waeledd,
 felly yr wyt ti yn gofalu amdanom ni,
 yno bob amser i'n cofleidio
 a'n codi ar ein traed pan fyddwn yn disgyn.
Am ddwyster dy gariad,
 Arglwydd, molwn di. Amen.

Eirian a Gwilym Dafydd

Boed i'r eglwys yn ei gofal a'i chonsyrn arddangos cariad rhieni:

Diolch am y cyfle hwn i gynnal gwasanaeth o ddiolch i ti am bob rhiant da, tyner a gofalus. Boed inni gydnabod ein dyled a'n diolch gan gyflwyno pob mam a thad i'th ofal tyner a thragwyddol, yn enw Iesu Grist, ein Harglwydd. Carem ddiolch am y croeso a gafodd pob rhiant wrth gyflwyno plentyn neu blant i ti i'w derbyn a'u bendithio. Diolch fod dy Eglwys yng Nghrist wedi bod yn gysgod ac yn gymorth i bob cartref. Wrth inni ddiolch a chofio heddiw am yr hyn a gawsom, helpa ni i geisio talu'n ôl mewn ffordd ymarferol. Gwna ni'n garedig a meddylgar, yn gymwynasgar a gofalus ohonynt hwy. Gad inni gofio bob amser eu gofal diflino a dirwgnach. Amen.

Dewi Morris

Cofiwn am y teuluoedd heddiw sy'n ei chael hi'n anodd mewn unrhyw fodd:

Diolchwn am bob dylanwad, hyfforddiant a chefnogaeth a'n paratôdd ar gyfer bywyd. Diolchwn am wersi'r aelwyd lle y magwyd ni, am y disgyblu a fu arnom trwy fyw gydag eraill yn yr un cwmni. Diolch am yr hyn a gyfrannwyd i'n bywyd ni drwy fywyd y rhai a'n carodd, ac am y feithrinfa naturiol a'n gosododd ar ffordd bywyd. Cofiwn am y gofal a fu trosom yn ystod cystudd ac afiechyd.

Wrth inni ddiolch am yr hyn a brofasom mewn bywyd, cyflwynwn i ti deuluoedd ein dydd, yn arbennig y rhai sydd mewn dryswch a digalondid, mewn hiraeth a helbul. Gwared ni rhag y dylanwadau cyfrwys, grymus sydd heddiw'n tanseilio yr uned deuluol. Amen.

Graham Floyd

Dyma weddi pob rhiant boed fam neu dad neu warchodwr:

Ein Tad,
    gwyddost am fy mhryder fel mam
    wrth weld fy mhlant yn tyfu i fyny
    mewn byd lle mae cymaint o beryglon
    a drygioni.
Ond diolchaf wrth gofio
    i ti yn dy gariad
    anfon dy Fab i'r byd
    i achub y byd.
Diolch ei fod wedi ei eni
    yn fab i'r Forwyn Fair,
    ei fod wedi gwerthfawrogi gofal a chariad ei fam
    ac wedi ei charu hithau a gofalu amdani,
    hyd yn oed ar y groes. Amen.

Gweddïau i'r Teulu

Boed i esiampl Mair fod yn esiampl i rieni ymhob oes:

Arglwydd Iesu,
rhown ddiolch i ti am esiampl Mair, dy fam,
a'th gysegrodd di i wasanaethu Duw:
diolch i ti am ei chofio
yn ei galar yn awr dy ddioddefaint.
    Cofiwn gartrefi'n gwlad,
yn enwedig famau ein cymdeithas:

wrth iddynt fagu a meithrin plant,
wrth iddynt ddiogelu a diddosi aelwydydd,
wrth iddynt ddysgu ac arwain yr ifainc.
    Arglwydd, dysg iddynt rodio gyda thi
a chadw hwy yn wastad yn dy ffordd. Amen.

John H. Tudor

Wrth i ni glodfori'r fam y mae'n rhaid i ni gofio am y tad hefyd:

O Dduw wrth i ni gofio a chlodfori'r fam
nad anghofiwn gyfraniad y tad:
y tad sy'n gweithio i gynnal y teulu yn ariannol,
y tad sy'n gwneud ei ddyletswyddau o gwmpas y tŷ,
y tad sy'n mynd â'r plant am dro
ac yn mynd â'r plant o le i le gyda'r nos a dros y Sul.
Diolchwn am y tad sy'n gefn i'w deulu,
yn creu'r undod rhyngddo â'r fam a'r plant
ac yn ffyddlon a chariadus ei ymroddiad. Amen.

ADNODAU

Mae rhieni Iesu'n ei arwain ar hyd y ffordd orau ar ddechrau'r daith:

Pan ddaeth amser eu puredigaeth yn ôl Cyfraith Moses, cymerodd ei
rieni ef i fyny i Jerwsalem i'w gyflwyno i'r Arglwydd.

Luc 2: 22

**Mae'n weddus i'r plant bob amser ufuddhau i'w rhieni a dyma fan
cychwyn ufudd-dod i Dduw:**

Chwi blant, ufuddhewch i'ch rhieni yn yr Arglwydd, oherwydd hyn sydd
iawn.

Effesiaid 6: 1

Mae gan y tad a'r fam gyfraniad ym magwraeth y plentyn:

Fy mab, gwrando ar addysg dy dad, paid â gwrthod cyfarwyddyd dy fam;

Diarhebion 1: 8

Fel y mae mam yn cysuro ei phlentyn felly y bydd Duw yn cysuro ei bobl:

Fel y cysurir plentyn gan ei fam
byddaf fi'n eich cysuro chwi;
ac yn Jerwsalem y'ch cysurir.

Eseia 66: 13

Yng ngwewyr Gethsemane galw am gymorth ei Dad wnaeth Iesu:

"Abba! Dad!" meddai, "y mae pob peth yn bosibl i ti. Cymer y cwpan hwn oddi wrthyf. Eithr nid yr hyn a fynnaf fi, ond yr hyn a fynni di."

Marc 14: 36

Perthynas unigryw tad a mab yw perthynas Iesu a Duw:

Myfi a'r Tad, un ydym.

Ioan 10: 30

DYWEDIADAU A THRADDODIADAU

Yn y calendr Cristnogol mae Sul y Fam yn syrthio ar y pedwerydd Sul yn y Grawys.

Yn ystod yr unfed ganrif ar bymtheg byddai pobl ar y pedwerydd Sul yn y Grawys yn dychwelyd i'r fam-eglwys neu'r gadeirlan a byddai'r rhai oedd yn gweini yn cael caniatâd i fynychu'r eglwys ar y Sul hwn.

Yn nhrymder y Grawys pan fyddai aelodau o'r teulu'n dychwelyd adref byddid yn paratoi teisen simnel ar gyfer y teulu. Teisen ffrwythau gyda'r marsipán arni yw hon gydag un ar ddeg o beli marsipán arni, i gofio am yr un disgybl ar ddeg. Jwdas oedd yr un a waherddid.

Ar Sul y Fam byddid yn darllen o'r Llythyr at y Galatiaid oedd yn cyfeirio at ddinas Jerwsalem fel 'ein mam ni'. (Galatiaid 4: 26)

Sul Heddwch

Beth pe bai'r mamau yn gweld
    Eu bechgyn ar faes y gad!
Byth! byth ni sonient am farw'n ddewr
    Dros frenin, a gorsedd a gwlad.

T. E. Nicholas

EMYNAU

Dy ewyllys di, O Dduw, ydi fod pawb yn byw mewn tangnefedd a hedd:

Duw a Thad yr holl genhedloedd,
    O sancteiddier d'enw mawr,
dy ewyllys di a wneler
    gan dylwythau daear lawr;
        doed dy deyrnas
    mewn cyfiawnder ac mewn hedd.

D. Tecwyn Evans (*Caneuon Ffydd*: 825)

Gweddïwn ar i dy gariad di fod yn falm i glwyfau'n hoes:

O Dywysog ein tangnefedd,
    cyfaill mwya'r ddaear hon,
gwna elynion yn gyfeillion
    heb un brad i boeni bron;
gwrando gri ein henaid ni
am yr hedd sydd ynot ti.

Roger Jones (*Caneuon Ffydd*: 865)

Defnyddia fi, O Dduw, i fod yn offeryn dy hedd ac yn gyfannwr rhaniadau:

Iôr, gwna fi'n offeryn dy hedd,
lle bo casineb dof â'th gariad di,
a lle bo dagrau gad im ddod â gwên,
cyfannu'r holl raniadau boed i mi.

Gweddi a briodolir i Ffransis o Assisi
addas. Sebastian Temple *cyf.* Siân Rhiannon (*Caneuon Ffydd*: 868)

Man cychwyn pob heddwch yw y galon unigol:

Heddwch ar ddaear lawr, gan ddechrau'n fy nghalon i,
heddwch ar ddaear lawr, yr hedd a fwriadwyd i ni;
a Duw'n Dad trugarog, brodyr oll ŷm ni,
cerddwn oll gyda'n gilydd, mewn hedd a harmoni.

Seymour Miller a Jill Jackson *cyf.* Harri Williams (*Caneuon Ffydd*: 867)

Mae'r ysfa i glodfori a dyrchafu rhyfel yn dal yn y tir. Rho ysbryd cymod yn ein bywydau:

Drugarog Dduw, gerbron dy orsedd di
mewn edifeirwch cyd-ddyrchafwn gri,
gan addef inni'n fynych roddi bri
     ar arfau cad.

T. Elfyn Jones (*Caneuon Ffydd*: 861)

Boed i dy gariad di ein clymu â holl bobl y byd:

Dyro dy gariad i'n clymu,
     dy gariad fyddo'n ein plith;
dyro dy gariad i Gymru,
     bendithion gwasgar fel gwlith:
dysg inni ddeall o'r newydd
     holl ystyr cariad at frawd;
dyro dy gariad i'n clymu,
     dy gariad di.

1 Dave Bilbrough *cyf.* Catrin Alun 2, 3 Siôn Aled (*Caneuon Ffydd*: 871)

GWEDDÏAU

Cam cyntaf creu heddwch a thangnefedd yw ein hymateb i'n cymydog:

Sylweddolwn, O! Dduw ein Tad, bod casineb, cenfigen, rhyfela ac anghyfiawnder yn hollol groes i'th ysbryd di. Ni allwn ond cydnabod ger dy fron fod y byd a'r hyn sy'n digwydd heddiw yn pwyso'n drwm ar ein meddyliau a'n calonnau. Mae'r byd yr ydym yn byw ynddo'n ymffrostio cymaint mewn nerth, gallu a grym.

Gwyddom hefyd mai ti yw ffynhonnell a sylfaen pob gwir heddwch a thangnefedd. Dangos inni nad oes diben o gwbl inni sôn am ffordd heddwch a thangnefedd os nad ydym yn byw mewn cymod â'n cymydog. Cofiwn mai dy ewyllys di yw ar inni fyw mewn heddwch â'n gilydd. Amen.

Eifion Jones

Cofiwn am bawb sy'n llafurio'r dyddiau hyn i greu heddwch:

Arwain ddynion, O! Dduw, i anghofio amdanynt eu hunain, ac i feddwl yn gyntaf amdanat ti, ac am eu cyd-ddynion. Arwain hwy i geisio dy arweiniad di ac i fyw fel plant i ti.

Bendithia bawb sy'n gweithio dros heddwch byd, ac sy'n gwneud popeth i gael pobl i barchu dy enw ac i ufuddhau i'th orchmynion. Cydnabyddwn nad yw ein ffordd o fyw fel cenhedloedd byd yn deilwng ohonot ti. Amen.

Eifion Jones

Cynorthwya ni i greu cymod a thangnefedd:

Rho gymod a thangnefedd, gwasgara'r rhai mae'n dda ganddynt ryfel, ac arwain ni i wisgo dy arfogaeth di yn erbyn y drwg, 'gwirionedd yn wregys am ein canol, a chyfiawnder yn arfwisg ar ein dwyfron, a pharodrwydd i gyhoeddi efengyl tangnefedd yn esgidiau am ein traed, tarian ein ffydd, iachawdwriaeth yn helm, a'r Ysbryd, sef Gair Duw, yn gleddyf'. Cynorthwya ni, yn dy gariad, i sicrhau cyfiawnder, maddeuant a chymod, fel y daw'r byd i wirionedd, bywyd a heddwch. Amen.

Graham Floyd

Nac anghofiwn am y rhai sy'n gorfod cadw'r heddwch ar hyd a lled y byd:

Gweddïwn ar ran y rhai sydd yn y lluoedd arfog –
eu dyletswydd yw cadw'r heddwch mewn gwledydd
ar draws y byd,
a'u gwaith yn golygu misoedd i ffwrdd oddi wrth eu teuluoedd
a'u ffrindiau
a pherygl personol iddynt yn aml.
Arglwydd, yn dy drugaredd,
clyw ein gweddi. Amen.

Eirian a Gwilym Dafydd

Bydd yn agos at ein harweinwyr gwladol sy'n gorfod dod i benderfyniadau anodd a chymhleth:

Gweddïwn ar ran arweinwyr byd – y llywodraethwyr, gwleidyddion a
diplomyddion –
y rhai hynny mae eu penderfyniadau a'u trafodaethau yn effeithio ar
fywyd cynifer,
ac yn eu dwylo hwy y gorwedd heddwch yn y pen draw.
Arglwydd, yn dy drugaredd,
clyw ein gweddi.
Arglwydd pawb,
rho ddoethineb i bawb sy'n gweithio am heddwch,
fel gellir gwarantu dyfodol sicrach i bawb.
Rho ddewrder i'r rhai sy'n ymdrechu am gyfiawnder,
fel gellir goresgyn achosion o wrthdaro.
Rho nerth i'r rhai sy'n ceisio chwalu muriau,
fel gellir rhoi terfyn ar ymraniadau oherwydd hil, lliw,
credo a diwylliant. Amen.

Eirian a Gwilym Dafydd

ADNODAU

Neges o gysur mewn cyfnod anodd ac ansicr a hynny i baratoi ffordd yn yr anialwch:

Cysurwch, cysurwch fy mhobl –
dyna a ddywed eich Duw.

Eseia 40: 1

Os ydym yn caru Duw yna mae'n rhaid i ni gadw ei orchmynion:

"Os ydych yn fy ngharu i, fe gadwch fy ngorchmynion i."

Ioan 14: 15

Rhodd Duw yw gras sy'n cael ei arllwys arnom i wella'n hunain a'n byd:

Trwy ras yr ydych wedi eich achub, trwy ffydd. Nid eich gwaith chwi yw hyn; rhodd Duw ydyw;

Effesiaid 2: 8

Ai breuddwyd gwrach yw gweledigaeth y proffwyd Eseia?

Barna ef rhwng cenhedloedd,
a thorri'r ddadl i bobloedd lawer;
curant eu cleddyfau'n geibiau,
a'u gwaywffyn yn grymanau.
Ni chyfyd cenedl gleddyf yn erbyn cenedl,
ac ni ddysgant ryfel mwyach.

Eseia 2: 4

Dychwelwn at y symbol o heddwch sef y golomen a'r olewydden yn ei phig:

Pan ddychwelodd y golomen ato gyda'r hwyr, yr oedd yn ei phig ddeilen olewydd newydd ei thynnu; a deallodd Noa fod y dyfroedd wedi treio oddi ar y ddaear.

Genesis 8: 11

Dyma gam cyntaf pob cymod a heddwch:

gad dy offrwm yno o flaen yr allor, a dos ymaith; myn gymod yn gyntaf â'th frawd, ac yna tyrd a chyflwyno dy offrwm.

Mathew 5: 24

DYWEDIADAU A THRADDODIADAU

'Uffern! Uffern! Uffern! Y mawr drugarog Dduw, beth yw dyn? Gwae – gwaed – gwallgofrwydd! Lladd-dy ellyllon! Cannoedd lladdedigion yn y cleidir a'r 'lleufer yn eu llygaid'. Cnawd drylliedig, esgeiriau yn ysgyrion. Atal, Dduw, y dwymyn wallgof, atal boeredd y mallgwn!'

Gwaedd y Bechgyn

'Tachwedd 11: O! newyddion gogoneddus! Ai breuddwyd ydyw? Heddwch! Heddwch! Gorohïan a miri mawr yn y dref hon. Daeth y Cymry, megis trwy reddf, ynghyd i'r Orange Hall, a thu allan i honno y buom yn canu emynau ac alawon ein gwlad. Trefnasom gynnal Cymanfa ganu y nos Fercher ddilynol, ac nid wyf yn disgwyl clywed canu tebyg i'r canu hwn yr ochr hon i'r bedd.'

Gwaedd y Bechgyn

'Yn wyneb hyn oll, fechgyn ieuainc, ymfyddinwch, ac na adewch i ryddid eich gwlad, diogelwch eich teuluoedd, a'ch breintiau crefyddol gael eu hysbeilio oddi arnoch. Er ei holl ddiffygion Prydain yw'r lanaf, anrhydeddusaf y mae haul Duw'n tywynnu arni, a byddwch o'r un ysbryd â'r hen ŵr hwnnw o Fôn a ddwedai'r dydd o'r blaen ei fod yn methu cysgu'r nos wrth feddwl am y bechgyn glewion oedd yn y 'trenches' i'w gwneud hi'n bosibl iddo fo gysgu o gwbl.'

Gwaedd y Bechgyn

Cynhaliaeth

Arglwydd, rwyt ti yng nghanol pob storm.
Ynot mae tangnefedd,
sut bynnag mae'r gwynt yn chwythu.
Ynot mae sicrwydd,
pa mor uchel bynnag fo'r tonnau.
Ynot mae cryfder,
waeth pa mor gyfnewidiol fo'r llanw.

Oedfaon Ffydd

EMYNAU

Y Duw sy'n grëwr, yn lluniwr, yn arweinydd ac yn Dad sy'n cynnal bywyd yr unigolyn:

Tyrd atom ni, O Grëwr pob goleuni,
  tro di ein nos yn ddydd;
pâr inni weld holl lwybrau'r daith yn gloywi
  dan lewyrch gras a ffydd.

W. Rhys Nicholas (*Caneuon Ffydd*: 222)

Cynhaliaeth feunyddiol yw cynhaliaeth Duw:

Ar yrfa bywyd yn y byd
  a'i throeon enbyd hi,
o ddydd i ddydd addawodd ef
  oleuni'r nef i ni.

J. T. Job (*Caneuon Ffydd*: 683)

Ti O Dduw yw'r grym sy'n ein cynnal, felly rhown ein bywydau yn dy law:

Ti sy'n llywio rhod yr amser
ac yn creu pob newydd ddydd,
gwrando, Iôr, ein deisyfiadau
a chryfha yn awr ein ffydd:
ynot y cawn oll fodolaeth,
ti yw grym ein bywyd ni,
'rwyt Greawdwr a Chynhaliwr,
ystyr amser ydwyt ti.

W. Rhys Nicholas (*Caneuon Ffydd*: 100)

Mae'r greadigaeth gyfan o blaid dyn ac yng nghanol yr eangderau mae Duw yn cofio creadur o ddyn:

Ti Greawdwr mawr y nefoedd,
mor ardderchog dy weithredoedd;
ti yw Brenin creadigaeth,
ti yw awdur iachawdwriaeth.

Ben Davies (*Caneuon Ffydd*: 111)

Mae Duw wedi rhoi byd da i'n cynnal ar daith bywyd:

Datganaf dy glod, O Arglwydd fy Nuw,
dy wyrthiau a'th nerth sydd hynod eu rhyw;
d'ogoniant a'th harddwch a welir drwy'r byd,
a phopeth a greaist sy'n rhyfedd i gyd.

Robert Grant *efel*. Anad. (*Caneuon Ffydd*: 117)

Duw sy'n cynnal; efe yw'r Ceidwad sy'n ein cadw rhag pob drwg:

Disgwyliaf o'r mynyddoedd draw:
ble daw im help 'wyllysgar?
Yr Arglwydd, rhydd im gymorth gref,
hwn a wnaeth nef a daear.

Edmwnd Prys (*Caneuon Ffydd*: 120)

GWEDDÏAU

O dderbyn dy gynhaliaeth di, ymdrechwn i sicrhau cynhaliaeth i bawb:

Dyma yw cri pob un ohonom. Derbyn ein diolch am y digonedd a dderbyniwn, ond maddau inni am ein hunanoldeb, a'n hamharodrwydd i rannu ag eraill. Gwyddom fod digon o gynhaliaeth i bawb trwy'r holl fyd, ond maddau inni am besgi cymaint tra bo eraill yn newynu. Cynorthwya ni, O! Arglwydd, i gyflawni dy fwriad trwy ymdrechu'n galetach i sicrhau cynhaliaeth i bawb. Amen.

Eric Jones

Oddi wrthyt ti y daw pob cynhaliaeth a nerth:

Cydnabyddwn yn agored ger dy fron mai 'Ar dy drugareddau yr ydym oll yn byw'. Wrth inni sylweddoli ein dibyniaeth arnat ti, teimlwn hi'n ddyletswydd arnom i ddod i gyflwyno ein diolchgarwch i ti. Gwyddom, O! Dduw ein Tad, bod gennym anghenion corfforol, ac mai tydi yn unig sy'n darparu ar gyfer yr anghenion hynny. Fe wyddost ti, O! Arglwydd, beth yw ein hanghenion ni; fe wyddost ti beth yw galw mawr ein bywyd ni. Diolchwn i ti am gwrdd ag anghenion dy blant. Derbyn ein diolch am ein bara beunyddiol. Wele ni ger dy fron yn dy gydnabod fel ein gwir gynhaliwr mewn bywyd. Amen.

Eifion Jones

Pan fo'r ysbryd yn wan diolch i ti am ein cynnal a hynny'n aml trwy berthynas â phobl eraill:

Molwn di am y gynhaliaeth a gawn i'n hysbryd. Derbyniasom gymaint o gymorth oddi wrth ein teuluoedd, oddi wrth ein ffrindiau gorau, ac oddi wrth dy eglwys. Diolchwn i ti am ein cynnal ar adegau anodd bywyd, pan oedd siom a hiraeth, ofnau a phryderon bron â'n llethu. Pan oedd ein hysbryd yn isel, buost mor agos atom trwy eraill yr oedd eu cyfeillgarwch a'u gofal amdanom yn gynhaliaeth wirioneddol i ni. Derbyn ein diolch am gyfeillion da. Cynorthwya ni, O! Arglwydd, i fod yn gyfeillion da i'n gilydd fel y medrwn gario beichiau'r naill a'r llall. Amen.

Eric Jones

Pan fo'r unigolyn yn aros yng nghwmni Duw a theimlo'i gynhaliaeth yna wedyn bydd gwaith i'w wneud:

Arglwydd, yn dy gwmni di
rwy'n diosg f'esgidiau   – fy nghynlluniau,
yn datod fy watsh   – fy amserlen,
yn tynnu fy sbectol   – fy syniadau,
yn cadw fy mhin ysgrifennu   – fy ngwaith,
yn rhoi heibio f'allweddi   – fy niogelwch,
er mwyn bod yn dawel gyda thi, yr unig wir Dduw.

Ac wedi bod yn dy gwmni
rhoddaf f'esgidiau amdanaf   – i rodio yn dy ffyrdd di,
gwisgaf fy watsh   – i fyw yn dy amser di,
estynnaf am fy sbectol   – i edrych ar dy fyd di,
cydiaf yn fy mhin ysgrifennu   – i gofnodi dy feddyliau di,
defnyddiaf f'allweddi   – i agor dy ddrysau di. Amen.

Hwn yw'r Dydd

Yng nghanol fy holl dreialon rwyf yn ymddiried yn dy gynhaliaeth di:

Gan ymddiried yn dy ddaioni a'th fawr drugaredd,
Arglwydd, deuaf:
yn anhwylus – at fy Iachawdwr;
yn newynog ac yn sychedig – at ffynnon Bywyd;
yn anghenus – at Frenin y Nefoedd. Amen.

Thomas Traherne

ADNODAU

Yn nydd fy ngwae bu Duw yn gynhaliaeth ac yn gefn i mi:

Daethant i'm herbyn yn nydd fy argyfwng,
ond bu'r ARGLWYDD yn gynhaliaeth i mi.

Salm 18: 18

Arglwydd y greadigaeth eang rwyt ti'n gynhaliaeth i greadur o ddyn:

Mewn gweithredoedd ofnadwy yr atebi ni â buddugoliaeth.

Salm 65: 5

Cynhaliwr y bydysawd rydym yn dy foli a'th ddyrchafu am dy weithredoedd:

Canaf i'r ARGLWYDD tra byddaf byw,
rhof foliant i Dduw tra byddaf.
Bydded fy myfyrdod yn gymeradwy ganddo;
yr wyf yn llawenhau yn yr ARGLWYDD.

Salm 104: 33–34

Yng nghanol y stormydd mwyaf garw mae Iesu'n ein cynnal a'n tawelu:

Ac fe ddeffrôdd a cheryddu'r gwynt a dweud wrth y môr, "Bydd ddistaw! Bydd dawel!" Gostegodd y gwynt, a bu tawelwch mawr.

Marc 4: 39

Hyd yn oed yn ing y dioddefaint mwyaf mae Iesu'n cynnig gair o gynhaliaeth:

Atebodd yntau, "Yn wir, rwy'n dweud wrthyt, heddiw byddi gyda mi ym Mharadwys."

Luc 23: 43

Yng nghanol pob ymffrost cofiwn mai'r gwreiddyn, Duw ei hun, sy'n ein cynnal:

Paid ag ymffrostio ar draul y canghennau a dorrwyd. Os wyt am ymffrostio, cofia nad tydi sy'n cynnal y gwreiddyn, ond y gwreiddyn sy'n dy gynnal di.

Rhufeiniaid 11: 18

DYWEDIADAU A THRADDODIADAU

Nid person hanesyddol yn unig yw Iesu, ond un sy'n dal i gynnal ei bobl. Ac i laweroedd heddiw, mae'n Berson Byw, sy'n dangos i ni sut un yw Duw sy'n gallu trawsffurfio pobl a newid bywyd y byd.

Rhoddodd Iesu le amlwg i brydau bwyd yn ystod ei weinidogaeth. Roedd hyn yn gyfle i deuluoedd a ffrindiau ddod at ei gilydd ac yn y cyd-fwyta a'r cyd-drafod roeddynt yn cynnal ei gilydd. Yn rhuthr bywyd heddiw mae'n werth cofio hyn.

Yn ôl Mathew, mae Iesu, yng Ngethsemane ychydig oriau cyn y croeshoelio, yn dweud wrth y disgyblion am aros gyda'i gilydd 'tra byddaf fi'n mynd fan draw i weddïo'. Perthynas agos â Duw yw ffynhonnell ei nerth.

Unigrwydd

Teithio a gyfoethoga'r meddwl ond unigedd a'i pura.

EMYNAU

Diolchwn am y llaw sy'n cynnal yr unigolyn, er nas gwelwn hi:

Pan fwyf yn teimlo'n unig lawer awr
heb un cydymaith ar hyd llwybrau'r llawr,
am law fy Ngheidwad y diolchaf i
â'i gafael ynof er nas gwelaf hi.

John Roberts (Caneuon Ffydd: 758)

Daliwn ati gan ddyfalbarhau ac fe ddaw goleuni a chynhaliaeth ar y daith:

Pan fwy'n cerdded drwy'r cysgodion,
   pwyso ar dy air a wnaf,
ac er gwaethaf fy amheuon
   buddugoliaeth gyflawn gaf.

W. T. Matson efel. Elfed (Caneuon Ffydd: 772)

Dim ond teimlo ôl dy law arnaf a chael cyfle i gydio yn ymyl y wisg fydd yn fy nerthu:

Pan fwy'n teimlo ôl dy law
ar greithiau 'mywyd i,
fe dardd y gân o dan fy mron:
'rwy'n dy garu, Iôr.

1 Keri Jones a David Matthews cyf. Hywel M. Griffiths
2, 3, Hywel M. Griffiths (Caneuon Ffydd: 795)

Byw mewn cytgord efo Duw a hynny bob awr ddaw â bendith i ni:

Mae d'eisiau di bob awr,
 fy Arglwydd Dduw,
daw hedd o'th dyner lais
 o nefol ryw.

Annie S. Hawks *cyf.* Ieuan Gwyllt (*Caneuon Ffydd*: 221)

Gall y bererindod fod yn daith unig felly gweddïwn am arweiniad yr Ysbryd:

Pererin wyf mewn anial dir,
 yn crwydro yma a thraw,
ac yn rhyw ddisgwyl bob yr awr
 fod tŷ fy Nhad gerllaw.

William Williams (*Caneuon Ffydd*: 682)

Yng nghanol dryswch y daith bydd yn oleuni ac yn arweinydd inni:

Tydi yw seren y canrifoedd maith,
d'oleuni di sy'n tywys ar y daith;
o bob rhyfeddod, ti yw'r mwyaf un,
yn wyrth yr oesau yn dy wedd a'th lun.

Trebor Roberts (*Caneuon Ffydd*: 754)

GWEDDÏAU

Nesáu at Dduw sy'n dda i mi:

Diolchwn i ti, O! Dduw ein Tad, y gallwn ni nesáu atat ti bob amser gan gofio a chredu ein bod yn dod at un sy'n ein deall ni, ac yn gwybod popeth amdanom ni. Rwyt ti'n gwybod yn well na neb arall amdanom ni. Gwyddost am ein hofnau ac am ein teimladau.

Gwyddom hefyd, ein Tad, dy fod ti nid yn unig yn ymwybodol ohonom, ond dy fod yn meddwl amdanom bob amser. Amen.

Eifion Jones

176

Pan fyddwn yn teimlo'n unig a phawb wedi'n gadael cofiwn fod Duw yn agos atom:

Deisyfwn am gymorth dy Lân Ysbryd fel y byddwn yn teimlo dy bresenoldeb gyda ni. Deisyfwn am inni gael cymundeb â thi ac â'th annwyl Fab, Iesu Grist. Cofiwn mai ef a'n dysgodd i weddïo, ein Tad, gan ddangos ei ddyhead am i ni gael ymdeimlo â'th agosrwydd. Cofiwn am y modd y bu iddo alw'r disgyblion ato – ni allai gyflawni ei waith ar ei ben ei hun, yr oedd am iddynt fod gydag ef. Addawodd ef hefyd fod gyda ni, pa le bynnag y mae dau neu dri wedi ymgynnull yn ei enw ef. Amen.

Eric Jones

Cofiwn i Iesu brofi unigrwydd yn ystod ei weinidogaeth:

Diolch i'th enw mawr bod yna un mwy o lawer na ni wedi bod yn unig droeon yn ystod ei fywyd. Bu Iesu'n unig yn yr anialwch am ddeugain niwrnod. Roedd yn unig ar ben y mynydd heb neb i gadw cwmni iddo. Cofiwn hefyd i Iesu Grist fod yn sobor o unig ar ddydd Gwener y Groglith, wrth brofi unigrwydd ingol ar y Groes. 'Fy Nuw, fy Nuw, pam yr wyt wedi fy ngadael?' Roedd ei eiriau'n dangos yn aml ei fod yn teimlo'n unig: 'Y mae gan y llwynogod ffeuau, a chan adar yr awyr nythod, ond gan Fab y Dyn nid oes lle i roi ei ben i lawr.' Amen.

Eifion Jones

Closiwn at Dduw trwy ymdawelu, disgwyl, myfyrio a diolch:

Diolchwn, O Arglwydd, am i ti yn Iesu Grist blygu at ein gwendid ni ac agosáu atom.
Cymorth ni â'th Ysbryd i nesu atat;
Cymorth ni i ymdawelu a phrofi dy bresenoldeb;
Cymorth ni i ddisgwyl wrthyt ac ymddiried ynot;
Cymorth ni i fyfyrio arnat a cheisio dy wyneb;
Cymorth ni i ddiolch i ti ac i edifarhau;
Cymorth ni i roi mewn geiriau ein hofnau a'n gobeithion,
ein heiriolaeth a'n hymbiliau;

Cymorth ni i doddi'r dieithrwch sydd rhyngom a thydi ac i weld bod y ffordd yn agored o'n calonnau cyndyn ni i gyfeiriad dy nefoedd dy hun. Amen.

Elfed ap Nefydd Roberts

Neges ganolog yr efengyl yw fod Duw yn trigo ynom:

Yn ystafell ddirgelaf fy nghalon yr wyt ti yn aros i gyfarfod â mi, ac i siarad â mi, ac yn cynnig dy gymdeithas i mi'n rhydd a rhad er gwaethaf fy holl bechu.
Gad i mi'n awr fanteisio ar y ffordd agored hon i dangnefedd meddwl.
Gad i mi nesáu i'th ŵydd yn ostyngedig ac mewn parch.
Gad i mi ddwyn gyda mi ysbryd fy Arglwydd a'm Meistr Iesu Grist.
Gad i mi adael o'm hôl bob anniddigrwydd, pob dymuno annheilwng, pob meddwl maleisus tuag at fy nghyd-ddynion, pob petruso rhag ildio fy ewyllys i'th ewyllys di.
  Clyw fy ngweddi. Amen.

Elfed ap Nefydd Roberts

Arwain dy bobl, Arglwydd, i gynorthwyo'r unig:

Galw heibio, O Arglwydd, gyda phob un sy'n byw ar ei ben ei hun. Mae llawer ohonynt. Rho iddynt gymdogion cyfeillgar, cymorth pan fo taro, a llawenydd cymdeithas yn dy Eglwys. Amen.

Edwin C. Lewis

ADNODAU

Yng nghanol ein hunigrwydd gallwn deimlo fod Duw wedi'n gadael:

Fy Nuw, fy Nuw, pam yr wyt wedi fy ngadael,
ac yn cadw draw rhag fy ngwaredu ac oddi wrth eiriau fy ngriddfan?

Salm 22: 1

Gyda'r bugail yn gwylio a gofalu 'ni bydd eisiau arnaf':

Yr ARGLWYDD yw fy mugail, ni bydd eisiau arnaf.

Salm 23: 1

Teimlodd Iesu ei hun bangfeydd unigrwydd yn ystod ei weinidogaeth:

Oherwydd lle y mae dau neu dri wedi dod ynghyd yn fy enw i, yr wyf yno yn eu canol.

Mathew 18: 20

Y profiad o fod mewn angen bwyd, diod, dillad a chysur fu profiad Iesu ar y ddaear:

Oherwydd bûm yn newynog a rhoesoch fwyd imi, bûm yn sychedig a rhoesoch ddiod imi, bûm yn ddieithr a chymerasoch fi i'ch cartref; bûm yn noeth a rhoesoch ddillad amdanaf, bûm yn glaf ac ymwelsoch â mi, bûm yng ngharchar a daethoch ataf.

Mathew 25: 35–36

Yn y dyffryn tywyllaf profodd y Salmydd gymorth yn ei unigrwydd:

Er imi gerdded trwy ddyffryn tywyll du,
nid ofnaf unrhyw niwed,
oherwydd yr wyt ti gyda mi,
a'th wialen a'th ffon
yn fy nghysuro.

Salm 23: 4

Yn ing ei ddioddefaint teimlodd Iesu wewyr unigrwydd a dieithrwch:

A thua thri o'r gloch gwaeddodd Iesu â llef uchel, "Eli, Eli, lema sabachthani", hynny yw, "Fy Nuw, fy Nuw, pam yr wyt wedi fy ngadael?"

Mathew 27: 46

DYWEDIADAU A THRADDODIADAU

Rydyn ni i gyd angen rhyw fath o unigrwydd i ddarganfod ein hunain. Unigolion ydym, bob un ohonom. Er ein bod i gyd yn perthyn i genedl a hil arbennig, yn aelod o deulu arbennig ac yn dilyn gweledigaeth arbennig, eto i gyd unigolion ydym.

I Gristnogion, mae cyfnodau o unigrwydd yn hanfodol er mwyn dod i berthynas â Duw. Mae hyn yn allweddol. Wrth alw i gof ddigwyddiadau helbulus y dydd, a meddwl am yr hyn sydd o'n blaenau mor hawdd ydi cael ein llethu gan bryder ac ofn. 'Tybed ydw i wedi gwneud y penderfyniad iawn? Tybed ydw i wedi rhoi digon o sylw i hwn a'r llall a ddaeth ar fy nhraws heddiw?'

Mae cyfnod o seibiant yn gwneud lles. Mae'n werth ceisio unigrwydd, ond cofio mai unigrwydd dros dro ydi o. Mae'n gyfle i gyfathrebu a chymuno â Duw, sy'n deall yn iawn beth ydi unigrwydd. Cyfle i ddal cymundeb â Duw ei hun. Yn yr unigrwydd hwn y down i adnabod ein hunain yn well. 'Pwy ydw i? Beth ydi'r gwaith sydd o'm blaen?'

Mae'n bur debyg na fyddai cymdeithas yn gwegian pa bawn i'n cymryd munud bach i eistedd a meddwl a myfyrio. Ac yn nistawrwydd yr unigedd, efallai y clywaf air Duw yn torri ar fy nghlyw, fel y torrodd ar glyw'r disgyblion gynt – Shalom, yr heddwch sy'n trawsnewid pob dealltwriaeth.

Cariad

Do, carodd Duw y byd gymaint nes iddo roi ei unig Fab, er mwyn i bob un sy'n credu ynddo ef beidio â mynd i ddistryw ond cael bywyd tragwyddol.

Ioan 3: 16

EMYNAU

Yn ei gariad at yr annheilwng y gwelwn Dduw ar ei orau:

Os gofyn rhywun beth yw Duw,
atebwn ni mai cariad yw:
fe fflamiodd cariad Tri yn Un
yn rhyfedd at annheilwng ddyn.

Azariah Shadrach (*Caneuon Ffydd*: 171)

Ar Galfaria y gwelwyd penllanw cariad Duw at ddyn:

Dyma gariad fel y moroedd,
tosturiaethau fel y lli:
T'wysog bywyd pur yn marw,
marw i brynu'n bywyd ni.
Pwy all beidio â chofio amdano?
Pwy all beidio â thraethu'i glod?
Dyma gariad nad â'n angof
tra bo nefoedd wen yn bod.

Gwilym Hiraethog (*Caneuon Ffydd*: 205)

Cariad Duw yn Iesu Grist sy'n codi dyn ar ei draed a rhoi cyfle iddo brofi'r gorfoledd:

Dyma gariad, pwy a'i traetha?
Anchwiliadwy ydyw ef;
dyma gariad, i'w ddyfnderoedd

181

byth ni threiddia nef y nef;
dyma gariad gwyd fy enaid
   uwch holl bethau gwael y llawr,
dyma gariad wna im ganu
   yn y bythol wynfyd mawr.

Mary Owen (Caneuon Ffydd: 199)

Mae cariad bob amser yn golygu rhoi. Rhoi ei fab a wnaeth Duw:

Felly carodd Duw wrthrychau
   anhawddgara' erioed a fu,
felly carodd, fel y rhoddodd
   annwyl Fab ei fynwes gu;
nid arbedodd, ond traddododd
   ef dros ein pechodau i gyd:
taro'r cyfaill, arbed gelyn,
   "Felly carodd Duw y byd."

Gwilym Hiraethog (Caneuon Ffydd: 204)

Mae'r ansoddeiriau'n pallu wrth geisio crynhoi dy gariad tuag atom:

Erioed ni phrofais gariad fel dy gariad tyner di,
mor anhunanol, hael a hawddgar, hyfryd iawn a chu;
mae'n gariad annherfynol, yn ddwfwn fel y môr,
mae'n llawn o ryfeddodau, a chyfoeth yn ei stôr.

Susan Williams (Caneuon Ffydd: 229)

Cariad ydi sylfaen pob ymdrech i wneud byd gwell:

Dy gread maith mewn gwewyr sydd
yn disgwyl gwawr y newydd ddydd
pan fyddo cariad wrth y llyw
a phawb mewn cariad yn cyd-fyw;
drwy wyrth dy ras, O gwna ni'n un
a'n creu o newydd ar dy lun.

Tudor Davies (Caneuon Ffydd: 775)

GWEDDÏAU

Man cychwyn ein hadnabyddiaeth o Dduw yw 'Duw cariad yw':

O! Dduw ein Tad, clywsom pan oeddem yn ifanc iawn yr adnod 'Duw cariad yw'. Prin y buasem wedi cymryd unrhyw sylw ohoni, oni bai am gariad y rhai a'i dysgodd inni. Diolchwn i ti amdanynt, ac am i ni gael cipolwg ar dy gariad trwyddynt hwy. Wrth i ni dyfu daethom i ddeall ystyr cariad, a'i fod yn golygu gofal, a gofalu.

Molwn di am dy gariad tuag atom, am dy ofal amdanom. Molwn di am i ti ein caru'n ddiwahân gan beri i'r haul godi ar y drwg a'r da ac i'r glaw ddisgyn ar y cyfiawn a'r anghyfiawn. Diolchwn i ti am ewyllysio'r gorau i bawb bob amser. Amen.

Eric Jones

Mae'n cariad ni yn wahanol iawn i dy gariad di:

Cyffeswn, O! Dduw ein Tad, gyda llawer iawn o gywilydd, er i ti ein caru yn y fath fodd, fod ein cariad ni'n wahanol iawn i'th gariad di. Mae ein cariad ni'n gwahaniaethu rhwng hwn ac arall; nid ydym yn medru ewyllysio'r gorau i bawb. O! Dad, maddau i ni. Mae ein cariad ni'n mynnu'n harbed ni o hyd; mae'n hunanol, ac ni allwn ei rannu a rhoi fel y gwnaethost ti. O! Dad, maddau i ni. Mae ein cariad yn medru troi'n ôl; byddwn mor aml yn methu caru hyd yr eithaf. O! Dad, maddau i ni. Mae ein cariad mor gyfnewidiol; bydd weithiau'n gynnes ac yna mor oer, byddwn weithiau'n gryf ac yna'n wan. O! Dad, maddau i ni. Amen.

Eric Jones

Er mwyn creu byd gwell mae'n rhaid i ni efelychu dy gariad di:

Planna, O! Dduw, dy Ysbryd o'n mewn er mwyn cael gwell byd, lle y gall dynion gyd-fyw'n gytûn mewn harmoni a heddwch. Helpa ni, O! Dad, i ddangos trwy gariad ein bod yn barod i 'oddef i'r eithaf, i gredu i'r eithaf, i obeithio i'r eithaf ac i ddal ati i'r eithaf', er mwyn ein gilydd ac er clod i ti. Amen.

Eric Williams

Cariad a barodd i ti greu dyn a'i osod mewn byd o amrywiaeth, a rhoddaist enghraifft i ni o'th gariad yn Iesu Grist:

Yn dy gariad y creaist ddyn ar dy lun a'th ddelw dy hun
    a gwneud byd yn llawn cyfoeth ac amrywiaeth ar ei gyfer.
Yn dy gariad daethost yn agos iawn atom
    yn dy Fab, Iesu Grist,
    gan ddangos dy hun yn Dad tyner a graslon.
Yn ei dosturi ef,
    yn ymgeleddu'r gwan,
    yn cysuro'r anghenus
    ac yn iacháu'r cystuddiol,
    dysgodd i ni wir ystyr cariad.
Yn ei unigrwydd a'i ddioddefaint,
    yn ing ac angau'r groes,
    datguddiodd i ni ddyfnder a dirgelwch y cariad dwyfol. Amen.

Elfed ap Nefydd Roberts

Dysg i ni garu fel yr wyt ti wedi'n caru:

O Arglwydd, dyro imi garu â'm holl galon, ac â'm holl feddwl ac â'm holl enaid, a charu fy nghymydog er dy fwyn di, fel y trigo ynof gariad brawdol, a marw ynof bob cenfigen a gerwinder a drwg ewyllys. Llanw 'nghalon â meddyliau o gariad a thangnefedd a thosturi, a thrwy geisio llawenydd a daioni eraill a chydymdeimlo â hwy yn eu gofidiau a'u treialon, a bwrw ymaith bob annhegwch a beirniadaeth lem, dy ddilyn di sydd yn gywir ac yn berffaith. Amen.

Lewis Valentine

ADNODAU

Crynhoir yr holl athrawiaeth Gristnogol yn y cymal hwn:

Cariad yw Duw, ac y mae'r sawl sy'n aros mewn cariad yn aros yn Nuw, a Duw yn aros ynddo yntau.

1 Ioan 4: 16(b)

Wrth i ni gadw gorchmynion Duw byddwn wedyn yn aros yn ei gariad:

Os cadwch fy ngorchmynion fe arhoswch yn fy nghariad, yn union fel yr wyf fi wedi cadw gorchmynion fy Nhad, ac yr wyf yn aros yn ei gariad ef.

Ioan 15: 10

Os ydym angen prawf o gariad Duw tuag at bechaduriaid edrychwn ar groes Crist:

Ond prawf Duw o'r cariad sydd ganddo tuag atom ni yw bod Crist wedi marw drosom pan oeddem yn dal yn bechaduriaid.

Rhufeiniaid 5: 8

Yn y geiriau hyn gosodwyd nod aruchel i blant y deyrnas:

Ond rwyf fi'n dweud wrthych: carwch eich gelynion, a gweddïwch dros y rhai sy'n eich erlid.

Mathew 5: 44

Y mae cariad yn dal ati, yn gymwynasgar ac yn parhau i'r diwedd:

Y mae cariad yn amyneddgar; y mae cariad yn gymwynasgar; nid yw cariad yn cenfigennu, nid yw'n ymffrostio, nid yw'n ymchwyddo.

1 Corinthiaid 13: 4

Un o ffrwythau'r Ysbryd yw cariad:

Ond ffrwyth yr Ysbryd yw cariad, llawenydd, tangnefedd, goddefgarwch, caredigrwydd, daioni, ffyddlondeb, addfwynder, hunanddisgyblaeth.

Galatiaid 5: 22

DYWEDIADAU A THRADDODIADAU

Bydd y dyn tlotaf yn y byd yn gyfoethog os bydd ganddo gariad yn ei galon.

Mae cariad yn lledrithiol. Mae'n iaith y gall y byddar ei chlywed, yn gân y gall y cloff ddawnsio iddi ac yn fachlud y gall y dall ei weld.

Mi fedrwch chi roi heb garu ond fedrwch chi ddim caru heb roi.

Ni all cariad wneud digon heb wneud mwy na digon.

Cariad yw'r unig allu sy'n uno heb ddinistrio.

Teilhard de Chardin

Pan ystyriwn gariad Duw yng Nghrist, yr ydym fel un yn nesáu at y cefnfor; y mae'n taflu golwg ar yr wyneb, ond ni all ddirnad y dyfnder.

Robert C. Chapman

Henaint

'Henaint ni ddaw ei hunan'; – daw ag och
Gydag ef, a chwynfan,
Ac anhunedd maith weithian,
A huno maith yn y man.

John Morris-Jones

EMYNAU

Fel mae'n blynyddoedd yn byrhau deisyfwn am fwy o ffydd:

Hiraethu 'rwy'n brudd
am fwyfwy o ffydd
a nerth i wrthsefyll
ac ennill y dydd;
Duw ffyddlon erioed
y cefais dy fod,
dy heddwch fel afon
yn dirion im dod.

William Williams (*Caneuon Ffydd*: 755)

**Fel mae'r gaeaf yn cau amdanom a'r unigrwydd yn llethol gweddïwn
am y ffydd i oroesi gaeaf ein blynyddoedd olaf:**

Yn oerni gaeaf blin y cur a'r loes
pan syrth o'm cylch gysgodion diwedd oes,
a minnau mewn unigrwydd yn fy nghell
yn methu byw ar wres yr hafau pell,
rho ffydd i bwyso ar dy air y caf
oroesi'r gaeaf mewn tragwyddol haf.

T. R. Jones (*Caneuon Ffydd*: 777)

Un fendith a ddeisyfaf, cael mwy a mwy o ras i'th garu:

Un fendith dyro im,
ni cheisiaf ddim ond hynny:
cael gras i'th garu di tra bwy',
cael mwy o ras i'th garu.

Eifion Wyn (*Caneuon Ffydd*: 164)

Pan fo rhieni, teulu a chyfeillion wedi mynd mae'na gryfder sydd yr un o hyd:

Pwyso'r bore ar fy nheulu,
colli'r rheini y prynhawn;
pwyso eilwaith ar gyfeillion,
hwythau'n colli'n fuan iawn;
pwyso ar hawddfyd – hwnnw'n siglo,
profi'n fuan newid byd:
pwyso ar Iesu, dyma gryfder
sydd yn dal y pwysau i gyd.

Eben Fardd (*Caneuon Ffydd*: 739)

O ddechrau'r daith i'r diwedd rho'r fraint i mi o gael byw i ti:

Fy hunan oll i ti, O Iesu da,
er dyfod cwmwl du neu heulwen ha';
o fore oes hyd nes i'r cyfnos ddod
rho im y fraint o fyw bob dydd i'th glod.

Elfed (*Caneuon Ffydd*: 757)

Fy nod, gydol f'oes, yw aros yng nghysgod a diogelwch fy Nuw:

Arhosaf yng nghysgod fy Nuw,
i mewn yn nirgelwch y nef;
dan adain ei gariad 'rwy'n byw,
fe'm gwrendy cyn clywed fy llef:
pe curai trallodion yn hy
i'm herbyn fel tonnau y môr,
mi ganaf wrth deimlo mor gry' –
fy nghraig a'm cadernid yw'r Iôr.

Ap Hefin (*Caneuon Ffydd*: 203)

GWEDDÏAU

Duw y cyfnodau a'r cenedlaethau trown atat pan fo'n blynyddoedd yn byrhau:

Ein Tad nefol, sy'n Dduw pob cyfnod a chenhedlaeth, addolwn di. Diolchwn dy fod yn oleuni ac yn waredigaeth inni ar hyd ein bywyd, yn Arglwydd arnom o gri ein geni hyd flynyddoedd henaint. Ti sy'n symbylu breuddwydion ein hieuenctid, yn ein cynnal ym mlynyddoedd ein hanterth, ac yn gydymaith a gobaith inni yn nyddiau ein haeddfedrwydd. Yr un wyt ddoe, heddiw ac am byth, ac nid oes terfyn ar dy drugaredd.

Cofiwn ger dy fron heddiw bawb a welodd hir ddyddiau, y rhai sy'n tystiolaethu i ti mewn henaint, a'r rhai y mae arnynt angen dy gynhaliaeth pan fo'u blynyddoedd yn byrhau. Amen.

John Rice Rowlands

Wrth i ni heneiddio gwna ni'n bobl dyner ac anhunangar:

Cynorthwya ni i fod yn siriol ac addfwyn, fel y byddwn yn denu eraill atom, gan nad yw hi'n bosibl i ni fynd atynt hwy. Cynorthwya ni i fod yn amyneddgar gyda'r ifanc yn eu gwamalrwydd, gan sylweddoli nad oes ganddynt brofiad o fywyd fel ni. Cynorthwya ni i fod yn dawel weithiau, gan fod yn barotach i wrando. Cynorthwya ni hefyd i sylweddoli nad oes gan y rhai sydd yn ymweld â ni gymaint o amser ag sydd gennym ni. Cynorthwya ni i beidio â'u cadw a'u blino gyda'n straeon. Cynorthwya ni i rannu ein llawenydd, nid ein cwynion; ein bendithion, nid ein pryderon. Cynorthwya ni i aeddfedu yn ein henaint ac i heneiddio'n rasol. Amen.

Eric Jones

Diolchwn am y rhai sy'n gofalu am yr henoed yn ein cymdeithas:

Gweddïwn dros y gymdeithas yr ydym yn byw ynddi yn ei darpariaeth ar gyfer yr henoed. Rho ras a dawn i barhau i feithrin ysbryd cymdogol, ac ymwybod gwâr o ofal am bobl. Bendithia fudiadau sy'n hyrwyddo lles yr henoed, yn diogelu eu buddiannau, yn llais i'w hanghenion. Arddel eu hymdrechion trwy'n gwlad ac ym mhob un o'n hardaloedd. Bendithia'r cymdeithasau a'r clybiau henoed lleol sy'n dod â'r bobl hŷn at ei gilydd, yn meithrin cwmnïaeth, yn rhoi cyfle i'w doniau a'u dyfeisgarwch. Pâr i fywyd bro a diwylliant ardaloedd gael eu cyfoethogi trwy gyfraniad eu cenhedlaeth. Amen.

John Rice Rowlands

Gwyliwn rhag syrthio i'r gwaelodion wrth fynd yn hŷn:

Arglwydd, gwyddost yn well na mi fy mod yn mynd yn hŷn,
ac y byddaf rhyw ddydd yn hen.
Rhyddha fi oddi wrth yr ysfa i geisio datrys problemau pawb.
Rhyddha fy meddwl rhag gormes y manylu diddiwedd;
rho rwyddineb imi ddod at y pwynt.
Ni fynnaf fod yn sant – mae'n anodd byw gyda rhai ohonyn
nhw – ond hen wraig sur yw un o gampweithiau'r diafol.
Rho i mi'r gallu i weld pethau da mewn mannau annisgwyl a
doniau mewn pobl annhebygol. Amen.

Gweddi Lleian o'r 17eg ganrif

Rhodd Duw yw henaint, diolchwn amdano:

Daw henaint oddi wrth Dduw,
henaint a arweinia at Dduw,
ni wna henaint gyffwrdd â mi
oni bai ei fod ef yn ewyllysio. Amen.

Pierre Teilhard de Chardin

ADNODAU

Yn ôl y ddihareb mae henaint yn goron anrhydedd:

Y mae gwallt sy'n britho yn goron anrhydedd;
fe'i ceir wrth rodio'n gyfiawn.

Diarhebion 16: 31

Ti ydi'r Duw digyfnewid, ninnau ydi'r rhai sy'n heneiddio:

Deng mlynedd a thrigain yw blynyddoedd ein heinioes,
neu efallai bedwar ugain trwy gryfder,
ond y mae eu hyd yn faich ac yn flinder;
ânt heibio yn fuan, ac ehedwn ymaith.

Salm 90: 10

Dymuniad y Salmydd yw ar i Dduw ei gofio yn amser ei henaint:

Paid â'm bwrw ymaith yn amser henaint;
paid â'm gwrthod pan fydd fy nerth yn pallu.

Salm 71: 9

Y mae Duw yn adnewyddu bywyd trwy ei drawsffurfio:

A pheidiwch â chydymffurfio â'r byd hwn, ond bydded ichwi gael eich
trawsffurfio trwy adnewyddu eich meddwl, er mwyn ichwi allu canfod
beth yw ei ewyllys, beth sy'n dda a derbyniol a pherffaith yn ei olwg ef.

Rhufeiniaid 12: 2

Dealltwriaeth a bywyd difrycheulyd sy'n rhoi gwerth ar henaint:

Nid hirhoedledd sy'n rhoi ei werth i henaint,
ac nid amlder blynyddoedd yw ei fesur.

Doethineb Solomon 4: 8

Ein braint yw cael cynorthwyo ein teulu a'n cyfeillion yn eu henaint:

Fy mab, cynorthwya dy dad yn ei henaint,
a phaid â'i dristáu tra bydd ef byw.

Ecclesiasticus 3: 12

DYWEDIADAU A THRADDODIADAU

Yn awr, dyma i chi un peth sy'n eiddo i'r rhai sy'n mynd yn hŷn –
amser. Fe all fod yn boen ac artaith i sawl un.

Mae yna berygl yn aml i bobl mewn oed dybio y gallan nhw ddal ati i'r
diwedd. Onid yw'n bwysig ein bod yn gwybod pryd i roi'r gorau iddi a
gadael i eraill gymryd yr arweinyddiaeth?

Ni adawodd Anna, yn ail bennod Efengyl Luc, i'r blynyddoedd ei
chwerwi, a chadwodd ei ffydd a'i gobaith i'r diwedd am ei bod wedi
cadw cysylltiad â ffynhonnell ei gobaith, ei chysur a'i chynhaliaeth, sef
Duw ei hun.

Dydy henaint ddim cynddrwg o ystyried y dewis arall.

Maurice Chevalier

Ni chânt hwy heneiddio, fel yr heneiddiwn ni sydd ar ôl:
Ni chaiff henaint eu blino, na'r blynyddoedd eu condemnio.
Ar fachlud haul a thoriad gwawr
Fe gofiwn ni amdanynt hwy.

Laurence Binyon

Plant ac Ieuenctid

'Y mae'r ifainc yn diffygio ac yn blino,
a'r cryfion yn syrthio'n llipa;
ond y mae'r rhai sy'n disgwyl wrth yr ARGLWYDD
yn adennill eu nerth;
y maent yn magu adenydd fel eryr,
yn rhedeg heb flino,
ac yn rhodio heb ddiffygio.'

Eseia 40: 30–31

EMYNAU

Byw fel Iesu, cysegru 'mywyd iddo, gweddïo'n wastad a helpu eraill yw'r nod:

O na bawn yn fwy tebyg
   i Iesu Grist yn byw,
yn llwyr gysegru 'mywyd
   i wasanaethu Duw:
nid er ei fwyn ei hunan
   y daeth i lawr o'r ne';
ei roi ei hun yn aberth
   dros eraill wnaeth efe.

Eleazer Roberts (Caneuon Ffydd: 721)

Crist yw'r athro gorau a'i achos ef yw'r achos gorau weddill ein hoes:

Da yw bod wrth draed yr Iesu
   ym more oes;
ni chawn neb fel ef i'n dysgu
   ym more oes;
dan ei groes mae ennill brwydrau
a gorchfygu temtasiynau;
achos Crist yw'r achos gorau
   ar hyd ein hoes.

Elfed (Caneuon Ffydd: 771)

Bod yn dda, yn addfwyn ac yn hoff o faddau yw'r nod fel bod eraill yn dod i adnabod Duw drwof fi:

Dod ar fy mhen dy sanctaidd law,
  O dyner Fab y Dyn;
mae gennyt fendith i rai bach
  fel yn dy oes dy hun.

Eifion Wyn (Caneuon Ffydd: 681)

Un tro daeth y Duw a greodd y byd a'r sêr i'w fyd i fyw:

Duw a wnaeth y byd,
y gwynt a'r storm a'r lli,
ond nid yw e'n rhy fawr
  i'n caru ni.

Gwyn Thomas (Caneuon Ffydd: 141)

Testun diolch yw fy nghân am mai ef sy'n fy nghynnal ac ni allaf fyw hebddo:

Diolch, diolch, Iesu,
diolch, diolch, Iesu,
diolch, diolch, Iesu yw fy nghân;
diolch, diolch, Iesu,
O diolch, diolch, Iesu,
diolch, diolch, Iesu yw fy nghân.

Anad. cyf. Enid Morgan (Caneuon Ffydd: 147)

Mae Duw wedi creu byd da ar ein cyfer:

Caraf yr haul sy'n wên i gyd,
Duw wnaeth yr haul i lonni'r byd.

Gwen F. Smith efel. John Gwilym Jones (Caneuon Ffydd: 122)

GWEDDÏAU

Dowch i ni werthfawrogi a dyrchafu plentyndod ac ieuenctid:

Deuwn yn awr i gofio ger dy fron blant a phobl ifainc ein heglwysi a'n hardal, a holl ieuenctid ein gwlad a'n byd. Diolchwn i ti am y rhai ifainc yn ein cymdeithas, am glywed eu lleisiau a'u chwerthin, am y bywyd a'r asbri sy'n perthyn iddynt, am eu chwilfrydedd a'u brwdfrydedd, am y llaw sy'n gafael a'r llygaid sy'n rhyfeddu, am bob ffydd ac ymddiriedaeth a geir ynddynt. Wrth ymateb i ofynion plant, dyro i'r rhai sy'n hŷn hiwmor ac amynedd, gostyngeiddrwydd i ddysgu, a gras i wrando a chynghori. Rho i bob un gofio'i blentyndod ei hunan. Dyro hynawsedd wrth ddelio â direidi plant, cadernid i roi iddynt safonau a chanllawiau, a pharodrwydd i'w hyfforddi ar ddechrau eu taith. Amen.

John Rice Rowlands

Cofiwn am bawb sy'n barod i wneud eu gorau dros yr ieuenctid:

Cyflwynwn eu rhieni i ti, gan weddïo y byddant yn dyfalbarhau i gadw eu haddewidion i'w magu'n ddisgyblion i'th annwyl Fab Iesu Grist. Cyflwynwn i ti weinidogion ac athrawon Ysgol Sul, sy'n dyfalbarhau i'w dysgu a'u caru, Sul ar ôl Sul, flwyddyn ar ôl blwyddyn. Cyflwynwn i ti eraill sy'n cefnogi'r gwaith hwn megis Cyngor Ysgolion Sul Cymru sy'n paratoi'r holl ddefnyddiau ar gyfer y gwersi. Cofiwn ger dy fron am weithwyr canolfannau'r enwadau, Coleg y Bala, gwersylloedd yr Urdd a'r ysgolion haf. Cyflwynwn i ti athrawon ein hysgolion cynradd ac uwchradd, a darlithwyr y colegau. Bydded iddynt hwy fel pob un ohonom ninnau, O! Dad, sylweddoli cymaint yw ein cyfrifoldeb i roi esiampl dda ac arweiniad cadarn i'r to sy'n codi. Amen.

Eric Jones

Deffra'r eglwys i sylweddoli beth yw ei chenhadaeth i'r plant a'r ieuenctid:

Gweddïwn yn neilltuol dros ein heglwysi, am ennyn o'u mewn weithgarwch newydd gyda'r ifainc, am iddynt fod yn barod i roi i'r ifainc eu cyfle, i ddeall eu byd, eu ffordd o feddwl, eu dyheadau a'u pryderon. Gweddïwn am achub ac ennill yr ifainc i'r efengyl, ac am i'r Eglwys gyfan ddarganfod ysbryd y plentyn o'r newydd. Dyro lygad i ganfod holl ryfeddod y bywyd a roddaist. Amen.

John Rice Rowlands

Mae 'na blant sydd mewn angen; cofiwn amdanynt hwythau hefyd:

Wrth i ni fod yn hapus yng nghanol yr holl bethau hyn, a wnei di ein helpu i gofio am blant sydd hebddynt? Gofynnwn i ti gofio am blant sydd wedi colli rhieni a theulu am fod rhyfel yn eu gwlad. Gofynnwn i ti gofio am blant sydd heb fwyd a dillad a chartrefi cysurus.

Wrth i ni sôn am fisgedi a hufen iâ, am greision a sglodion, a wnei di ein helpu i feddwl am y plant sydd â mwy o'u hangen na ni?

Ambell dro cawn gyfle i gasglu arian at blant mewn angen. Os cofiwn ni mai plant sy'n hoffi bod yn hapus fel ni ydynt, gallwn fod yn fwy caredig wrthynt. Gallwn fyw heb wario'n pres poced i gyd a'i roi i helpu'r plant hyn. Amen.

Mawl ac Addoliad

Ein dyhead yw gweld ein plant yn troi atat ti a dod yn gyfryngau dy fendith:

Galluoga ni, Arglwydd, i fedru dweud yr hen, hen hanes am Grist a'i gariad yn y fath fodd nes gweld:
plant a phobl ifanc Cymru yn troi atat o'r newydd;
plant a phobl ifanc Cymru yn dod i gredu a gweld mai ti yw'r unig arweinydd diogel i'w harwain heddiw;
plant a phobl ifanc Cymru yn dod yn gyfryngau i fedru dylanwadu ar ieuenctid gwledydd eraill. Amen.

Cau'r Adwy

ADNODAU

Rhoddodd Iesu'r plentyn yn y canol er mwyn dangos arwydd o fawredd:

A chymerodd blentyn, a'i osod yn eu canol hwy; cymerodd ef i'w freichiau, a dywedodd wrthynt, "Pwy bynnag sy'n derbyn un plentyn fel hwn yn fy enw i, y mae'n fy nerbyn i, a phwy bynnag sy'n fy nerbyn i, nid myfi y mae'n ei dderbyn, ond yr hwn a'm hanfonodd i."

Marc 9: 36–37

Roedd Iesu'n barod i dderbyn plant, eu bendithio a gweddïo drostynt:

Yna daethpwyd â phlant ato, iddo roi ei ddwylo arnynt a gweddïo. Ceryddodd y disgyblion hwy.

Mathew 19: 13

Yng ngwaith Duw dydi ieuenctid ddim yn faen tramgwydd:

Paid â gadael i neb dy ddiystyru am dy fod yn ifanc. Yn hytrach, bydd di'n batrwm i'r credinwyr mewn gair a gweithred, mewn cariad a ffydd a phurdeb.

1 Timotheus 4: 12

Gwrandawodd Samuel ar lais Duw a gweithredodd:

Yn y dyddiau pan oedd y bachgen Samuel yn gwasanaethu'r ARGLWYDD gerbron Eli, yr oedd gair yr ARGLWYDD yn brin, a gweledigaeth yn anfynych.

1 Samuel 3: 1

Mae'r hwn sy'n derbyn plentyn bach yn derbyn Iesu i'w fywyd:

A phwy bynnag sy'n derbyn un plentyn fel hwn yn fy enw i, y mae'n fy nerbyn i.

Mathew 18: 5

Mor bwysig ydi magu'r plentyn yn sŵn yr efengyl:

Cofia dy Greawdwr yn nyddiau dy ieuenctid, cyn i'r dyddiau blin ddod, ac i'r blynyddoedd nesáu pan fyddi'n dweud, "Ni chaf bleser ynddynt."

Pregethwr 12: 1

DYWEDIADAU A THRADDODIADAU

Yn Llyfr Genesis mae hanes am Abram yn cychwyn ar daith. Dyma hanes am un a gychwynnodd ar daith; taith i'r anwybod oedd hon. Mae Abram yn batrwm i ni i gyd. Roedd yn sicr o ben draw'r daith am ei fod yn gwybod fod Duw yn ei arwain. Roedd hon yn daith arloesol, yn daith fentrus, yn daith anturus – y math o daith sy'n creu cymeriadau cryf, sydd ben ac ysgwydd yn uwch na'r rhai sy'n ofni mentro i'r anwybod.

Mae yna fwy i fywyd na rhagori mewn arholiadau, chwarae i'r tîm cyntaf neu feistroli offeryn cerdd. Bydd angen ffynonellau ysbrydol i wynebu bywyd ac i fyw bywyd llawn heb ddiffygio a dal ati er fod yr holl elfennau yn ein herbyn.

Dychmygwch yr olygfa. Criw o ieuenctid wedi cyrraedd Llanberis. Cymysgfa go dda o fechgyn a merched uchel eu cloch. A dyma un o'r ardal yn gofyn i un ohonyn nhw, 'Beth ydych chi'n wneud yma?' A'r ateb, 'Dydw i ddim yn gwybod yn iawn, dim ond wedi dod am hwyl ydw i!' A dyma ofyn i un arall. 'Gobeithio cerdded i gopa'r Wyddfa,' meddai honno gan estyn map a dangos yn union y llwybr yr oedd hi am ei ddilyn i'r copa. Un heb lawer o syniad i ble roedd o'n mynd, a'r llall yn sicr o'r daith a'r nod.

Unwaith yn ddyn a dwywaith yn blentyn.

Fe aned plentyn yn Llan-gan,
Nid mab i'w dad, nid mab i'w fam,
Nid mab i Dduw, nid mab i ddyn,
Ond yn blentyn perffaith fel pob un.

Mil a Mwy o Ddyfyniadau

Y Teulu

Nid oes bendith na chanmoliaeth i neb sydd â chywilydd o'i deulu.

Dihareb Iddewig

Teulu hapus ydi nefoedd ar y ddaear.

EMYNAU

Dyhead a geir yn yr emyn hwn am ddiddymu'r ffiniau er mwyn i ni gael cyhoeddi neges y deyrnas:

O diddyma'r ffiniau, Arglwydd,
   sy'n gwahanu plant y llawr,
a rhyddha ni drwy dy Ysbryd
   i gyhoeddi'r deyrnas fawr:
dyro inni weled heddiw,
   er terfysgoedd dynol-ryw,
groes yr Iesu'n unig obaith –
   dan ei chysgod gad in fyw.

Geoffrey G. Davies (*Caneuon Ffydd*: 618)

Ti yw Arglwydd yr eglwys a phen teulu'r ffydd:

Am dy Eglwys, Iôr bendigaid,
   seiniwn heddiw fawl ynghyd;
ti a'i rhoddaist inni'n gartref
   rhag y drwg sydd yn y byd:
deled eto bobloedd daear
   drwy ei phyrth yn dorf ddi-ri',
yn ei chanol yr wyt beunydd
   a hyd byth nid ysgog hi.

J. Edward Williams (*Caneuon Ffydd*: 619)

Galwad a geir yn yr emyn hwn i aelodau'r teulu dorchi eu llewys a bwrw iddi i waith yr Arglwydd:

Na foed cydweithwyr Duw
   byth yn eu gwaith yn drist
wrth ddwyn y meini byw
   i'w dodi'n nhemel Crist:
llawenydd sydd, llawenydd fydd
i bawb sy'n gweithio 'ngolau ffydd.

Elfed (Caneuon Ffydd: 608)

Pan fo aelodau'r teulu yn diffygio boed i fflam y ffydd ein deffro a'n herio:

Yn oriau tywyll ein hamheuon blin
   a'r wawr ymhell,
ynghanol cors ein hanghrediniaeth ddu
   mewn unig gell,
O deued atom chwa o Galfarî
i ennyn fflam ein ffydd, a'n harwain ni.

Aled Lloyd Davies (Caneuon Ffydd: 623)

Clyma ni â chwlwm na ellir ei ddatod a hynny er mwyn argyhoeddi'r byd:

Clyma ni'n un, O Dduw,
clyma ni'n un, Dad,
â chwlwm na ellir ei ddatod:
clyma ni'n un, O Dduw,
clyma ni'n un, Dad,
clyma ni'n un ynot ti.

Bob Gillman cyf. Catrin Alun (Caneuon Ffydd: 626)

Rho i ni'r weledigaeth o weld yr eglwys yn un teulu yn dy enw di:

Fe chwythodd yr awel ar Gymru drachefn,
clodforwn di, Arglwydd, fod gwyrth yn dy drefn:

dihunaist ni'r meirwon, a'n codi drwy ffydd,
a throi ein hŵynebau at degwch y dydd.

Molwn di, molwn di'n un teulu ynghyd,
molwn di, molwn di, a'n cân dros y byd;
cydweithiwn, cydgerddwn, cydfolwn gan fyw
i roi iti'r cyfan, ein Harglwydd a'n Duw.

John Gwilym Jones (*Caneuon Ffydd*: 627)

GWEDDÏAU

Diolchwn am ein bod wedi cael ein dwyn i fyny mewn uned deuluol:

Yn dy Fab, Iesu, a wybu'n llawn beth oedd bywyd teulu ar aelwyd yn
Nasareth, y mae i ninnau Frawd sy'n cyfrif pawb a gred ynddo'n frodyr
a chwiorydd. Ac yng Nghrist, achubwr a gobaith y ddynoliaeth, y gweir
ni'n un, yn gyd-ddinasyddion â'r saint, ac yn deulu Duw. Diolchwn i ti
am y drefn sydd wedi'n gosod i fyw gyda'n gilydd; am gwmni ar daith
bywyd; am ein geni i deuluoedd, ac am y rhai a ddaeth â ni i'r byd; am
rieni a pherthnasau i'n magu a'n meithrin; am gyfraniad pob plentyn ar
aelwyd; am fywyd cartref, ac am ddysgu cyd-fyw; am brofi cariad a
gofal, ac am ddisgyblaeth rasol; am gyfranogi yn llawenydd teulu, a
rhannu cyfrifoldeb o'i fewn; am bob ymwybod o dderbyn a rhoddi,
cymryd a chyfrannu. Amen.

John Rice Rowlands

Yn fwy na dim diolchwn am yr Eglwys a theulu Duw:

Uwchlaw popeth, diolchwn i ti am gymdeithas Eglwys Iesu Grist, ac am
ein bod ynddi yn profi beth yw bod yn 'ddynoliaeth newydd', yn 'deulu
Duw'. Diolchwn am berthynas â'n gilydd ynddi, am gariad ac undod ac
ymwybod o gyfoeth tystiolaeth pawb, am gael ynddi ernes o fywyd dy
deyrnas dragwyddol, a blaenbrawf o'th fwriad ar gyfer y ddynoliaeth yn
dy Fab. Gweddïwn am ddyfod holl deulu dyn yn deulu Duw trwy'r
Ysbryd Glân. Gwrando ni yn ein deisyfiadau a'n mawrhad yn enw Iesu
Grist ein Harglwydd. Amen.

John Rice Rowlands

Y teulu sy'n ein cynnal ar daith bywyd:

Ein Tad, diolchwn i ti
am ein gosod o fewn ein teuluoedd
a'n clymu ynghyd mewn tynerwch a chariad,
yn wŷr a gwragedd a phlant,
i feithrin a chynnal ein gilydd,
i garu ac i gael ein caru,
i ddysgu ymddiriedaeth a chyfrifoldeb,
i gydlawenhau a chydalaru,
drwy holl droeon taith ein bywyd. Amen.

Elfed ap Nefydd Roberts

Gweddïwn dros y teuluoedd sydd mewn angen:

Gweddïwn dros y rhai hynny o'th deulu
sy'n byw mewn tlodi ac angen:
y rhai sy'n newynu tra bo eraill ar ben eu digon;
y rhai sy'n ddigartref a diymgeledd;
y rhai sydd ar ffo oddi wrth ormes a rhyfel;
y rhai sydd mewn adfyd ac mewn anobaith. Amen.

Elfed ap Nefydd Roberts

Cyffeswn ein bod wedi anrheithio'r teulu a'i ddifwyno:

Cyffeswn inni fethu gwerthfawrogi'n gilydd fel y dylem
na derbyn ein gilydd fel y dylem.
Rydym wedi difwyno'n byd trwy greu gwahaniaethau;
gwnaethom ein gwahaniaethau'n achos erledigaeth.
Maddau inni a chynorthwya ni i ofalu am ein gilydd,
i geisio cyfiawnder a heddwch i bawb,
ac i barchu cyfanrwydd y greadigaeth hon
yr ydym oll yn rhan ohoni,
yn un teulu, yn edrych atat ti, ein Crëwr a'n Tad ni oll. Amen.

John Johansen-Berg

Mae drws yr aelwyd hon yn agored i'r teulu cyfan:

Ein Tad, diolchwn mai Duw'r Tad wyt Ti ac wrth law o hyd. Am hynny medrwn groesi rhiniog dy aelwyd ar unrhyw amser o'r dydd. 'Rwyt ti'n wahanol iawn i ni sy'n crwydro yma a thraw a heb fod ar gael pan wyt Ti'n galw heibio i ni. 'Rwyt ti bob amser adref ar dy aelwyd ysbrydol sy'n cwmpasu'r holl fyd, yn ymestyn o'r presennol i'r tragwyddol. Aelwyd â'i drws byth ar glo. 'Does dim rhaid i ni guro'r drws hyd yn oed cyn camu dros y trothwy. Mae'n agored led y pen ac ni ddichon neb ei gau. Amen.

Gareth Maelor

ADNODAU

Byddai Iesu wrth ei fodd yn ymweld â'r teulu ym Methania:

Yr oedd rhyw ddyn o'r enw Lasarus yn wael. Yr oedd yn byw ym Methania, pentref Mair a'i chwaer Martha.

Ioan 11: 1

Fel un teulu yr oedd Iesu a'i rieni yn teithio i Jerwsalem ar gyfer gŵyl y Pasg:

Byddai ei rieni yn teithio i Jerwsalem bob blwyddyn ar gyfer gŵyl y Pasg.

Luc 2: 41

Bu'r aelwyd yn gynhaliaeth i Iesu gynyddu mewn doethineb, maintioli a ffafr gyda Duw a dynion:

Ac yr oedd Iesu yn cynyddu mewn doethineb, a maintioli, a ffafr gyda Duw a'r holl bobl.

Luc 2: 52

Yr hyn sy'n clymu teulu at ei gilydd yw gostyngeiddrwydd, addfwynder a goddefgarwch mewn cariad:

Byddwch yn ostyngedig ac addfwyn ym mhob peth, ac yn amyneddgar, gan oddef eich gilydd mewn cariad.

Effesiaid 4: 2

Cariad, yn union fel cariad Crist, yw'r glud sy'n dal y teulu wrth ei gilydd:

Byddwch, felly, yn efelychwyr Duw, fel plant annwyl iddo, gan fyw mewn cariad, yn union fel y carodd Crist ni, a'i roi ei hun trosom, yn offrwm ac aberth i Dduw, o arogl pêr.

Effesiaid 5: 1–2

Yr eglwys yw teulu Duw ar y ddaear:

Yr wyf yn gobeithio dod atat cyn hir, ond rhag ofn y caf fy rhwystro, yr wyf yn ysgrifennu'r llythyr hwn atat, er mwyn iti gael gwybod sut y mae ymddwyn yn nheulu Duw, sef eglwys y Duw byw, colofn a sylfaen y gwirionedd.

1 Timotheus 3: 14–15

DYWEDIADAU A THRADDODIADAU

Dyhead y tad oedd derbyn y mab ieuengaf yn ôl ar yr aelwyd ac adfer y berthynas heb arlliw o edliw na gweld beiau'r gorffennol. Creu perthynas yw nod amgen pob teulu.

Mewn byd caled a didostur mae cyfeillgarwch a chynhesrwydd teulu Duw yn hanfodol. O fewn y teulu hwn mae gan bob aelod ei gyfrifoldeb. Nid theatr mo'r Eglwys, ond teulu, a phawb yn cyd-dynnu a hynny er mwyn dyfodol y teulu cyfan. 'Felly, nid estroniaid a dieithriaid ydych mwyach, ond cyd-ddinasyddion â'r saint ac aelodau o deulu Duw.'

(Effesiaid 2: 19)

Y mae aelodau'r Eglwys yn aml yn disgwyl gwasanaeth ond yn gyndyn i wasanaethu.

Vance Havner

204

Nid cynulleidfa o bobl gyfiawn yw'r Eglwys Gristnogol. Cymdeithas o'r sawl sy'n gwybod nad ydynt yn dda ydyw.

Dwight E. Stevenson

Nid sefydliad yw'r Eglwys; bywyd newydd ydyw gyda Christ ac yng Nghrist, o dan arweiniad yr Ysbryd Glân.

Serguis Belgakov

Amynedd

Meddai'r gweision wrtho, 'A wyt am i ni fynd allan a chasglu'r efrau?'
'Na,' meddai ef, 'wrth gasglu'r efrau fe allwch ddiwreiddio'r ŷd gyda
hwy.'

Mathew 13: 28–29

EMYNAU

**Er fod y nos yn ddu, y groes yn drom a'r llwybr yn serth rwyf am ddal
ati:**

Ymddiried wnaf yn Nuw
  er dued ydyw'r nos;
daw ei addewid ef
  fel golau seren dlos:
mae nos a Duw yn llawer gwell
na golau ddydd a Duw ymhell.

Penrith (*Caneuon Ffydd*: 77)

**Ynghanol tryblith bywyd y mae'n rhaid i ni gofio addewid Iesu a mynd
yn ein blaenau:**

Cofiwn am gomisiwn Iesu
  cyn ei fyned at y Tad:
"Ewch, pregethwch yr Efengyl,
  gwnewch ddisgyblion ymhob gwlad."
Deil yr Iesu eto i alw
  yn ein dyddiau ninnau nawr;
ef sy'n codi ac yn anfon
  gweithwyr i'w gynhaeaf mawr.

John Roberts (*Caneuon Ffydd*: 259)

**Wrth aros yng nghwmni Iesu ar daith bywyd mae'r ofnau'n diflannu
a'r galon yn cynhesu:**

Wrth rodio gyda'r Iesu
  ar y daith,
mae'r ofnau yn diflannu
  ar y daith;
mae gras ei dyner eiriau,
a golau'r ysgrythurau,
a hedd ei ddioddefiadau
  ar y daith,
yn nefoedd i'n heneidiau
  ar y daith.

Ben Davies (Caneuon Ffydd: 357)

Yng nghwmni Iesu mae dedwyddwch i'w brofi a heddwch i'w deimlo:

Chwilio amdanat, addfwyn Arglwydd,
  mae fy enaid, yma a thraw;
teimlo 'mod i'n berffaith ddedwydd
  pryd y byddi di gerllaw:
    gwedd dy ŵyneb
    yw fy mywyd yn y byd.

William Williams (Caneuon Ffydd: 701)

Mae Duw yn dal i ddisgwyl amdanom ac mae'r drws yn agored led y pen:

Dewch, hen ac ieuainc, dewch
  at Iesu, mae'n llawn bryd;
rhyfedd amynedd Duw
  ddisgwyliodd wrthym cyd:
aeth yn brynhawn, mae yn hwyrhau;
mae drws trugaredd heb ei gau.

Morgan Rhys (Caneuon Ffydd: 179)

Y Duw sy'n barod i ddisgwyl amdanom, y Duw amyneddgar wyt ti, a ninnau mor araf yn dysgu:

Araf iawn wyf fi i ddysgu,
amyneddgar iawn wyt ti;
mae dy ras yn drech na phechod –
aeth dy ras â'm henaid i;
paid rhoi 'fyny
nes im gyrraedd trothwy'r drws.

Elfed (*Caneuon Ffydd*: 710)

GWEDDÏAU

Duw amyneddgar yw Duw sy'n dal i ddisgwyl amdanom:

Am dy fod mor amyneddgar, y mae gobaith i ninnau. Pâr inni gofio dy hirymaros di, a phwyso ar dy ddaioni tuag atom, a'th awydd i ddwyn pawb i edifeirwch. Gofynnwn am ras i fyfyrio ar dy amynedd, i ymgadw rhag dy demtio, ac i beidio ag oedi cyn ymateb i ti. Gwna ni'n ystyriol o'r cariad tuag atom sydd wrth wraidd dy amynedd. Cadw ni rhag rhyfygu i gymryd mantais arno, a rhag tristáu dy Ysbryd Glân. Amen.

John Rice Rowlands

Dysg i ninnau fod yn bobl amyneddgar a diolch am y rhai sy'n amyneddgar efo ni:

Diolchwn hefyd am amynedd pobl: amynedd rhieni gyda'u plant; dyfalbarhad athrawon da gyda'u disgyblion; ffyddlondeb cyfeillion sy'n glynu mewn amgylchiadau sy'n rhoi prawf ar gyfeillgarwch; goddefgarwch rhai sy'n hŷn at ormod brys rhai sy'n ifanc; sirioldeb rhai sy'n ifanc wrth genhedlaeth hŷn sy'n amharod i newid; hynawsedd ambell un sy'n brofiadol o fyrbwylltra ambell un sy'n anwybodus; tiriondeb pobl rasol at rai sy'n anodd eu trin a'u trafod. Diolchwn yn arbennig am amynedd rhywrai tuag atom ninnau, yn wyneb ein harafwch a'n diffygion. Amen.

John Rice Rowlands

Cyffeswn ein diffyg amynedd gan gofio mor fawr ydi dy amynedd di tuag atom:

Cyffeswn ger dy fron ein diffyg amynedd. Rydym yn aml yn llawdrwm ar eraill, heb oddef ein gilydd mewn cariad. Cyfeiria ein calonnau 'at amynedd Crist', gan ein hatgoffa mai digon i ni dy ras di, a bod prawf ar ein ffydd 'yn magu dyfalbarhad'. Amen.

Peter Davies

Rydym yn cael ein galw i ddal ati i'r diwedd:

O Dduw, pan roddir i'th weision unrhyw orchwyl mewn unrhyw beth, pâr inni wybod hefyd nad y dechreuad sy'n bwysig ond y dyfalbarhad tan i'r gorchwyl gael ei gwblhau. Hyn sy'n dod â gwir ogoniant i'th enw. Amen.

Francis Drake

Gweddïwn am ymroddiad llwyr i efelychu Iesu Grist:

O Dad, cymorth ni i ddilyn esiampl Iesu Grist,
   i ymroi i'th wasanaethu di
   a'n cyd-ddyn yn dy enw.
Cymorth ni i'th wasanaethu yn ein gwaith beunyddiol
   trwy gysegru pob dawn a gallu sydd ynom i ti.
Cymorth ni i'th wasanaethu yn ein hymarweddiad a'n buchedd
   fel y bo'n bywydau yn dystiolaeth i ti.
Cymorth ni i'th wasanaethu yn dy eglwys
   trwy ymateb i'th alwad i fod yn bobl i ti.
Cymorth ni i'th wasanaethu
   trwy estyn cysur a chymorth i'n cyd-ddyn,
   a thrwy hynny gyflawni cyfraith Crist. Amen.

Elfed ap Nefydd Roberts

ADNODAU

Rhybudd Iago i'w bobl oedd iddynt fod yn amyneddgar a dal ati i weddïo:

Byddwch yn amyneddgar, gyfeillion, hyd ddyfodiad yr Arglwydd. Gwelwch fel y mae'r ffermwr yn aros am gynnyrch gwerthfawr y ddaear, yn fawr ei amynedd amdano nes i'r ddaear dderbyn y glaw cynnar a diweddar.

Iago 5: 7

Yn nameg y Gwas Anfaddeugar dymuniad y gwas oedd i'w feistr fod yn amyneddgar tuag ato:

Syrthiodd y gwas ar ei liniau o flaen ei feistr a dweud, 'Bydd yn amyneddgar wrthyf, ac fe dalaf y cwbl iti.'

Mathew 18: 26

Dyfalbarhad mewn gweddi oedd yn nodweddu dilynwyr Iesu yn Llyfr yr Actau:

Yr oedd y rhain oll yn dyfalbarhau yn unfryd mewn gweddi, ynghyd â rhai gwragedd a Mair, mam Iesu, a chyda'i frodyr.

Actau 1: 14

Y mae deallusrwydd yn eiddo i'r hwn sy'n amyneddgar:

Y mae digon o ddeall gan yr amyneddgar,
ond dyrchafu ffolineb a wna'r byr ei dymer.

Diarhebion 14: 29

Dal ati i gyflawni ewyllys Duw yw nod y Cristion ymhob oes:

Y mae angen dyfalbarhad arnoch i gyflawni ewyllys Duw a chymryd meddiant o'r hyn a addawyd.

Hebreaid 10: 36

Nodweddion gŵr Duw yw rhoi ei fryd ar dduwioldeb, ffydd, cariad, dyfalbarhad ac addfwynder:

Ond yr wyt ti, ŵr Duw, i ffoi rhag y pethau hyn, ac i roi dy fryd ar uniondeb, duwioldeb, ffydd, cariad, dyfalbarhad ac addfwynder.

1 Timotheus 6: 11

DYWEDIADAU A THRADDODIADAU

Aberth pob amynedd.

Amynedd yw mam pob doethineb.

Gall un eiliad o amynedd rwystro trychineb mawr ond gall un eiliad o ddiffyg amynedd ddinistrio bywyd.

Dihareb Chineaidd

Mae'n rhaid i ni ddisgwyl am Dduw am gyfnod hir, yn wylaidd, yn y gwynt a'r glaw, yn y mellt a'r taranau, yn yr oerni a'r tywyllwch. Aros, ond fe ddaw. Dydi o byth yn dod at y rhai sy'n ddiamynedd.

Frederick W. Faber

Nerth ydi amynedd; gydag amser ac amynedd bydd deilen y forwydden yn dod yn sidan.

Dihareb Chineaidd

Planhigyn chwerw ydi amynedd ond y mae'n dwyn ffrwyth melys.

Dihareb Almaenig

Man cychwyn pryder yw diwedd ffydd, a man cychwyn gwir ffydd ydi diwedd pryder.

George Mueller

Bendithion

Cyffeswn nad ydym bob amser yn gwerthfawrogi cyfoeth dy fendithion i ni.

Cyffeswn ein hamharodrwydd i werthfawrogi bendithion bywyd fel rhoddion gennyt ti.

Cymorth ni i gyfrif ein bendithion a thrwy hynny ddiolch i ti am dy haelioni.

EMYNAU

Gwaith y Cristion, hyd yn oed yn anterth y storm, yw cyfrif ei fendithion:

Pan wyt ar fôr bywyd ac o don i don,
pan fo ofni suddo yn tristáu dy fron,
cyfrif y bendithion, bob yn un ac un,
synnu wnei at gymaint a wnaeth Duw i ddyn.

Johnson Oatman cyf. T. G. Thomas (Caneuon Ffydd: 142)

Dibynnu ar Dduw a'i fendithion mae'r Cristion bob amser:

Mae d'eisiau di bob awr,
   fy Arglwydd Dduw,
daw hedd o'th dyner lais
   o nefol ryw.

Annie S. Hawks cyf. Ieuan Gwyllt (Caneuon Ffydd: 221)

Fel mae'n blynyddoedd yn byrhau deisyfwn am dy gwmni, dy drugaredd a'th fendith:

Pan fo'n blynyddoedd ni'n byrhau,
pan fo'r cysgodion draw'n dyfnhau,
tydi, yr unig un a ŵyr,
rho olau'r haul ym mrig yr hwyr.

T. Gwynn Jones (Caneuon Ffydd: 173)

Deisyfwn am fendith Duw dros holl dylwythau dyn er mwyn i bawb gael byw heb ofn:

Dragwyddol, hollalluog Iôr,
Creawdwr nef a llawr,
O gwrando ar ein gweddi daer
ar ran ein byd yn awr.

R. J. Derfel (*Caneuon Ffydd*: 809)

Y mae rhodd y cynhaeaf yn ernes o'th fendith di:

Bendithiaist waith ein dwylo,
coronaist lafur dyn,
dy dirion drugareddau
gyfrennaist i bob un;
rhoist had yn llaw yr heuwr,
rhoist i'r medelwr nerth
i gasglu'r trugareddau
sydd inni'n gymaint gwerth.

William Thomas (*Caneuon Ffydd*: 86)

Gofynnwn am fendith Duw drwy oriau'n hoes ac yn awr ein hangau:

Mae'r Brenin yn y blaen,
'rŷm ninnau oll yn hy,
ni saif na dŵr na thân
o flaen ein harfog lu;
ni awn, ni awn dan ganu i'r lan,
cawn weld ein concwest yn y man.

William Williams (*Caneuon Ffydd*: 80)

GWEDDÏAU

Yn nhawelwch y funud dyma gyfle i ni bwyso a mesur a chyfrif ein bendithion:

O! Dduw, ffynnon bywyd a gwreiddyn pob daioni, deuwn i mewn i'th byrth â diolch, ac i'th gynteddau â mawl. Diolchwn am yr awr dawel hon yn dy dŷ, pan gawn gyfle i edrych ar ein bywyd a chyfrif ein bendithion. Rho gymorth inni sylwi ar bethau a gymerwn mor ganiataol yn ein bywyd prysur, a myfyrio ar eu hystyr. Pan wnawn ni hynny, fe fydd ein tafod a'n calon yn dweud:

'Fy enaid, bendithia'r Arglwydd, a phaid ag anghofio'i holl ddoniau.' Amen.

John Rice Rowlands

Diolchwn am dy roddion a ddaeth â bendith i ni:

Bendithiwn di am iti'n creu i fyw gyda'n gilydd, am gwmni ar daith bywyd, am fywyd teulu ac aelwydydd dedwydd, am bawb a fu'n gofalu amdanom trwy'n hoes, ac am bawb y cawsom ninnau ofalu amdanynt, am gyfeillion a chydnabod a ddaeth â llawenydd a chyfoeth i'n bywyd, am bawb a fu'n ddylanwad arnom, yn agor ein llygaid, ac yn cyfeirio'n llwybrau. Bendithiwn di am bopeth a roddodd inni flas ar fyw, harddwch a rhyfeddod y cread o'n cwmpas, campweithiau meddwl a dychymyg dyn, pob crefft a chelfyddyd, llyfrau a llenyddiaeth, cerddoriaeth ac arlunio, doniau a roed i'r ddynoliaeth i ddarganfod ac i ddyfeisio, a phob mynegiant o'r ysbryd creadigol. Amen.

John Rice Rowlands

Deisyfwn am yr amrywiaeth doniau a roddir i ni trwy'r Ysbryd Glân:

Diolchwn i ti am rodd yr Ysbryd Glân, dy Ysbryd sy'n rhoi bywyd, ac yn galluogi dy blant i lefain, 'Abba! Dad!' Molwn di am 'ffrwyth yr Ysbryd', ac am yr 'amrywiaeth doniau' y mae'r Ysbryd yn eu rhoi i bob un, er lles pawb. Amen.

Peter Davies

Boed i fendith Iesu'r Mab fod yn eiddo i ni:

Bydded i fendith y Mab fod gyda chi,
y gwin a'r dŵr,

y bara a'r straeon
i'ch bwydo
a'ch atgoffa. Amen.

Gweddiau Amrywiol

Gweddïwn ar i fendith y ddaear fawr gron fod yn eiddo i ni:

Boed i fendith y ddaear fod arnat –
y ddaear fawr gron –
fel y bydd cyfarchiad caredig pawb
fydd yn cerdded ei llwybrau
yn llonni dy galon.
Boed i'r Arglwydd dy fendithio
a'th fendithio'n hael. Amen.

Hen Fendith Wyddelig

ADNODAU

Gweithred olaf Iesu cyn ei Ddyrchafael oedd bendithio ei ddisgyblion:

Wrth iddo'u bendithio, fe ymadawodd â hwy ac fe'i dygwyd i fyny i'r nef.

Luc 24: 51

Roedd y rhieni yn dod â'u plant at Iesu i'w bendithio:

A chymerodd hwy yn ei freichiau a'u bendithio, gan roi ei ddwylo arnynt.

Marc 10: 16

Mae'r hynafgwr Simeon yn derbyn Iesu ac yn bendithio ei rieni:

Yna bendithiodd Simeon hwy, a dywedodd wrth Fair ei fam, "Wele, gosodwyd hwn er cwymp a chyfodiad llawer yn Israel, ac i fod yn arwydd a wrthwynebir;"

Luc 2: 34

Yn y wledd ar yr aelwyd yn Emaus mae Iesu'n bendithio'r bara:

Wedi cymryd ei le wrth y bwrdd gyda hwy, cymerodd y bara a bendithio, a'i dorri a'i roi iddynt.

Luc 24: 30

Yn ôl rheolau'r bywyd Cristnogol mae gofyn i ni fendithio y rhai sy'n ein herlid:

Bendithiwch y rhai sy'n eich erlid, bendithiwch heb felltithio byth.

Rhufeiniaid 12: 14

Y mae Duw yng Nghrist wedi'n bendithio â phob bendith ysbrydol:

Bendigedig fyddo Duw a Thad ein Harglwydd Iesu Grist! Y mae wedi'n bendithio ni yng Nghrist â phob bendith ysbrydol yn y nefolion leoedd.

Effesiaid 1: 3

DYWEDIADAU A THRADDODIADAU

Yn yr Hen Destament ceir y cysyniad o Dduw yn ein bendithio â rhoddion, ond mae'r fendith yn y Testament Newydd yn rhagori am ei bod yn rhodd gwbl unigryw, sef y Crist Byw.

Molwch Dduw gan fod pob bendith yn deillio ohono ef.

Thomas Ken

Cofiwch: O'r un genau y mae bendith a melltith yn dod.

Mae bendithion addoli yn puro, yn goleuo ac yn y diwedd yn trawsffurfio pob bywyd a ddaw o dan ei ddylanwad.

Mae'r gair Lladin *benedicere* yn golygu siarad yn dda am rywbeth. Yn y greadigaeth mae Duw wedi siarad yn dda trwy'r Gair. Y Gair hwn a roddodd ystyr ac arwyddocâd i'r greadigaeth.

Boed i'r amgylchfyd cyfan ein bendithio:

Bydded i oleuni'r awyr roi gobaith i chwi.
Bydded i sŵn y moroedd eich symbylu.
Bydded i arogl y ddaear eich amgylchynu â llawenydd.
Bydded i Dduw yr holl greadigaeth
eich bendithio drwy eich holl ddyddiau.

John Johansen-Berg

Rho i mi orffwys tawel, diogel ac adfywiol ynot ti:

Dad nefol,
cymer fy nghorff lluddedig,
fy meddwl dryslyd,
a'm henaid aflonydd i'th freichiau,
a rho i mi orffwys –
gorffwys tawel, diogel ac adfywiol ynot ti.

Anhysbys

Boed i fendith yr hwn sy'n ein hadnabod ein cynnal heddiw:

Bendith, llawenydd a chariad a fo i ni
oddi wrth Dduw ein Tad,
sy'n ein henwi, ein cadw ac yn ein cynnal yn ei law,
y dydd hwn, yr awr hon, y foment hon
ac yn oes oesoedd.

Cymuned Iona

Gweddi hwyrol a gweddi ar ddiwedd y daith:

Yna, Arglwydd, yn dy drugaredd, dyro inni lety diogel, gorffwysfa
sanctaidd, a thangnefedd yn y diwedd, trwy Iesu Grist ein Harglwydd.
Amen.

Gweddi Hwyrol

Y Greadigaeth

O Dduw, mor brydferth a gogoneddus yw dy greadigaeth:
Ti yw brenin creadigaeth
Ti yw awdur iachawdwriaeth
Plygwn yn wylaidd ger dy fron a hynny mewn rhyfeddod.

EMYNAU

Y Duw a greodd yw'r Duw sy'n cynnal:

Arglwydd mawr y nef a'r ddaear,
  ffynnon golud pawb o hyd,
arnat ti dibynna'r cread,
  d'ofal di sy'n dal y byd;
am gysuron a bendithion,
  cysgod nos a heulwen dydd,
derbyn ddiolch, derbyn foliant
  am ddaioni rhad a rhydd.

J. Lloyd Humphreys (*Caneuon Ffydd*: 93)

Y Llywiwr a'r Crëwr, ti yw grym y cread a grym ein bywyd ni:

Ti sy'n llywio rhod yr amser
  ac yn creu pob newydd ddydd,
gwrando, Iôr, ein deisyfiadau
  a chryfha yn awr ein ffydd:
ynot y cawn oll fodolaeth,
  ti yw grym ein bywyd ni,
'rwyt Greawdwr a Chynhaliwr,
  ystyr amser ydwyt ti.

W. Rhys Nicholas (*Caneuon Ffydd*: 100)

Boed i'n harbrofion fod yn foddion i'th ddatgelu di a thrwy hynny boed i'r darlun ddod yn gliriach:

Arglwydd mawr y cyfrinachau,
ti yw saer terfynau'r rhod,
artist cain yr holl ddirgelion
a chynlluniwr ein holl fod:
creaist fywyd o ronynnau
a rhoi chwyldro yn yr had;
rhannu, Iôr, wnest ti o'th stordy
amhrisiadwy olud rhad.

Dafydd Whittall (*Caneuon Ffydd*: 101)

Yn amrywiaeth ac ysblander y byd o'n cwmpas clodforwn yr anhraethol Dduw:

Glendid maith y cread, syndod ei ddieithrwch,
gwyrth ein daear fechan, rhyfeddod bod a byw,
diolch am gael profi yn y dwys ddirgelwch
ras a gogoniant yr anhraethol Dduw.

W. T. Pennar Davies (*Caneuon Ffydd*: 123)

Am brydferthwch pob awr, prydferthwch y cread a phrydferthwch teulu a chyfeillion diolchwn i Dduw:

Am brydferthwch daear lawr,
am brydferthwch rhod y nen,
am y cariad rhad bob awr
sydd o'n cylch ac uwch ein pen,
O Dduw graslon, dygwn ni
aberth mawl i'th enw di.

F. S. Pierpoint *cyf.* John Morris-Jones (*Caneuon Ffydd*: 104)

Ystyriwn fyd heb blanhigion, byd heb anifeiliaid, byd heb bobl a byd heb neb i'w garu a maddau iddo:

Meddwl am fyd heb flodyn i'w harddu,
meddwl am wlad heb goeden na llwyn,
meddwl am awyr heb haul yn gwenu,

meddwl am wanwyn heb awel fwyn:
diolchwn, Dduw, am goed a haul a blodau,
diolchwn, Dduw, rhown glod i'th enw di.

Doreen Newport *cyf.* Siân Rhiannon (*Caneuon Ffydd*: 869)

GWEDDÏAU

Dyma gyfle i ni lonyddu a dysgu rhyfeddu at ryfeddod y greadigaeth:

O! Dduw, creawdwr a chynhaliwr pob peth byw, trown atat yn awr i fyfyrio o'r newydd ar waith dy fysedd.

Diolchwn am y gallu i ryfeddu at brydferthwch a gogoniant y cread; ac i ryfeddu dy fod ti, O! Dduw, wedi ein creu ni, a'n creu ychydig is na'r angylion, a'n creu i fyw er gogoniant i'th enw.

Ategwn eiriau'r salmydd pan ddywed, 'Y mae dy weithredoedd yn rhyfeddol', a 'Mawr yw gweithredoedd yr Arglwydd, fe'u harchwilir gan bawb sy'n ymhyfrydu ynddynt'. Amen.

Dewi Roberts

Yn y dechreuad yr oedd y Gair gyda Duw:

Cydnabyddwn fod pob peth wedi ei greu trwy Iesu Grist, 'ac er ei fwyn ef'. Ef yw'r Gair oedd 'yn y dechreuad gyda Duw', ac wrth enw Iesu fe blyg 'pob glin yn y nef ac ar y ddaear a than y ddaear'. Ef yw 'cyntaf anedig yr holl greadigaeth', ac ynddo ef y caiff yr holl greadigaeth ei dwyn i undod. Amen.

Peter Davies

Sylweddolwn fod y cyfrifoldeb wedi'i osod arnom i fod yn stiwardiaid y cread:

Ond wrth ddiolch am dy ofal trosom, a thros dy greaduriaid lleiaf, boed inni weld y cyfrifoldeb sydd wedi ei osod arnom fel stiwardiaid dy greadigaeth. Oblegid rhoist inni 'awdurdod ar waith dy ddwylo'. Gresynwn nad ydym wedi defnyddio'r awdurdod hwn yn y modd gorau bob amser. Yn wir, yr ydym wedi camddefnyddio a difetha dy greadigaeth.

Yr ydym wedi bod yn wastrafflyd a thrachwantus yn ein defnydd o adnoddau'r ddaear. Amen.

Dewi Roberts

Maddau i ni am gam-drin a difwyno'r ddaear:

Greawdwr Dduw,
    diolchwn iti am rodd y blaned daear,
    am harddwch dydd yn ei ddisgleirdeb,
    am fedru gorffwys y nos mewn tywyllwch.

Rydym yn cyfaddef na fuom yn deilwng o'th rodd;
    rydym wedi difwyno'r ddaear
    a gawsom yn etifeddiaeth;
    rydym wedi anwybyddu deddfau iechyd natur;
    rydym wedi anufuddhau i'th air.
Maddau inni a chynorthwya ni i gymryd gwell gofal
    o'n cartrefle cyffredin, y fam ddaear. Amen.

John Johansen-Berg

Diolchwn am yr harddwch sydd o'n cwmpas yn wastadol:

Dduw byw,
    diolchwn i ti am harddwch y ffurfafen,
    am yr eangderau maith uwch ein pennau,
    am gymylau yn haenau
    wedi eu pentyrru'n uchel yn y nefoedd,
    am ogoniant tanllyd y machlud,
    am anadl bywyd mewn aer pur. Amen.

John Johansen-Berg

ADNODAU

Neges ganolog y Beibl o'r dechrau yw mai Duw yw'r Creawdwr. Nid dadl ond ffaith:

Yn y dechreuad creodd Duw y nefoedd a'r ddaear.

Genesis 1: 1

Mynegi mae'r Salm hon mai Duw piau pob peth:

Eiddo'r ARGLWYDD yw'r ddaear a'i llawnder,
y byd a'r rhai sy'n byw ynddo;

Salm 24: 1

Mae Duw wedi rhoi i ni ddoniau i ofalu am y greadigaeth:

Rhoist iddo awdurdod ar waith dy ddwylo,
a gosod popeth dan ei draed:
defaid ac ychen i gyd,
yr anifeiliaid gwylltion hefyd,
adar y nefoedd, a physgod y môr,
a phopeth sy'n tramwyo llwybrau'r dyfroedd.

Salm 8: 6–8

Mae'n ofynnol i ni ddefnyddio'r rhoddion a'r doniau fel stiwardiaid cyfrifol:

Bydded i bob un ein cyfrif ni fel gweision Crist a goruchwylwyr dirgelion Duw. Yn awr, yr hyn a ddisgwylir mewn goruchwylwyr yw eu cael yn ffyddlon.

1 Corinthiaid 4: 1–2

Ti yn unig sy'n teilyngu'r clod a'r mawl am y greadigaeth gyfan:

"Teilwng wyt ti, ein Harglwydd a'n Duw,
i dderbyn y gogoniant a'r anrhydedd a'r gallu,
oherwydd tydi a greodd bob peth,
a thrwy dy ewyllys y daethant i fod ac y crewyd hwy."

Datguddiad 4: 11

Mae cymorth i'r unigolyn yn treiddio o haelioni Creawdwr nefoedd a daear:

Codaf fy llygaid tua'r mynyddoedd;
o ble y daw cymorth i mi?

Salm 121: 1

DYWEDIADAU A THRADDODIADAU

Byd Duw yw hwn fel y gall dyn gydweithio â Duw ynddo a thrwyddo. Does dim rhaid i ddyn chwilio neu ddisgwyl am fyd arall er mwyn gallu ymgysegru i Dduw a'i wasanaethu. Gall ddefnyddio pethau'r byd hwn i wasanaethu cyd-ddyn, a gogoneddu Duw trwy wneud hynny.

Duw a phob daioni

Syndod a rhyfeddod yw sylfaen pob addoliad.

Duw a'i gwnaeth; ninnau a ryfeddwn.

Dihareb Sbaenaidd

Mae Duw y Creawdwr yn abl i wneud popeth ond fedr O ddim plesio pawb.

Duw greodd y wlad a dyn greodd y dref ac mae'r gwahaniaeth yn amlwg.

Vance Havner

Creodd Duw'r byd o ddim, a thra byddwn ninnau'n ddim gall wneud rhywbeth ohonom ni.

Martin Luther

223

Gwirionedd

O Arglwydd rho inni lygaid gwan ar gyfer pethau dibwys a llygaid clir ar gyfer dy holl wirionedd di. Amen.

Søren Kierkegaard

EMYNAU

Yng Nghrist cyfunir cyfiawnder, tangnefedd, trugaredd a gwirionedd:

Trugaredd a gwirionedd
    yng Nghrist sy nawr yn un,
cyfiawnder a thangnefedd
    ynghyd am gadw dyn:
am Grist a'i ddioddefiadau,
    rhinweddau marwol glwy',
y seinir pêr ganiadau
    i dragwyddoldeb mwy.

Roger Edwards (*Caneuon Ffydd*: 331)

Arwain ni i droedio dy ffordd di; y ffordd anghymharol:

O Iesu, y ffordd ddigyfnewid
    a gobaith pererin di-hedd,
O tyn ni yn gadarn hyd atat
    i ymyl diogelwch dy wedd;
dilea ein serch at y llwybrau
    a'n gwnaeth yn siomedig a blin,
ac arwain ein henaid i'th geisio,
    y ffordd anghymharol ei rhin.

W. Rhys Nicholas (*Caneuon Ffydd*: 342)

Nid moethusrwydd yw ein nod ond calon lân a gonest:

Nid wy'n gofyn bywyd moethus,
   aur y byd na'i berlau mân,
gofyn 'rwyf am galon hapus,
   calon onest, calon lân.

        Gwyrosydd (*Caneuon Ffydd*: 780)

Iesu yw'r un sy'n gallu'n codi a'n harwain trwy'r dyrys anialwch:

Arglwydd, arwain drwy'r anialwch
   fi, bererin gwael ei wedd,
nad oes ynof nerth na bywyd,
   fel yn gorwedd yn y bedd:
      hollalluog
ydyw'r Un a'm cwyd i'r lan.

        William Williams (*Caneuon Ffydd*: 702)

Ni all y byd ein bodloni bellach. Digon yw syllu ar ei Berson a chodi'r groes:

Ni ddichon byd a'i holl deganau
   fodloni fy serchiadau nawr,
a enillwyd, a ehangwyd
   yn nydd nerth fy Iesu mawr;
ef, nid llai, a all eu llenwi
   er mor ddiamgyffred yw,
O am syllu ar ei Berson,
   fel y mae yn ddyn a Duw.

        Ann Griffiths (*Caneuon Ffydd*: 722)

Iesu sy'n galw ac mae'n awyddus i roi bywyd amgenach i ni:

Mi glywais lais yr Iesu'n dweud,
   "Tyrd ataf fi yn awr,
flinderog un, cei ar fy mron
   roi pwys dy ben i lawr."

Mi ddeuthum at yr Iesu cu
yn llwythog, dan fy nghlwyf;
gorffwysfa gefais ynddo ef
a dedwydd, dedwydd wyf.

Horatius Bonar *cyf. Y Caniedydd Cynulleidfaol Newydd* (*Caneuon Ffydd*: 774)

GWEDDÏAU

O Dduw rwyt ti wedi dangos dy hun i ni er mwyn i ni rodio yn y gwirionedd:

Clodforwn di, 'y digelwyddog Dduw', am fod 'd'eiriau di yn wir'. 'Gwir yw gair yr Arglwydd,' ac nid oes ansicrwydd yn perthyn i ti. 'Y mae dy holl orchymynion yn wirionedd,' ac 'yr wyt yn dymuno gwirionedd oddi mewn.' 'O! Arglwydd, dysg i mi dy ffordd, i mi rodio yn dy wirionedd; rho i mi galon gywir i ofni dy enw'. 'Arglwydd, pwy a gaiff aros yn dy babell? Pwy a gaiff fyw yn dy fynydd sanctaidd? Yr un sy'n byw'n gywir, yn gwneud cyfiawnder, ac yn dweud gwir yn ei galon.' Amen.

Peter Davies

Cadw ni a'n hetifeddiaeth yn lân a dilychwin:

O! Arglwydd ein Duw, yr hwn wyt gyfiawn a sanctaidd, ac a geisi gariad a gwirionedd oddi mewn, llanw ninnau â'r pethau hyn, gan ein nerthu i ymwrthod â phob cymhelliad hunanol. Symud ymaith o'n bywyd, ac o fywyd ein gwlad, bob anonestrwydd a thwyll. Cadw'r cyfoethog a'r breintiedig rhag anwybyddu anghenion y gwan a'r tlawd. Bydd di, Arglwydd, yn swcwr i bob person diamddiffyn. Bydded i egwyddorion dy deyrnas fod yn rhan o holl weithrediadau ein llywodraeth, a holl arferion y farchnad ariannol. Amen.

Dewi Roberts

Ymhyfrydwn yn y bywyd uniawn a cherddwn y ffordd honno gydol ein bywydau:

Gad inni brofi o'r newydd flas gorfoledd y bywyd uniawn. Tywallt dy oleuni a'th wirionedd i'n calon fel y rhodiwn dy lwybrau di holl ddyddiau ein bywyd, ac y cawn ein dwyn yn ddiogel i'th drigfan sanctaidd. Amen.

Dewi Roberts

Cod ni uwchlaw difrïo eraill i wynebu 'llawenydd yr olaf yn gyntaf a'r cyntaf yn olaf':
Tro ni, O Dduw,
pan demtir ni i wawdio'n gilydd,
pan chwarddwn am obeithion a breuddwydion un arall,
pan dorrwn y gorsen ysig neu pan ddiffoddwn y fflam wan.
Tro ni, O Dduw,
nes inni wybod llawenydd yr olaf yn dod yn gyntaf, a'r cyntaf yn olaf,
nes inni brofi'r gwirionedd
bod y rheiny sy'n colli eu bywyd er mwyn yr Efengyl yn ei gael ef.
Amen.

Cyngor Eglwysi'r Byd

O gadw at y gwirioneddau bydd y fuddugoliaeth yn eiddo i ni:

Daioni sy'n gryfach na drygioni;
Cariad sy'n gryfach na chasineb;
Goleuni sy'n gryfach na thywyllwch;
Bywyd sy'n gryfach na marwolaeth;
Ni biau'r fuddugoliaeth drwyddo ef sy'n ein caru. Amen.

Desmond Tutu

ADNODAU

Dau beth mae'r Salmydd yn eu chwennych – goleuni a gwirionedd:

Anfon dy oleuni a'th wirionedd,
bydded iddynt fy arwain,
bydded iddynt fy nwyn i'th fynydd sanctaidd
ac i'th drigfan.

Salm 43: 3

Arwain a dysg fi ar hyd y ffordd er mwyn i mi gael byw yn y gwirionedd:

O ARGLWYDD, dysg i mi dy ffordd,
imi rodio yn dy wirionedd;
rho imi galon unplyg i ofni dy enw.

Salm 86: 11

Yn yr ymgnawdoliad daeth y Gair, a oedd yn y dechreuad, i breswylio ymhlith pobl yn llawn gras a gwirionedd:

A daeth y Gair yn gnawd a phreswylio yn ein plith, yn llawn gras a gwirionedd; gwelsom ei ogoniant ef, ei ogoniant fel unig Fab yn dod oddi wrth y Tad.

Ioan 1: 14

Cafodd Thomas ateb triphlyg i'w gwestiwn – y ffordd, y gwirionedd a'r bywyd:

Dywedodd Iesu wrtho, "Myfi yw'r ffordd a'r gwirionedd a'r bywyd. Nid yw neb yn dod at y Tad ond trwof fi."

Ioan 14: 6

Pan ddaw tywalltiad o'r Ysbryd bydd hwn yn eich arwain i ddeall y gwirionedd:

Ond pan ddaw ef, Ysbryd y Gwirionedd, fe'ch arwain chwi yn yr holl wirionedd. Oherwydd nid ohono'i hun y bydd yn llefaru; ond yr hyn a glyw y bydd yn ei lefaru, a'r hyn sy'n dod y bydd yn ei fynegi i chwi.

Ioan 16: 13

Yn Iesu roedd rhyw wirionedd oedd yn parhau yn gryn ddirgelwch i Pilat:

Meddai Pilat wrtho, "Beth yw gwirionedd?"
Wedi iddo ddweud hyn, daeth allan eto at yr Iddewon ac meddai wrthynt, "Nid wyf fi'n cael unrhyw achos yn ei erbyn."

Ioan 18: 38

DYWEDIADAU A THRADDODIADAU

Pan ofynnodd Pilat ei gwestiwn i Iesu, 'Beth yw gwirionedd?' fe sylweddolodd am y tro cyntaf cymaint yr oedd wedi ei golli. Pwy a ŵyr nad oedd Pilat, o fod yng nghwmni Iesu, wedi gweld a theimlo'r gwirionedd. Ond doedd ganddo mo'r dewrder i sefyll ac ochri gydag Iesu. A chollodd ei gyfle am byth.

Nid map a chwmpawd mae Iesu'n roi i'w ddisgyblion, ond ei bresenoldeb. Er na fyddai'r disgyblion yn ei weld mwyach fe fyddai Iesu gyda nhw ar y daith.

Dydi Cristnogion ddim yn cael atebion clir a phendant i'w cwestiynau bob amser – er bod rhai yn credu mai felly y mae hi. Ceisiwch y gwirionedd, a gochelwch y rhai sydd bob amser yn iawn ac yn siŵr o'u pethau.

Mewn Cristnogaeth, nid chwilio am wirionedd y mae dyn, ond credu iddo eisoes ei gael. Nid dyn sy'n chwilio am Dduw, ond pechadur yn credu i Dduw chwilio amdano ef a'i gael.

J. E. Daniel

Plant gwirionedd yw hen ddiarhebion.

Nid hawdd gwybod y cyfan
nid hawdd amau gwirionedd
nid hawdd cadarnhau celwydd.

Addoli

Ystyr addoli yw dwysbigo'r gydwybod â sancteiddrwydd Duw,
porthi'r meddwl ar wirionedd Duw,
puro'r dychymyg gan brydferthwch Duw,
agor y galon i gariad Duw,
plygu'r ewyllys i bwrpas Duw.

William Temple

EMYNAU

Elfen hanfodol o bob addoliad yw plygu'n wylaidd ger dy fron:

Ymgrymwn oll ynghyd i lawr
gerbron gorseddfainc gras yn awr;
â pharchus ofn addolwn Dduw;
mae'n weddus iawn – awr weddi yw.

Casgliad Robert Jones (Caneuon Ffydd: 12)

Dyrchafu mawredd Duw yw man cychwyn addoliad:

Addolwn Dduw, ein Harglwydd mawr,
mewn parch a chariad yma nawr;
y Tri yn Un a'r Un yn Dri
yw'r Arglwydd a addolwn ni.

Gwyllt y Mynydd (Caneuon Ffydd: 14)

Ymhob addoliad fe ddaw bendith newydd ynghyd â chyfoethogi a sancteiddio bywyd:

Cyfoethoga â'th feddyliau
ein meddyliau ni, bob un,
a sancteiddia di ein bywyd
yn dy fywyd di dy hun,
ynddo i aros
yn oes oesoedd er dy glod.

Derwyn Jones (Caneuon Ffydd: 21)

Y gwan a'r gwylaidd sy'n plygu ac yn dyheu am arweiniad newydd:

Wel dyma hyfryd fan
  i droi at Dduw,
lle gall credadun gwan
  gael nerth i fyw:
fry at dy orsedd di
'rŷm yn dyrchafu'n cri;
O edrych arnom ni,
  a'n gweddi clyw!

Frances J. Van Alstyne efel. Watcyn Wyn (Caneuon Ffydd: 36)

Mae campwaith a godidowgrwydd y cread yn anfon dyn ar ei liniau i ddiolch:

Tydi sy deilwng oll o'm cân,
  fy Nghrëwr mawr a'm Duw;
dy ddoniau di o'm hamgylch maent
  bob awr yr wyf yn byw.

David Charles (Caneuon Ffydd: 64)

Yng nghwmni Duw ac yn ei gysgod y teimlwn rym yr awelon peraidd:

Y mae syched ar fy nghalon
  heddiw am gael gwir fwynhau
dyfroedd hyfryd ffynnon Bethlem –
  dyfroedd gloyw sy'n parhau;
    pe cawn hynny
'mlaen mi gerddwn ar fy nhaith.

William Williams (Caneuon Ffydd: 708)

GWEDDÏAU

Rho yn ein calonnau yr awydd i'th ganmol a'th glodfori:

Diolchwn i ti, ein Tad, am y gallu i addoli, a rhyfeddwn at ba mor barod wyt ti i dderbyn ein haddoliad. Cofiwn mai creaduriaid syrthiedig ydym, ac eto gwyddom nad oes dim yn fwy hyfryd gennyt ti na sŵn moliant dy bobl. Rho yn ein calonnau ni felly yr awydd i'th ganmol, ac agor ein meddyliau i dderbyn dy wirionedd. Amen.

Elwyn Richards

Gwyliwn rhag ofn i ni gyfyngu arnat a'th gaethiwo trwy ein geiriau a'n delweddau ohonot ti:

O! Dduw, rho inni'r doethineb yn awr i ymatal rhag ceisio dy rwydo mewn geiriau, ymaflyd ynot â'n meddwl, caethiwo dy ryfeddod â'n syniadau'n hunain. Yn hytrach, gad inni syllu arnat, a gad i'r syllu hwnnw droi'n adnabyddiaeth, a'r adnabyddiaeth yn fawl. Gwared ni rhag llefaru geiriau gwag a bodloni ar hen ddelweddau, arbed ni rhag llygru dy burdeb â'n pechod, a rho inni'r wefr honno a deimla'r sawl a ddaw i undeb bywiol â thydi. Amen.

Elwyn Richards

Boed i ni trwy ein haddoliad fod yn ddilynwyr gwell a mwy beiddgar i ti:

A thrwy'r orig hon o addoliad deisyfwn ar iti ein bywiocáu yn ein hysbryd fel y byddwn yn dy wasanaethu di'n ffyddlonach yn ein bywyd beunyddiol, ac yn derbyn sêl newydd i anrhydeddu dy enw ar y ddaear. Yn wir, dymunwn i ti ein tanio ni o'r newydd â thân dy Lân Ysbryd. Boed inni brofi dy sêl di yn llosgi yn ein calon, sêl megis ein Harglwydd Iesu Grist yn glanhau y deml, yn pregethu'r newyddion da i'r tyrfaoedd, yn iacháu'r cleifion, ac yn rhoddi ei einioes yn bridwerth dros lawer. Amen.

Dewi Roberts

Boed i'r awydd i'th geisio droi'n ymdrech a'r ymdrech yn addoliad:

Creaist ni i fod mewn perthynas â thi
a phlenaist ynom awydd i'th geisio;
gad i'r awydd droi yn ymdrech,
yr ymdrech yn addoliad,
a'r addoliad yn fendith i'n heneidiau
ac yn offrwm o fawl i ti. Amen.

Elfed ap Nefydd Roberts

232

Mae addoli'n golygu canolbwyntio arnat ti a'th ddyrchafu:

Rwy'n troi fy meddyliau yn dawel, O Dduw, i ffwrdd oddi wrthyf fy hunan atat ti. Rwy'n dy addoli di. Rwy'n dy ganmol di. Rwy'n diolch i ti. Rwy'n troi yma oddi wrth y bywyd twymynol hwn er mwyn ystyried dy sancteiddrwydd – dy gariad – dy serenedd – dy lawenydd – dy benderfynoldeb enfawr – dy ddoethineb – dy harddwch – dy wirionedd – dy hollalluowgrwydd terfynol. Yn araf rwy'n sibrwd y geiriau mawrion hyn amdanat ti a gadael i'w teimlad a'u pwysigrwydd suddo i mewn i fannau dyfnion fy meddwl. Amen.

Leslie D. Weatherhead

ADNODAU

Cam cyntaf pob addoliad yw plygu; y bach yn plygu gerbron y mawr:

Dewch, addolwn ac ymgrymwn,
plygwn ein gliniau gerbron yr ARGLWYDD a'n gwnaeth.

Salm 95: 6

Down yn llawen i bresenoldeb Duw:

Addolwch yr ARGLWYDD mewn llawenydd,
dewch o'i flaen â chân.

Salm 100: 2

Beth ddylai ein hagwedd fod wrth i ni nesáu at Dduw?

Gwylia dy droed pan fyddi'n mynd i dŷ Dduw. Y mae'n well nesáu i wrando nag offrymu aberth ffyliaid, oherwydd nid ydynt hwy'n gwybod eu bod yn gwneud drwg.

Pregethwr 5: 1

Gweddïwn nes bod y chwys yn llifo a hynny drwy'r nos ac ar doriad gwawr:

Deisyfaf di â'm holl galon drwy'r nos,
a cheisiaf di'n daer gyda'r wawr;
oherwydd pan fydd dy farnedigaethau yn y wlad,
bydd trigolion byd yn dysgu cyfiawnder.

Eseia 26: 9

Ydi'r dyhead am Dduw yn llenwi ein bywydau?

Fel y dyhea ewig am ddyfroedd rhedegog,
felly y dyhea fy enaid amdanat ti, O Dduw.

Salm 42: 1

Mae'r addolwr yn plygu gerbron yr un sanctaidd:

Pwy nid ofna, Arglwydd,
a gogoneddu dy enw?
Oherwydd tydi yn unig sydd sanctaidd.
Daw'r holl genhedloedd
ac addoli ger dy fron,
oherwydd y mae dy farnedigaethau cyfiawn wedi eu hamlygu.

Datguddiad 15: 4

DYWEDIADAU A THRADDODIADAU

Y peth cyntaf sy'n digwydd mewn addoliad Cristnogol yw ein bod yn cydnabod mawredd a sancteiddrwydd Duw ac ymateb iddo wedyn mewn gwasanaeth ac ufudd-dod. Felly, nid rhywbeth sy'n digwydd am awr ar y Sul yn unig ydi addoli; mae'n ymwneud â bywyd yn ei gyfanwaith bob dydd o'n bywyd.

Wrth i ni ddyrchafu a mawrygu Duw, a'i gydnabod yn Arglwydd, fe gawn ni ein hunain ein dyrchafu. Mae Duw yn ein codi ato'i hun ac yn tywallt yr elfennau sy'n perthyn iddo ef arnom ni.
Mae addoli yn ein gwneud yn Dduw-debyg.

Gwir agwedd yr addolwr ger bron Duw yw distawrwydd gwrandawgar.

A dyma felly'r prif elfennau yng ngweddi'r Cristion ar hyd y canrifoedd, sef addoliad, deisyfiad, cyffes, eiriolaeth, mawl a diolchgarwch. ... Onid teg yw cydnabod mai'r ffurf aruchelaf ar ein haddoliad o Dduw yw mudandod sanctaidd?

Nid rheol ddiogelwch ydyw addoli Duw; antur yr ysbryd ydyw.

A. N. Whitehead

Y Rhai sy'n Gofalu

O wybod bod Duw yn cynnal ei greadigaeth ac yn gofalu am adar yr awyr a blodau'r maes, gallwn ollwng ein holl ofalon a'n pryderon arno ef ac ymddiried ein hunain i'w ofal.

EMYNAU

Erfyniwn am nerth i gario beichiau'n brodyr a'n chwiorydd sydd mewn angen:

Rho imi nerth i wneud fy rhan,
  i gario baich fy mrawd,
i weini'n dirion ar y gwan
  a chynorthwyo'r tlawd.

E. A. Dingley cyf. Nantlais (Caneuon Ffydd: 805)

Gwyliwn nad ydym yn cau ein llygaid ar angen mawr y byd:

Cofia'r newynog, nefol Dad,
filiynau llesg a thrist eu stad
sy'n llusgo byw yng nghysgod bedd,
ac angau'n rhythu yn eu gwedd.

Tudor Davies (Caneuon Ffydd: 816)

Gwaith y Cristion ymhob oes yw arddangos cariad ac estyn balm i iro'r briwiau:

O Arglwydd, gwna ni'n ffyddlon
  i gyd-ddyn ymhob gwlad,
a'n gweddi ddwys fo'n gyson
  am fron heb ddig na brad;
enynner ynom gariad
  yn awr ym more'r daith
i estyn balm Gilead
  i deulu'r clwyf a'r graith.

T. Elfyn Jones (Caneuon Ffydd: 831)

Gwae'r eglwys o fyw yn esmwyth tra mae'r byd yn gwaedu:

Llifed cariad pen Calfaria
  drwy dy Eglwys ato ef;
a'th diriondeb di dy hunan
  glywo'r truan yn ei llef:
dysg hi i ofni byw yn esmwyth
  gan anghofio'r byd a'i loes,
nertha hi i dosturio wrtho
  a rhoi'i hysgwydd dan ei groes.

W. Pari Huws (Caneuon Ffydd: 839)

Mae gwaedd y dolurus yn gofyn am ymateb o dosturi a gras:

A glywaist ti waedd yr anghenus
  o'i dlodi yn anterth ei drin?
Mae'n ymbil o galon ddolurus
  am nerth a chynhaliaeth i'r blin:
ymateb i'w gri yn drugarog,
  rho brawf fod tosturi yn fyw,
mewn angen mae eisiau cymydog
  sy'n tystio bod gras wrth y llyw.

D. Hughes Jones (*Caneuon Ffydd*: 843)

Gofynnwn am gymorth Duw i fynd allan i'r byd i wneud ei waith a hynny yw troi'r byd wyneb i waered:

Anfonodd Iesu fi
i'r byd i wneud ei waith
a gwneud yn siŵr y daw
ei deyrnas ef yn ffaith;
nid gwaith angylion yw
troi byd o boen a braw
yn fyd o gariad pur
a heddwch ar bob llaw:
anfonodd Iesu fi

i wir ryddhau ei fyd,
O Dduw, rho help im wneud
d'ewyllys di o hyd.

Emyn traddodiadol o Cuba

cyf. Jorge Maldonado a Meurwyn Williams (*Caneuon Ffydd*: 866)

GWEDDÏAU

Rwyt ti wedi dod i'n byd yn Iesu Grist i ofalu amdanom:

Moliannwn dy enw, O! Dduw, am dy gariad mawr tuag atom.
Cofiwn am y modd y bu i ti ddod i'n byd yn Iesu Grist, dy Fab, i ddangos
i ni gariad, a diolchwn fod rhywrai ym mhob oes wedi dilyn ei esiampl
ef. Amen.

Elwyn Richards

Diolch dy fod ti wedi dod yn agos atom yn awr ein hangen:

Diolchwn, O! Dad, am bawb a'th deimlodd di'n agos pan oedd eu gofal
yn fawr, am bob un a glywodd dy lef ddistaw fain yng nghanol dwndwr
gwaith a gorchwyl. Credwn, Arglwydd, dy fod yn paratoi dy bobl at bob
tasg ac yn eu nerthu ar gyfer pob gofyn: credwn nad oes ar y
cynorthwywyr angen help, ac y gellir llafurio a gofalu yn ddiorffwys.
Yn dy drugaredd symbyla ninnau hefyd, y rhai y mae baich ein gofal yn
ysgafn, i gefnogi a chysuro'r rhai sy'n gorfod dyfalbarhau. Amen.

Elwyn Richards

**Cyflwynwn bawb sy'n barod i fynd yr ail filltir er mwyn gofalu am
eraill:**

Diolch i ti am y bobl hynny sy'n barod i 'gerdded yr ail filltir' yn eu
gofal dros eraill. Rhai sy'n barod i rannu'r beichiau a rhannu'r gofidiau
dros gâr neu gydnabod neu gyfaill. Diolch am 'ofalwyr' felly yn ein
cymdeithas, ac agor ein llygaid i weld sut y gallwn ninnau fod yn
gyfryngau gofal fel hyn dros eraill. Amen.

Tecwyn Ifan

Diolchwn i ti am dy ofal trosom ond paid â gadael i ni anghofio y rhai sydd mewn angen:

Arglwydd, yr wyt ti wedi rhoi cymaint i ni:
Bywyd, mewn byd lle mae llawer yn marw'n ieuanc;
Iechyd, mewn byd lle mae llawer nad ydynt yn holliach;
Bwyd, mewn byd lle mae llawer yn newynu;
Addysg, mewn byd lle mae cynifer heb gyfle i ddysgu;
Diogelwch, mewn byd lle mae llawer mewn ofn.
    Ni allwn dy dalu'n ôl, ond dangos i ni yr hyn y gallwn ei wneud dros eraill. Helpa ni i gofio dy blant mewn gwledydd eraill, yn arbennig y rhai sydd mewn newyn ac afiechyd, sy'n ddigartref ac yn ofnus, sy'n wrthodedig heb fod ar neb eu heisiau. Boed i ni fod iddynt yn sianelau dy gariad fel cyd-aelodau o'th deulu. Amen.

Pecyn Trafod Teulu Duw

Cofiwn am y plant ledled y byd sydd angen gofal a chariad:

Gwna i'n calonnau losgi o'n mewn dros rai bychain mewn ofn, tywyllwch ac anobaith a deffra ein cydwybod i'w hamddiffyn a'u hymgeleddu, yn enw Iesu Grist a gymerodd blant bychain i'w freichiau ac a ddywedodd, 'Eiddynt hwy yw teyrnas nefoedd'. Amen.

Elfed ap Nefydd Roberts

ADNODAU

Gofalodd Mair, ei fam, yn dyner am ei mab o Fethlehem i'r Groes:

Rhyfeddodd pawb a'u clywodd at y pethau a ddywedodd y bugeiliaid wrthynt; ond yr oedd Mair yn cadw'r holl bethau hyn yn ddiogel yn ei chalon ac yn myfyrio arnynt.

Luc 2: 18–19

Roedd gofal y pedwar am y claf yn fawr; dechreuasant ddad-doi'r tŷ:

Daethant â dyn wedi ei barlysu ato, a phedwar yn ei gario.

Marc 2: 3

Gofalodd y Samariad, sef y gelyn, am yr un oedd wedi syrthio i blith lladron:

"Prun o'r tri hyn, dybi di, fu'n gymydog i'r dyn a syrthiodd i blith lladron?" Meddai ef, "Yr un a gymerodd drugaredd arno." Ac meddai Iesu wrtho, "Dos, a gwna dithau yr un modd."

Luc 10: 36–37

Duw yw'r un sy'n gofalu amdanom ac yn ein tywys gerllaw y dyfroedd tawel:

Gwna imi orwedd mewn porfeydd breision,
a thywys fi gerllaw dyfroedd tawel.

Salm 23: 2

Ar ôl y chwilio mae'r ddafad yn ôl yng ngofal y bugail a phryd hynny mae ei gwpan yn llawn:

Wedi dod o hyd iddi y mae'n ei gosod ar ei ysgwyddau yn llawen, yn mynd adref, ac yn gwahodd ei gyfeillion a'i gymdogion ynghyd, gan ddweud wrthynt, 'Llawenhewch gyda mi, oherwydd yr wyf wedi cael hyd i'm dafad golledig.'

Luc 15: 5–6

Yn ing ei ddioddefaint gofalodd Iesu'n dyner am ei fam:

Pan welodd Iesu ei fam, felly, a'r disgybl yr oedd yn ei garu yn sefyll yn ei hymyl, meddai wrth ei fam, "Wraig, dyma dy fab di."

Ioan 19: 26

DYWEDIADAU A THRADDODIADAU

Mae Duw yn ein galw i fod yn gymdogion da, cariadus a gofalus, yn arbennig i'r rhai sydd wir angen help. Cofiwn mai Samariad – gelyn – a roddodd gymorth a chysur i'r gŵr oedd wedi syrthio i blith lladron.

Nid yw Duw'n addo y bydd yn ein harwain o'r dyffrynnoedd tywyll, du ond yn hytrach yn addo y bydd gyda ni i'n nerthu a'n dyrchafu yn y lleoedd hynny.

Y llaw a estynno'n llawn
A gynnull yn deg uniawn.

William Llŷn

Nid yw'r ddelfryd Gristnogol wedi'i mentro a'i chael yn brin. Y mae wedi ei chael yn anodd a heb ei mentro.

G. K. Chesterton

Cwestiwn mwyaf tyngedfennol bywyd yw, 'Beth wyt ti'n ei wneud dros eraill?'

Martin Luther King

Sancteiddrwydd

Yn y Testament Newydd mae sancteiddrwydd yn golygu ymagor yn llawn i fywyd Iesu ei hun a chaniatáu i'w fywyd ef ein llenwi a'n meddiannu'n gyfan gwbl. Mae Iesu hanes yn dod yn Grist profiad, mae'n dod yn berson byw personol ac yn gydymaith ar daith bywyd.

EMYNAU

Mae'r nefoedd a'r ddaear yn cydnabod dy sancteiddrwydd di:

Sanctaidd, sanctaidd, sanctaidd, Dduw hollalluog,
   datgan nef a daear eu mawl i'th enw di;
sanctaidd, sanctaidd, sanctaidd, cadarn a thrugarog,
   Trindod fendigaid yw ein Harglwydd ni.

Reginald Heber cyf. Dyfed (Caneuon Ffydd: 42)

Yr un wyt ti ddoe, heddiw ac yfory yn ysblander dy sancteiddrwydd:

Sanctaidd, sanctaidd, sanctaidd yw ein Duw,
sanctaidd yw yr Arglwydd hollalluog;
sanctaidd, sanctaidd, sanctaidd yw ein Duw,
sanctaidd yw yr Arglwydd hollalluog,
'r hwn fu, ac sydd, ac eto i ddod,
sanctaidd, sanctaidd, sanctaidd yw ein Duw.

Anad. cyf. Arfon Jones (Caneuon Ffydd: 55)

Am ei waith yn creu a'i waith yn achub sancteiddier enw Duw:

Duw mawr y nefoedd faith,
   mor bur, mor dirion yw,
mor rhyfedd yw ei waith
   yn achub dynol-ryw:
sancteiddier enw'r Arglwydd Iôr
drwy'r ddaear faith a'r eang fôr.

Y Diwygiwr efallai gan D. Silvan Evans (Caneuon Ffydd: 174)

Y dihalog, y glân a'r sanctaidd wyt ti:

Ti, O Dduw, yw'r Un dihalog,
ti yw'r glendid sy'n parhau,
eiddot ti yn dy sancteiddrwydd
ydyw'r wedd sy'n bywiocáu;
Iôr anfeidrol,
gwynfydedig wyt erioed.

Trebor Roberts (Caneuon Ffydd: 177)

Er fy mod ymhlith pobl halogedig eto galw fi i weithredu drosot ti:

Arglwydd sanctaidd, dyrchafedig,
wrth dy odre plygaf fi,
ni ryfyga llygaid ofnus
edrych ar d'ogoniant di.
Halogedig o wefusau
ydwyf fi, fe ŵyr fy Nuw,
ymysg pobol halogedig
o wefusau 'rwyf yn byw.

O. M. Lloyd (Caneuon Ffydd: 187)

Plygwn yn ein haddoliad i'th gydnabod di yn Dduw sanctaidd:

Sanctaidd, sanctaidd, sanctaidd,
mae 'nghalon yn d'addoli,
a hyn a ŵyr, a hyn a ddwed:
sanctaidd wyt, O Dduw.

Gweddi o Ariannin (Caneuon Ffydd: 227)

GWEDDÏAU

Ti y sanctaidd Un, ein dymuniad yw cael ein sancteiddio:

Dyma'n gweddi ni, Arglwydd, wrth i ni nesáu mewn llawn hyder ffydd atat Ti. Ein dymuniad yw ar i ni gael ein sancteiddio ynot Ti, oherwydd gwyddom mai i Ti yn unig y perthyn gwir sancteiddrwydd. Amen.

Iwan Ll. Jones

Ysbryd sanctaidd Duw, llwyr feddianna di fy mywyd:

Ysbryd Sanctaidd Duw, ymwêl yn awr â'm henaid, ac aros yno hyd yr hwyr. Ysbrydola fy holl feddyliau. Treiddia drwy fy holl ddychmygion. Cyfarwydda fy mhenderfyniadau. Trig yn eithafion fy enaid, a threfna fy holl weithredoedd. Amen.

John Baillie

Diolch am yr Efengyl sanctaidd sy'n trawsffurfio ac yn adnewyddu:

Clodforwn dy enw o'r newydd am efengyl ein Harglwydd a'n Gwaredwr Iesu Grist; yr efengyl sy'n trawsffurfio ac yn adnewyddu ein meddwl, a'n galluogi i ganfod yr hyn sy'n dda a derbyniol a pherffaith yn dy olwg. Bendigwn dy enw sanctaidd am i ti yn dy drugaredd ein geni ni i fywyd newydd yng Nghrist, ac am i ti drwy ei allu dwyfol ef roi i ni bob peth sy'n angenrheidiol ar gyfer gwir grefydd. Amen.

Dewi Roberts

Darostwng ni a gogwydda ein bywydau tuag atat ti a boed i ti ein sancteiddio:

O Arglwydd, lladd yn llwyr y pechod sy'n barod i'n hamgylchu; rho ffrwyn ar ein chwantau annuwiol; atal y meddwl drygionus; pura'r tymer; rheola'r ysbryd a chywira'r tafod; gogwydda ein hewyllys a'n haddoliad atat ti, a sancteiddia a darostwng ni. Amen.

Richard S. Brooke *cyf.* Lewis Valentine

Sancteiddia ni'n gyfan, gorff, meddwl ac ysbryd:

Caniatâ i ni ymhob peth ymddwyn yn deilwng o'n Creawdwr, a gweision yr Arglwydd. Gwna ni'n ddiwyd i wneud ein gwaith, yn effro i demtasiynau, yn bur ac yn gymedrol yn yr hyn sy'n rhoi mwynhad i ni. Sancteiddia ni oll, yn gorff, meddwl ac ysbryd, fel y'n cedwir yn ddi-fai yn nyfodiad ein Harglwydd Iesu Grist; i'r hwn gyda thi a'r Ysbryd Glân y byddo'r anrhydedd a'r gogoniant yn oes oesoedd. Amen.

Thomas à Kempis

ADNODAU

Dyhead y Cristion yw ymgrymu a chrynu o flaen Duw yn ei sancteiddrwydd:

Rhowch i'r ARGLWYDD anrhydedd ei enw,
dygwch offrwm a dewch o'i flaen.
Ymgrymwch i'r ARGLWYDD yn ysblander ei sancteiddrwydd.
Crynwch o'i flaen, yr holl ddaear;
yn awr y mae'r byd yn sicr, ac nis symudir.

1 Cronicl 16: 29–30

Gan fod Duw yn sanctaidd mae'n galw arnom ninnau i'w efelychu:

Eithr fel yr Un Sanctaidd a'ch galwodd chwi, byddwch chwithau yn sanctaidd yn eich holl ymarweddiad. Oherwydd y mae'n ysgrifenedig, "Byddwch sanctaidd, oherwydd yr wyf fi yn sanctaidd."

1 Pedr 1: 15–16

Yn ystod ei alwad ymdeimlo â sancteiddrwydd Duw a wnaeth Eseia:

Yr oedd y naill yn datgan wrth y llall,
"Sanct, Sanct, Sanct yw ARGLWYDD y Lluoedd;
y mae'r holl ddaear yn llawn o'i ogoniant."

Eseia 6: 3

Mae Pedr yn atgoffa'r bobl eu bod wedi gwadu'r Un sanctaidd a chyfiawn ac wedi rhyddhau llofrudd:

Eithr chwi, gwadasoch yr Un sanctaidd a chyfiawn, a deisyf, fel ffafr i chwi, ryddhau llofrudd.

Actau 3: 14

Mae Paul yn awyddus iawn i dderbyn y Cenhedloedd dan deyrnasiad Crist:

Os yw'r gwreiddyn yn sanctaidd, y mae'r canghennau hefyd yn sanctaidd.

Rhufeiniaid 11: 16 (b)

Y mae Duw yn ei sancteiddrwydd yn trigo ymhob un ohonom:

Os bydd rhywun yn dinistrio teml Duw, bydd Duw'n ei ddinistrio yntau, oherwydd y mae teml Duw yn sanctaidd, a chwi yw'r deml honno.

1 Corinthiad 3: 17

DYWEDIADAU A THRADDODIADAU

Beth ydi'r amodau sy'n help i ni deimlo sancteiddrwydd Duw? Ysbryd ac awyrgylch dawel, meddwl pur a thymer hynaws ac addfwyn. Pan roir lle i'r pethau hyn, bryd hynny yr amlygir presenoldeb a sancteiddrwydd Duw.

Yn y Testament Newydd, 'Sant' yw un sydd wedi ei 'neilltuo' neu ei 'wahanu', ac ar yr un pryd wedi ei buro i fod yn gymwys i'r gwaith.

Yr Ysbryd Glân yw'r Sancteiddiwr, a'r Ysbryd hwn sy'n neilltuo ac yn galw pobl ar gyfer tasgau arbennig.

Pan fyddwch yn gweddïo, bydd Ef (Yr Ysbryd Glân) ym mhob gair, ac fel Tân Sanctaidd yn treiddio trwy bob gair.

Ioan o Kronstadt

Y mae sancteiddrwydd Duw yn gyfuniad o'i ddaioni perffaith a'i brydferthwch digymar, a hynny'n ei wneud yn uwch ac yn gwbl ar wahân i ni. Ond er creu ynom ymdeimlad o arswyd a pharchedig ofn, nid ein dychryn a'n pellhau a wna sancteiddrwydd Duw, ond ein denu, ein hennill a'n gwahodd i gyfranogi ohono.

Gair Duw

'Agor inni'r Ysgrythurau
Dangos inni Geidwad dyn.'
Cymorth ni i'th glywed yn llefaru ym mywyd a pherson dy Fab Iesu
Grist: yn ei ddysgeidiaeth bur, yn ei weithredoedd nerthol ac yng ngrym
ei angau a'i atgyfodiad.

EMYNAU

Dyma'r llusern sy'n llewyrchu ar daith bywyd:

Am air ein Duw rhown â'n holl fryd
soniarus fawl drwy'r eang fyd;
mae'n llusern bur i'n traed, heb goll,
mae'n llewyrch ar ein llwybrau oll.

Gomer (Caneuon Ffydd: 172)

Hwn yw'r Gair sy'n abl i'n harwain trwy gymhlethdodau bywyd:

Mae dy air yn abl i'm harwain
    drwy'r anialwch mawr ymlaen,
mae e'n golofn olau, eglur,
    weithiau o niwl, ac weithiau o dân;
mae'n ddi-ble ynddo fe,
fwy na'r ddaear, fwy na'r ne'.

William Williams (Caneuon Ffydd: 185)

Mae'r Gair yn ein galluogi i ddehongli bywyd a marwolaeth yng ngoleuni bywyd Iesu:

Dyma Feibil annwyl Iesu,
    dyma rodd deheulaw Duw;
dengys hwn y ffordd i farw,
    dengys hwn y ffordd i fyw;

dengys hwn y golled erchyll
    gafwyd draw yn Eden drist,
dengys hwn y ffordd i'r bywyd
    drwy adnabod Iesu Grist.

Casgliad T. Owen priodolir i Richard Davies (Caneuon Ffydd: 198)

Uwch dadwrdd daear a'r tymhestlog donnau boed i mi glywed sŵn y Gair sy'n tawelu:

Arglwydd, rho im glywed
    sŵn sy eiriau glân,
geiriau pur y bywyd,
    geiriau'r tafod tân.

T. Ellis Jones (Caneuon Ffydd: 220)

Arwain fi i chwilio'r gwirioneddau am Dduw a'i Fab Iesu ar dudalennau'r Beibl:

O Arglwydd, dysg im chwilio
    i wirioneddau'r Gair
nes dod o hyd i'r Ceidwad
    fu gynt ar liniau Mair;
mae ef yn Dduw galluog,
    mae'n gadarn i iacháu;
er cymaint yw fy llygredd
    mae'n ffynnon i'm glanhau.

Grawn-Syppiau Canaan (Caneuon Ffydd: 333)

Yr un yw efengyl Iesu, y Gair, ymhob oes er fod amgylchiadau dyn yn newid:

Newid mae gwybodaeth
    a dysgeidiaeth dyn;
aros mae Efengyl
    Iesu byth yr un;

Athro ac Arweinydd
   yw efe 'mhob oes;
a thra pery'r ddaear
   pery golau'r groes.

Elfed (*Caneuon Ffydd*: 381)

GWEDDÏAU

Mae'r Gair yn cynnal, yn creu a'n cynorthwyo ni i ddarganfod Iesu Grist o'r newydd:

Gair ydyw sy'n creu ac yn cynnal, a chreaist ninnau o'r newydd drwy dy Air yn ein Harglwydd Iesu Grist. Diolchwn i ti am y Gair a ddaeth yn gnawd 'a phreswyliodd yn ein plith, yn llawn gras a gwirionedd'. Galluoga ni, drwy weinidogaeth dy Lân Ysbryd, i ddarganfod y Crist hwn yn dy Air a gweld o'r newydd ogoniant ei berson fel unig Fab a ddaeth oddi wrth y Tad ac a hysbysodd i ni ddirgelion dy deyrnas a'r bywyd tragwyddol. Amen.

Geraint Hughes

Boed i'r Gair ein harwain trwy ein bywyd a thu hwnt i ffiniau amser:

Gan mai ymlaen yr awn ar y daith, diolch i Ti am y Gair sy'n arwain nid yn unig ar daith bywyd ond ar daith tragwyddoldeb, ac mai ar dy Air y pwyswn hyd yn oed y pryd hynny. Fe gafodd cannoedd a miloedd o bobl gynhaliaeth a chynhysgaeth yn eu bywyd trwy rym dy Air Di. Amen.

Iwan Ll. Jones

Diolch am y rhai, ar hyd yr oesoedd, sydd wedi dod i'th adnabod trwy'r Gair:

Ar hyd y canrifoedd yr wyt ti, ein Tad, drwy'r Ysgrythur wedi arwain rhywrai i'th adnabod yn well, ac effaith adnabyddiaeth lwyrach ohonot ti yn ddieithriad fu dwyn goleuni i fywydau rhywrai eraill. Rydym oll mewn dyled i'r gwŷr a'r gwragedd a'th adnabu di drwy dy Air. Pobl a fynnodd fod eu cyd-ddynion yn cael gwell bywyd am iddynt eu gweld yng ngoleuni dy deyrnas. Mae'r hen yn cael ymgeledd, a'r plant yn cael addysg, a'r gwan yn cael cynhaliaeth heddiw am i rywrai sylweddoli mai dy eiddo di oeddynt. Amen.

Elwyn Richards

Boed i'r Ysbryd Glân ein harwain wrth i ni droi tudalennau'r Gair:

Fe gyflwynwn i ti, Dad Nefol, y rhai hynny a fydd heddiw yn agor y Beibl am y tro cyntaf a dysgu am gyflawnder dy gariad a'th ras achubol yn Iesu Grist. Gweddïwn y daw pob un ohonynt yn ymwybodol o bresenoldeb yr Ysbryd Glân fel eu cymorth a'u harweinydd. Amen.

Gweddïau ar gyfer Dydd yr Arglwydd

Cofiwn am y rhai sydd wrthi'n ymdrechu i wneud y Gair yn fwy dealladwy a'r rhai sy'n tystiolaethu i'r Gair:

Gweddïwn ar ran y rhai sy'n gweithio i wneud yr Ysgrythurau yn hysbys ac ar gael i bawb –
y rhai sy'n cyfieithu'r Beibl i ieithoedd modern a thafodieithoedd eraill, sy'n ei argraffu a'i ddosbarthu ar draws y byd,
yn ymdrechu i agor ei neges o'r newydd i bob cenhedlaeth yn ei thro;
ac sy'n pregethu ohono, yn tystiolaethu i Grist o'i dudalennau. Amen.

Eirian a Gwilym Dafydd

ADNODAU

Diolchwn am y rhai sy'n barod i egluro ac esbonio'r Gair:

Rhedodd Philip ato a chlywodd ef yn darllen y proffwyd Eseia, ac meddai, "A wyt ti'n deall, tybed, beth yr wyt yn ei ddarllen?" Meddai yntau, "Wel, sut y gallwn i, heb i rywun fy nghyfarwyddo?" Gwahoddodd Philip i ddod i fyny ato ac eistedd gydag ef.

Actau 8: 30–31

Mae Iesu'n dod i Galilea i gyhoeddi Efengyl Duw trwy annog y bobl i edifarhau a chredu:

Wedi i Ioan gael ei garcharu daeth Iesu i Galilea gan gyhoeddi Efengyl Duw a dweud: "Y mae'r amser wedi ei gyflawni ac y mae teyrnas Dduw wedi dod yn agos. Edifarhewch a chredwch yr Efengyl."

Marc 1: 14–15

Mae'r Gair yn bod o'r dechrau a daeth yn gnawd yn Iesu Grist:

Yn y dechreuad yr oedd y Gair; yr oedd y Gair gyda Duw, a Duw oedd y Gair.

Ioan 1: 1

Wedi eu donio â'r Ysbryd Glân mae'r disgyblion yn barod i gyhoeddi'r gair yn hy:

Ac wedi iddynt weddïo, ysgydwyd y lle yr oeddent wedi ymgynnull ynddo, a llanwyd hwy oll â'r Ysbryd Glân, a llefarasant air Duw yn hy.

Actau 4: 31

Mae Paul yn annog Timotheus i bregethu'r gair sef argyhoeddi, ceryddu a chalonogi:

Pregetha'r gair; bydd yn barod bob amser, boed yn gyfleus neu'n anghyfleus; argyhoedda; cerydda; calonoga; a hyn ag amynedd di-ball wrth hyfforddi.

2 Timotheus 4: 2

Mae llythyr ymarferol Iago yn ein hatgoffa i fod yn weithredwyr y gair yn ogystal â gwrandawyr:

Byddwch yn weithredwyr y gair, nid yn wrandawyr yn unig, gan eich twyllo eich hunain.

Iago 1: 22

DYWEDIADAU A THRADDODIADAU

Y Beibl yw'r unig lyfr y mae'r Awdur ei Hun yn bresennol bob tro y caiff ei ddarllen.

Postiodd gwraig gopi o'r Beibl i'w ffrind. Gofynnodd y postfeistr iddi yn swyddfa'r post, 'Oes 'na rywbeth wnaiff dorri yn y parsel?' 'Na,' meddai'r wraig, 'dim ond y Deg Gorchymyn!'

Llyfr gobaith ydi'r Beibl a'i thema drwyddo ydi bod Duw yn bod, yn gweithredu ac yn gofalu amdanom. Ond mae hefyd yn ateb y cwestiwn, 'Beth yw dyn?' Plentyn i Dduw.

Ond tybed ydi Duw wedi siarad â ni unwaith ac am byth yn nhudalennau'r Beibl, ac wedi anghofio amdanom y dyddiau hyn? Na, mae Duw yn dal i lefaru – dyna'r gwirionedd Cristnogol.

Nid pobl yn siarad am Dduw, ond Duw yn siarad â phobl, yw cynnwys y Beibl.

Ein Byd

Maddau i ni, Arglwydd y Cread, am y trachwant sy'n difetha yfory er mwyn i ni gael diddanwch a chysur heddiw; am y diofalwch sy'n llygru yfory er mwyn i ni gael esmwythdra heddiw; am yr anghyfiawnder sy'n amddifadu yfory er mwyn cyfoethogi ein byd heddiw, am y ffolineb sy'n anghofio yfory a byw yn unig er mwyn heddiw a'i bleserau. Heria ni i newid ein hagwedd a byw heddiw gan baratoi ar gyfer yfory. Amen.

EMYNAU

Mae'r bydysawd cyfan yn dangos mawredd Duw y Creawdwr:

Mae'r nefoedd faith uwchben
yn datgan mawredd Duw,
mae'r haul a'r lloer a'r sêr i gyd
yn dweud mai rhyfedd yw.

Evan Griffiths (Caneuon Ffydd: 4)

Mae'r cread a'i holl amrywiaeth yn creu gorfoledd yn fy enaid:

Fy Arglwydd Dduw, daw im barchedig ofon
wrth feddwl am holl waith dy ddwylo di,
yng nghân y sêr a rhu y daran ddofon,
drwy'r cread oll, dy rym a welaf i:

Carl Gustaf Boberg
cyf. Stuart W. K. Hine ac E. H. Griffiths (Caneuon Ffydd: 140)

Mae Arglwydd y bydysawd sydd wedi creu'r cyfan wedi rhoi Iesu i ni hefyd:

Ti, Arglwydd, a greodd y bydoedd,
a threfnaist i'r wawrddydd ei lle,
dy allu a daenodd y nefoedd
a'th gerbyd yw cwmwl y ne';

gosodaist sylfeini y ddaear
a therfyn i donnau y môr,
mor fawr yw gweithredoedd digymar
a rhyfedd ddoethineb yr Iôr.

D. Gwyn Evans (Caneuon Ffydd: 103)

Yng nghanol gwychder y byd o'm cwmpas dysg fi i adnabod fy hun a thrwy hynny dod i'th adnabod di:

Nef a daear, tir a môr
sydd yn datgan mawl ein Iôr:
fynni dithau, f'enaid, fod
yn y canol heb roi clod?

Joachim Neander cyf. Elfed (Caneuon Ffydd: 116)

Gwyliwn rhag ofn i ni gyfarwyddo gormod â'r byd o'n cwmpas fel na allwn ryfeddu:

Tydi, a roddaist liw i'r wawr
a hud i'r machlud mwyn,
tydi, a luniaist gerdd a sawr
y gwanwyn yn y llwyn,
O cadw ni rhag colli'r hud
sydd heddiw'n crwydro drwy'r holl fyd.

T. Rowland Hughes (Caneuon Ffydd: 131)

Duw y Creawdwr a'r cynhaliwr yw'r Duw sy'n Dad:

Agorwn ddrysau mawl
i bresenoldeb Duw;
pan fydd ein calon ni'n y gân
ei galon ef a'n clyw.

John Gwilym Jones (Caneuon Ffydd: 3)

GWEDDÏAU

Ni allwn ond plygu'n wylaidd mewn rhyfeddod a syndod at brydferthwch dy fyd:

'Nef a daear, tir a môr
sydd yn datgan mawl ein Iôr.'
Diolch i Ti, Arglwydd, am blannu ynom yr ysbryd i gredu hynny o waelod calon. D'eiddo Di yw'r cyfan a grëwyd, ac ni allwn ond synnu a rhyfeddu at dy fawredd a'th allu. Creaist fydysawd godidog yn llawn swyn a thlysni. Amen.

Iwan Ll. Jones

Er ein bod wedi cefnu arnat yr un wyt ti o hyd:

Ein Tad, yr hwn wyt yn y nefoedd, sylweddolwn heddiw mai dy ofal a'th gynhaliaeth sydd wedi ein cadw hyd y munudau hyn. Er inni grwydro a throi cefn a'th anwybyddu lawer gwaith, ac er inni fod yn y fan hyn o'r blaen, fe deimlwn yn awr dy gariad yn ein cofleidio a'th freichiau tragwyddol yn ein cynnal. Amen.

Elwyn Richards

Cofiwn am y rhai ar hyd a lled y byd sy'n byw mewn angen:

Cofiwn gerbron dy orsedd hefyd, Arglwydd, am bawb nad ydynt heddiw yn gyfrannog o'n golud ni. Mewn sawl gwlad mae dy blant heddiw mewn angen ac yn dioddef newyn neu ryfel neu effeithiau trychineb naturiol. Beth bynnag fo'u hargyfyngau, bydd di gyda hwy a dyro yn ein calonnau ninnau yr awydd i'w cynorthwyo.

Oherwydd fe wyddom ni, Arglwydd, nad oes gennyt ti ddwylo, nad oes gennyt ti weithwyr ar wahân i ni. Defnyddia ni, felly, yng ngwaith dy deyrnas a dyro yn ein calonnau y gras i gyflawni dy waith. Amen.

Elwyn Richards

Diolchwn am ryfeddod a phrydferthwch ein byd:

Molwn di, O Arglwydd, creawdwr nef a daear, am harddwch y byd a roddaist inni i breswylio ynddo:
am heulwen a chawod a chwmwl;
am y nos a'i sêr aneirif;
am ddisgleirdeb cyntaf y wawr a llewyrch olaf y machlud;
am gadernid ac urddas mynyddoedd ac am brydferthwch dyffrynnoedd;
am gyfaredd y môr hefyd yn ei dawelwch a'i gyffro;
am dlysni a sirioldeb blodau, ac
am goed yn amser gwanwyn.
Rhyfedd yw dy weithredoedd, O Dduw, ac uwchlaw ein deall ni. Amen.

Elfed ap Nefydd Roberts

Maddau ein dallineb ysbrydol a rho i ni weledigaeth newydd:

Maddau i ni, Arglwydd, ein hanallu i werthfawrogi cyfoeth dy fendithion i ni dy blant.
Maddau i ni'r dallineb sy'n ein rhwystro rhag adnabod cyfleusterau bywyd fel rhoddion oddi wrthyt ti.
Maddau i ni'r balchder sy'n ein rhwystro rhag cydnabod ein dyled i ti a'n dibyniaeth arnat.
Maddau i ni'r rhagfarnau sy'n ein rhwystro rhag adnabod ein cyd-ddynion fel brodyr a chwiorydd ynot ti.
Maddau i ni'r anufudd-dod sy'n ein rhwystro rhag iawn-ddefnyddio dy roddion.
Dyro i ni fendith dy faddeuant a phenderfyniad i rodio'n fwy teilwng o'th ddaioni a'th ofal tadol. Amen.

Elfed ap Nefydd Roberts

ADNODAU

Wrth ddyrchafu Arglwydd y greadigaeth mae'r Salmydd yn gofyn, 'Beth yw dyn?':

O ARGLWYDD, ein Iôr, mor ardderchog yw dy enw ar yr holl ddaear!

Gosodaist dy ogoniant uwch y nefoedd, ...
beth yw meidrolyn, iti ei gofio,
a'r teulu dynol, iti ofalu amdano?

Salm 8: 1, 4

Y mae'r nefoedd a'r ffurfafen yn arddangos gwaith Duw'r Creawdwr:

Y mae'r nefoedd yn adrodd gogoniant Duw,
a'r ffurfafen yn mynegi gwaith ei ddwylo.

Salm 19: 1

Duw yw Creawdwr y cyfanfyd, hyd yn oed y môr oedd yn symbol o ddrygioni i'r Iddew:

Oherwydd Duw mawr yw'r ARGLWYDD,
a brenin mawr goruwch yr holl dduwiau.
Yn ei law ef y mae dyfnderau'r ddaear,
ac eiddo ef yw uchelderau'r mynyddoedd.
Eiddo ef yw'r môr, ac ef a'i gwnaeth;
ei ddwylo ef a greodd y sychdir.

Salm 95: 3–5

Y mae'r Duw sydd wedi creu cyrrau'r ddaear yn dal ati i greu yn ei greadigaeth:

Oni wyddost, oni chlywaist?
Duw tragwyddol yw'r ARGLWYDD
a greodd gyrrau'r ddaear;
ni ddiffygia ac ni flina,
ac y mae ei ddeall yn anchwiliadwy.

Eseia 40: 28

Y mae'r unigolyn sydd yng Nghrist yn greadigaeth newydd sbon!

Felly, os yw rhywun yng Nghrist, y mae'n greadigaeth newydd; aeth yr hen heibio, y mae'r newydd yma.

2 Corinthiaid 5: 17

257

Y nod yw dwyn yr holl greadigaeth i undod yng Nghrist:

Yng nghynllun cyflawniad yr amseroedd, sef dwyn yr holl greadigaeth i undod yng Nghrist, gan gynnwys pob peth yn y nefoedd ac ar y ddaear.

Effesiaid 1: 10

DYWEDIADAU A THRADDODIADAU

Creodd Duw'r byd o ddim, a thra byddwn ninnau'n ddim gall wneud rhywbeth ohonom ni.

Martin Luther

Mae Duw wedi creu byd da. Mae Duw yn dal i greu. Nid creu'r byd a'i adael wedyn a wnaeth Duw. Mae Duw yn ei fyd heddiw, yn cyflawni ei fwriadau.

Mae bywyd sy'n esblygu ac yn newid yn dangos bod y Creawdwr yn dal i greu. Nid rhywbeth a ddigwyddodd unwaith ac am byth yn nechrau amser ydi'r Creu, ond proses yw sy'n dal i ddigwydd. Mae'r Duw sy'n gariad, yn amyneddgar ac yn ddirgel ei ffordd, yn dal i greu, ac yn weithredol yn ei fyd heddiw.

Y mae gweithredoedd mawr yn cymryd amser.

Cardinal Newman

Y mae creu ac ail-greu bywyd yn ei holl ffurfiau a'i wahanol rywogaethau yn weithgarwch parhaus. Am mai Duw creadigol, gweithgar ydyw, y mae'n cyson arwain, achub ac adfer ei fyd.

Gras

Pwysaf arnat, addfwyn Iesu,
  Pwyso arnat Ti;
Mae dy ras di-drai digeulan,
  Fel y lli.

F. R. Havergal *cyf.* Nantlais

EMYNAU

Boed i ni fendithio'r Arglwydd am ein cofio, maddau i ni a'n gwaredu â'i ras:

Fy enaid, bendithia yr Arglwydd,
  a chofia'i holl ddoniau o hyd,
maddeuodd dy holl anwireddau,
  iachaodd dy lesgedd i gyd;
gwaredodd dy fywyd o ddistryw,
  â gras y coronodd dy ben,
diwallodd dy fwrdd â daioni:
  atseinier ei fawl hyd y nen.

Nantlais (*Caneuon Ffydd*: 102)

Gras a drefnodd y ffordd i gadw pechadur a'i arwain yn ôl o'i adfyd:

Gras, O'r fath beraidd sain,
  i'm clust hyfrydlais yw:
gwna hwn i'r nef ddatseinio byth,
  a'r ddaear oll a glyw.

Philip Doddridge *cyf.* Gomer (*Caneuon Ffydd*: 161)

Ar Galfaria y gorlifodd y cariad a'r gras a hynny ar ei orau:

Ar Galfaria yr ymrwygodd
  holl ffynhonnau'r dyfnder mawr,
torrodd holl argaeau'r nefoedd
  oedd yn gyfan hyd yn awr:
gras a chariad megis dilyw
  yn ymdywallt yma 'nghyd,
a chyfiawnder pur a heddwch
  yn cusanu euog fyd.

Gwilym Hiraethog (Caneuon Ffydd: 205)

Diolchwn nad yw ffynnon gras Duw byth yn sychu:

Heddiw'r ffynnon a agorwyd,
  disglair fel y grisial clir;
y mae'n llanw ac yn llifo
  dros wastadedd Salem dir:
    bro a bryniau
  a gaiff brofi rhin y dŵr.

William Williams (Caneuon Ffydd: 498)

Clodforwn Dduw am ei ras a'i ffyddlondeb tuag atom:

Dechreuwch, weision Duw,
  y gân ddiddarfod, bêr;
datgenwch enw mawr a gwaith
  a gras anhraethol Nêr.

Isaac Watts cyf. Gomer (Caneuon Ffydd: 162)

Does neb tebyg i Dduw sy'n barod i arllwys ei ras ar greadur o ddyn hyd yn oed yn nyfnderoedd y tywyllwch:

Yn nyfnder t'wyllwch nos
  mi bwysaf ar ei ras;
o'r t'wyllwch tewa' 'rioed
  fe ddwg oleuni i maes;
os gwg, os llid, mi af i'w gôl,
mae'r wawr yn cerdded ar ei ôl.

William Williams (Caneuon Ffydd: 311)

GWEDDÏAU

Cyflwynwn i'th ofal bawb sydd mewn angen am dy ras di:

Diolchwn mai yn unol â'th ras yr wyt yn arglwyddiaethu drosom. Mewn byd o deyrnasu anghyfiawn, gyda gormes a grym yn cael y trechaf, ac anhrefn ac anobaith yn rhemp, diolch am y sicrwydd mai trugaredd sy'n rheoli'r bydysawd ac mai cariad anhaeddiannol sy'n delio â dynoliaeth. Amen.

Robin Samuel

Trwy dy ras yr wyt ti yn ymwneud â ni a diolch am hynny:

Cyflwynwn i ti heddiw bawb sydd wedi syrthio oddi wrth ras ac sydd mewn angen am ddogn ychwanegol ohono i'w codi o bwll trueni ac anobaith. Diolch am nad yw ffynnon Dy ras byth yn sychu. Amen.

Iwan Ll. Jones

Gofynnwn am dywalltiad o'th ras fel y gallwn gydymddwyn, cydweithio a chyd-fyw:

Arglwydd, rho i ni ras
i ymddiheuro ac i dderbyn ymddiheuriadau eraill,
i faddau bai, i estyn llaw i gymodi,
ac i anghofio siom ac annhegwch y gorffennol.
Arglwydd, rho i ni ras
i gydymddwyn, i gydweithio ac i gyd-fyw,
yn dy gariad ac yn ôl dy ewyllys di. Amen.

Elfed ap Nefydd Roberts

Rho gymorth i ni dy garu di, O Dduw, ac i arddangos y cariad hwn tuag at ein cyd-ddynion:

Cynorthwya ni, O Arglwydd ein Duw, i'th garu â'n holl galon, ac i ddangos y cariad hwnnw mewn gwasanaeth i'n cyd-ddynion gan garu ein cymydog fel ni ein hunain. Arwain ni i gyflawni dy gyfraith di drwy ddwyn beichiau ein gilydd. Dysg ni ym mhob peth i fod yn ffyddlon i'r hyn a ddysgaist yn dy Fab, fel y byddo ein bywyd fel tŷ wedi ei adeiladu ar graig. Amen.

Addolwn ac Ymgrymwn

Mae Duw yn plygu atom yn ei gariad, ei drugaredd a'i dynerwch:

Gras yw ymwneud Duw â ni mewn cariad, trugaredd a thynerwch, yn ein derbyn fel yr ydym, yn maddau i ni ein pechodau, a thrwy Iesu Grist, yn ail-greu ei ddelw ei hun ynom. Y mae rhodd ei ras ar gael ond i ni bwyso arno ac ymddiried ynddo. Amen.

ADNODAU

Trwy ras Duw yr ydym wedi'n hachub. Dyma rodd fawr Duw i ni:

Trwy ras yr ydych wedi eich achub, trwy ffydd. Nid eich gwaith chwi yw hyn; rhodd Duw ydyw;

Effesiaid 2: 8

Ynghlwm wrth ras mae rhinwedd arall yn dod oddi wrth Dduw – ei dangnefedd:

Gras a thangnefedd i chwi oddi wrth Dduw ein Tad a'r Arglwydd Iesu Grist.

2 Thesaloniaid 1: 2

Sylwer mai gras sy'n dod gyntaf yn y weddi apostolaidd:

Gras ein Harglwydd Iesu Grist, a chariad Duw, a chymdeithas yr Ysbryd Glân fyddo gyda chwi oll!

2 Corinthiaid 13: 13

Gras yw'r gair sy'n gwahaniaethu Cristnogaeth oddi wrth grefyddau eraill:

Trwyddo ef, yn wir, cawsom ffordd, trwy ffydd, i ddod i'r gras hwn yr ydym yn sefyll ynddo. Yr ydym hefyd yn gorfoleddu yn y gobaith y cawn gyfranogi yng ngogoniant Duw.

Rhufeiniaid 5: 2

Nid gweinidogaeth sy'n disgwyl wrth edifeirwch dyn yw gras ond gweinidogaeth sy'n creu edifeirwch ydyw:

Y mae'n wir i farwolaeth, trwy drosedd yr un, deyrnasu trwy'r un hwnnw; ond gymaint mwy sydd ar yr ochr arall: pobl sy'n derbyn helaethrwydd gras Duw, a'i gyfiawnder yn rhodd, yn cael byw a theyrnasu trwy un dyn, Iesu Grist.

Rhufeiniaid 5: 17

Dyma'r erlidiwr yn dod trwy ras yn apostol!

Trwyddo ef derbyniasom ras a swydd apostol, i ennill, ar ei ran, ffydd ac ufudd-dod ymhlith yr holl Genhedloedd.

Rhufeiniaid 1: 5

DYWEDIADAU A THRADDODIADAU

Heb os gair yr Apostol Paul yw 'gras'. O'r cant a hanner o weithiau yr ymddengys yn y Testament Newydd, y mae cant ohonyn nhw yn llythyrau Paul.

Duw ar ei orau sydd yng ngweinidogaeth gras. Dyma gariad sy'n cael ei arllwys gan Dduw ar bobl fel ni sydd ddim yn deilwng i'w dderbyn.

Y mae'n ofynnol i'r Cristion fyw yn agos at roddwr gras. Os ydyn ni'n barod i gadw'n agos at Iesu, efallai y byddwn yn byw yn fwy tebyg iddo.

Yn y Deyrnas, does dim lle i genfigen, eiddigedd na balchder ysbrydol. Gras sy'n teyrnasu, a dim arall.

Rhyngodd bodd i Dduw trwy ddatguddiad ei sancteiddrwydd a'i ras.....fy argyhoeddi o'm pechod.....Fe'm newidiwyd o fod yn Gristion i fod yn grediniwr, o fod yn garwr cariad i fod yn wrthrych gras.

P. T. Forsyth

Nid yw gras yn dinistrio a difetha natur, yn hytrach mae'n ei berffeithio.

Thomas Aquinas

Gras yw Duw ei hun, ei nerth dwyfol yn gweithredu oddi mewn i'w eglwys ac o'n mewn ninnau.

Evelynn Underhill

Trugaredd

Trugaredd yw'r wedd honno ar y cariad dwyfol sy'n ymateb i'n gwendid a'n pechod ni.

EMYNAU

Y Duw sy'n llenwi'r bydysawd yw'r Duw sy'n gwrando ar lef yr unigolyn:

Mae Duw yn llond pob lle,
   presennol ymhob man;
y nesaf yw efe
   o bawb at enaid gwan;
wrth law o hyd i wrando cri:
"Nesáu at Dduw sy dda i mi."

David Jones (Caneuon Ffydd: 76)

Heb drugaredd a chariad Duw colli'r dydd a wna'r Cristion:

Dy hen addewid rasol
   a gadwodd rif y gwlith
o ddynion wedi eu colli
   a gân amdani byth;
er cael eu mynych glwyfo
   gan bechod is y nen
iacheir eu clwyfau mawrion
   â dail y bywiol bren.

Morgan Rhys (Caneuon Ffydd: 191)

Ynot ti y mae'r trugaredd fel y moroedd sy'n codi truan i'r lan:

O tyred, Iôr tragwyddol,
   mae ynot ti dy hun
fwy moroedd o drugaredd

nag a feddyliodd dyn:
os deui at bechadur,
  a'i godi ef i'r lan,
ei galon gaiff, a'i dafod,
  dy ganmol yn y man.

William Williams (Caneuon Ffydd: 316)

Cymell fi i wneud dy waith yn y byd; nid rhag ofn y gosb na chwaith am y wobr:

Mae arnaf eisiau sêl
  i'm cymell at dy waith,
ac nid rhag ofn y gosb a ddêl
  nac am y wobr chwaith,
    ond gwir ddymuniad llawn
    dyrchafu cyfiawn glod
am iti wrthyf drugarhau
  ac edrych arna' i erioed.

Charles Wesley efel. Dafydd Jones (Caneuon Ffydd: 752)

Y Duw sydd wedi maddau mil o feiau, maddau i minnau yn awr:

Ti faddeuaist fil o feiau
  i'r pechadur gwaetha'i ryw;
Arglwydd, maddau eto i minnau –
  ar faddeuant 'rwyf yn byw:
    d'unig haeddiant
    yw 'ngorfoledd i a'm grym.

William Williams (Caneuon Ffydd: 321)

Fel y dyddiau gynt cofleidia ni heddiw â'th drugaredd a chariad:

Pa le mae dy hen drugareddau,
  hyfrydwch dy gariad erioed?
Pa le mae yr hen ymweliadau
  fu'n tynnu y byd at dy droed?
Na thro dy gynteddau'n waradwydd,

ond maddau galedwch mor fawr;
o breswyl dy ddwyfol sancteiddrwydd
tywynned dy ŵyneb i lawr.

Dyfed (*Caneuon Ffydd*: 202)

GWEDDÏAU

Y cam cyntaf i dderbyn dy drugaredd di ydi agor y galon a chyffesu'r cyfan:

Dad grasol, pwyswn ar dy drugaredd ac agorwn ein calonnau yn edifeiriol o'th flaen gan wybod nad oes dim yn guddiedig oddi wrthyt. Cydnabyddwn i ni bechu yn dy erbyn ar feddwl, gair a gweithred, tristáu dy Lân Ysbryd, peri gofid a loes i eraill a dwyn gwarth ar ein tystiolaeth. Amen.

Y Duw Byw

Gwna ni'n barod i ddangos trugaredd a maddau i eraill:

Cyflwynwn i ti mewn gweddi
y rhai y buom yn ddig a diamynedd wrthynt,
y rhai y buom yn siarad yn faleisus amdanynt,
y rhai y buom yn ddilornus
ac eiddigeddus ohonynt.
Gwna ni'n barod i roi a derbyn maddeuant
a bod yn gyfryngau ac yn adlewyrchiad
o'th drugaredd di. Amen.

Y Duw Byw

Diolchwn am ehangder dy drugaredd ac yng nghanol yr ehangder hwn rwyt ti wedi cofio am yr unigolyn:

Diolchwn fod cylch dy drugaredd mor eang â phob cyfandir, pob llwyth a gwlad ac iaith. Diolchwn hefyd dy fod, yn dy drugaredd, wedi ein galw ni'n bersonol i edifeirwch a ffydd yn dy Fab Iesu Grist. Amen.

John Treharne

Mae Iesu wedi dangos y trugaredd hwn yn ystod ei fywyd a'i farw:

Yn bennaf, ein Tad, diolchwn i ti am dy drugaredd tuag atom yn Iesu Grist, ein Gwaredwr. Diolch i ti am iddo ddod i'n byd 'dros ein pechod ni, a hefyd bechodau'r holl fyd'. Dymunwn brofi'r cariad hwn yn ein bywydau o'r newydd wrth inni gydnabod dy drugaredd tuag atom. Amen.

Geraint Hughes

Boed i batrwm gweinidogaeth Iesu fod yn esiampl yn ein bywydau ni:

Yng nghysgod dy drugareddau ar ein cyfer, ac wrth i ni ym mherson dy Fab, drwy ffydd, agor ein llygaid i sylweddoli ac i gydnabod y ffynhonnell, sef tydi dy hun, cynorthwya ni, ar batrwm bywyd Iesu, i ddangos trugaredd at eraill. Amen.

Eifion Arthur Roberts

ADNODAU

Er i mi erlid a sarhau mewn anwybodaeth ac anghrediniaeth bu Duw yn drugarog wrthyf:

Myfi, yr un oedd gynt yn ei gablu, yn ei erlid, ac yn ei sarhau. Ar waethaf hynny, cefais drugaredd am mai mewn anwybodaeth ac anghrediniaeth y gwneuthum y cwbl.

1 Timotheus 1: 13

Mae'n Duw ni yn gyfoethog yn ei drugaredd ac am hynny fe'n hadfywiodd yng Nghrist:

Ond gan mor gyfoethog yw Duw yn ei drugaredd, a chan fod ei gariad tuag atom mor fawr, fe'n gwnaeth ni, ni oedd yn feirw yn ein camweddau, yn fyw gyda Christ; trwy ras yr ydych wedi eich achub.

Effesiaid 2: 4–5

Bydd daioni a thrugaredd y Bugail yn dilyn yr unigolyn bob dydd o'i fywyd:

Yn sicr, bydd daioni a thrugaredd yn fy nilyn
bob dydd o'm bywyd,
a byddaf yn byw yn nhŷ'r ARGLWYDD
weddill fy nyddiau.

Salm 23: 6

Duw sy'n maddau, yn iacháu, yn gwaredu a'm coroni â chariad a thrugaredd:

Ef sy'n gwaredu fy mywyd o'r pwll,
ac yn fy nghoroni â chariad a thrugaredd;

Salm 103: 4

Mae'r rhai sy'n dangos trugaredd at eraill yn siŵr o dderbyn trugaredd:

Gwyn eu byd y rhai trugarog,
oherwydd cânt hwy dderbyn trugaredd.

Mathew 5: 7

Pan fyddwch â'ch bryd ar farnu a phwyntio bys cofiwch hefyd ddangos trugaredd:

Didrugaredd fydd y farn honno i'r sawl na ddangosodd drugaredd. Trech trugaredd na barn.

Iago 2: 13

DYWEDIADAU A THRADDODIADAU

Mor hawdd yw cyfyngu addoliad i bedair wal adeilad crefyddol, yn hytrach na'i wneud yn fater o fyw pob dydd ynghanol y gymuned.

Cwestiwn Iesu yn nameg y Samariad Trugarog oedd, 'A phwy wnaeth drugaredd ag ef?' Yn ôl y ddameg ein cymydog sy'n gwneud trugaredd â ni. Y bobl sydd mewn angen sy'n gwneud trugaredd â ni. Ffurf ar drugaredd Iesu Grist tuag atom ni yw caniatáu i ni helpu, lliniaru a chynorthwyo'r rhai mewn angen. Mewn gair, mae pawb sydd mewn angen yn esgor ar dosturi Iesu Grist ynom ni. Hwy yw'r cymwynaswyr, nid ni.

Y gamp bob amser yw casáu pechod ond bod yn ddigon trugarog i dosturio wrth y troseddwr.

Trugaredd yw gwir olud yr Arglwydd; ac am hynny ni ddywedir ei fod yn gyfoethog mewn dim oddieithr mewn trugaredd a gras.

Emrys ap Iwan

Wyt ti'n dymuno derbyn trugaredd? Yna dangos drugaredd tuag at dy gymydog.

John Chrysostom

Maddeuant

O gydnabod ein pechodau a throi ein calon a'n meddwl yn edifeiriol oddi wrthym ein hunain tuag at Dduw y profwn ei faddeuant yn gweithredu ynom. Boed i ni gael ein gwella, ein glanhau, ein puro a'n hadfer gan ei faddeuant.

EMYNAU

Fy nyhead yw i ti, O Dduw, ddweud wrthyf yn bersonol dy fod yn maddau i mi:

Gwasgara'r tew gymylau
    oddi yma i dŷ fy Nhad,
datguddia imi beunydd
    yr iachawdwriaeth rad,
a dywed air dy hunan
    wrth f'enaid clwyfus, trist
dy fod yn maddau 'meiau
    yn haeddiant Iesu Grist.
                Morgan Rhys (*Caneuon Ffydd*: 191)

Mae dy waith yn y Cread yn rhyfeddol ond llawer mwy yw dy waith yn maddau i bechadur:

Duw mawr y rhyfeddodau maith,
rhyfeddol yw pob rhan o'th waith,
ond dwyfol ras, mwy rhyfedd yw
na'th holl weithredoedd o bob rhyw:
pa dduw sy'n maddau fel tydi
yn rhad ein holl bechodau ni?
                Samuel Davies *cyf.* J. R. Jones (*Caneuon Ffydd*: 216)

Er ein bod yn pechu ac yn dy dristáu, 'O Dduw na wrthod fi':

Er bod yn euog o dristáu
  dy Ysbryd Sanctaidd di,
a themtio dy amynedd mawr,
  O Dduw, na wrthod fi.

Thomas Haweis efel. Ieuan Glan Geirionydd (Caneuon Ffydd: 284)

Ai fy mhechodau i a yrrodd Iesu i'r Groes? Maddau fy mai:

Fy meiau trymion, luoedd maith,
  a waeddodd tua'r nen,
a dyna pam 'roedd rhaid i'm Duw
  ddioddef ar y pren.

Isaac Watts efel. William Williams (Caneuon Ffydd: 293)

Mae Duw wedi maddau ac yn dal i faddau ac felly mae'n rhaid i minnau faddau:

Duw faddeuodd im yn enw Crist,
cefais fywyd llawn yn enw Crist,
ac yn enw Crist dof atoch chwi
i rannu'r cariad a estynnodd i mi.

Carol Owens cyf. Iddo Ef (Caneuon Ffydd: 424)

Mae Iesu'n fy ngwadd a'm galw, i'm golchi'n lân a maddau fy mhechodau:

Mi glywaf dyner lais
  yn galw arnaf fi
i ddod a golchi 'meiau i gyd
  yn afon Calfarî.

Lewis Hartsough cyf. Ieuan Gwyllt (Caneuon Ffydd: 483)

GWEDDÏAU

Y cam cyntaf i ddod i'r afael â phechod yw derbyn fod Duw yn Dduw cariad:

Cydnabyddwn, O! Dad, mai hanfod dy fodolaeth yw dy gariad – 'Duw cariad yw' – ac o ganlyniad dy fod ti'n ymwneud â'r greadigaeth a bywyd dyn yn ôl llinyn mesur y cariad hwn. Y cariad yma sy'n arwyddo dy berffeithrwydd a'th ogoniant, ac sy'n cael ei amlygu i ni yn dy ofal amdanom a'th ddarpariaeth ar ein cyfer. Cydnabyddwn dy gariad fel cariad diderfyn. Amen.

Eifion Arthur Roberts

Maddau i ni ein bywyd hunanol ac anystyriol ac ymbiliwn am dy faddeuant:

Arglwydd daionus,
cyffeswn i ni dy siomi,
i ni fyw'n hunanol ac anystyriol,
gan fynnu dilyn ein ffordd ein hunain
ac anghofio anghenion eraill
a gofynion dy gariad di.
Ymbiliwn am dy faddeuant
i'n rhyddhau o'n beiau
ac am nerth dy Ysbryd
i fyw yn ôl dy orchmynion
trwy Iesu Grist, ein Harglwydd. Amen.

Elfed ap Nefydd Roberts

Crynhown ein holl bechodau ger dy fron ac erfyniwn am dy faddeuant:

Maddau, O Arglwydd,
y pethau na wnaethom a'r pethau a wnaethom:
pechodau'n hieuenctid a phechodau blodau'n dyddiau;
pechodau'n heneidiau a phechodau'n cyrff;
ein pechodau dirgel a'n rhai mwy amlwg;
y rhai a wnaethom mewn anwybodaeth,
a'r rhai a wnaethom yn fwriadol;
y rhai y gwyddom amdanynt ac a gofiwn,
a'r rhai sydd wedi mynd yn angof;

y pechodau yr ydym wedi ceisio'u cuddio oddi wrth eraill,
a'r pechodau hynny sydd wedi gwneud i eraill bechu.
Maddau hwynt i gyd, O Arglwydd. Amen.

John Wesley

Arwain ni i faddau o ddifrif i bawb yn ddiwahân:

O Dduw trugarog a graslon, yr hwn wyt faddeugar y tu hwnt i bob dychymyg o'n heiddo ni, dyro inni, yn ein holl ymwneud â'n gilydd, ysbryd mawrfrydig, a gwna ni'n barod bob amser i faddau i'n gilydd. Dysg ni i gofio na allwn dderbyn dy faddeuant di oni fyddwn yn barod i faddau o'r galon i bawb a wna gam â ni, ac mai felly y profwn ein hunain yn wir blant i ti. Amen.

Llawlyfr Defosiwn

Cofia'r byd yn ei ofidiau a'i drallodion ac arwain ni i faddau:

Gofynnwn ar i ti, yn dy faddeuant, gofio'r byd. Yn sŵn ei ryfeloedd, yn wyneb anghyfiawnder, yn nioddefaint y diniwed, maddau a thrugarha wrth dy bobl. Ac yn wyneb realiti, gweddïwn ar i ti ein cymell a'n harwain i ymarfer maddeuant yn ein perthynas â'n gilydd yng nghyd-destun ein bywyd fel pobl, fel eglwysi ac fel cymdeithas. Y weithred yma sy'n gyfrwng i adeiladu perthnasau gan roi bod i ymddiriedaeth a goddefgarwch, fel ein bod ni'n arwydd, a'n gweithredoedd yn dangos ôl y maddeuant mwyaf a welodd y byd hwn, sef ym mherson dy Fab, ein Harglwydd Iesu Grist. Amen.

Eifion Arthur Roberts

ADNODAU

Duw yw'r un sy'n maddau fy holl droseddau ac yn fy nghoroni â'i gariad:

Fy enaid, bendithia'r ARGLWYDD, a phaid ag anghofio'i holl ddoniau: ef sy'n maddau fy holl gamweddau, yn iacháu fy holl afiechyd;

Salm 103: 2–3

Os ydym yn barod i gyffesu ein beiau bydd Duw yn maddau:

Y sawl sy'n dweud ei fod yn y goleuni, ac yn casáu ei gydaelod, yn y tywyllwch y mae o hyd.

1 Ioan 2: 9

Credai'r gwesteion mai Duw yn unig allai faddau pechodau ac felly dyma gefndir eu cwestiwn:

Yna dechreuodd y gwesteion eraill ddweud wrthynt eu hunain, "Pwy yw hwn sydd hyd yn oed yn maddau pechodau?"

Luc 7: 49

Mae Duw yn maddau i ni felly mae'n rhaid i ninnau faddau i eraill:

A maddau inni ein troseddau,
fel yr ŷm ni wedi maddau i'r rhai a droseddodd yn ein herbyn;

Mathew 6: 12

Y mae'r wraig hon wedi dangos ei chariad at Iesu ac wedi derbyn maddeuant:

"Am hynny rwy'n dweud wrthyt, y mae ei phechodau, er cynifer ydynt, wedi eu maddau; oherwydd y mae ei chariad yn fawr. Os mai ychydig a faddeuwyd i rywun, ychydig yw ei gariad."

Luc 7: 47

Os na fyddwch chi'n maddau, meddai Iesu, fydd Duw chwaith ddim yn maddau i chwi:

Ond os na faddeuwch i eraill eu camweddau, ni fydd eich Tad chwaith yn maddau eich camweddau chwi.

Mathew 6: 15

275

DYWEDIADAU A THRADDODIADAU

Y newydd da yw bod maddeuant i'w gael am fod Iesu'n awyddus i'w ddisgyblion ofyn am faddeuant. Os gofynnwn i Dduw faddau i ni, y prawf o'i faddeuant yw ein bod ni'n awyddus i faddau i eraill. Bydd y disgybl yn cydnabod bod derbyn maddeuant Duw yn arwain wedyn yn anochel at faddau i eraill.

Ond prun yw'r person cryfaf, yr un sy'n medru rheoli ei dymer ynteu'r un sy'n methu gwneud hynny? Os gallwn reoli ein tymer, a gweddïo dros y rhai sy'n gwneud drwg i ni, mae parhad drygioni wedi'i atal. Felly rydym ni'n cael ein galw i faddau.

Nid meddwl yn barhaus am eu pechodau, ond y weledigaeth o sancteiddrwydd Duw sy'n gwneud y saint yn ymwybodol o'u pechodau.

Anthony Bloom

Rhaid dioddef peth a maddau llawer i gadw cariad.

Matthews Ewenni

Mae dyn ar ei orau pan fo'n gweddïo am faddeuant neu'n maddau i eraill.

Mae'r hwn sy'n maddau yn rhoi terfyn ar y cweryla.

Dihareb o Affrica

Er y galon friwedig nid yw Duw yn troi neb i dir anobaith:

Er cwyno lawer canwaith – a gweled
   Twyll y galon ddiffaith,
   Ni fyn Duw o fewn y daith
   Droi neb i dir anobaith.

Robert ap Gwilym Ddu

Ein Gwlad

Edrych yn awr, O Arglwydd, ar Gymru;
gwêl hi heddiw yn nyfnder ei gwarth.
Bu dy orchymyn yn ysgrifen ar ei chalon hi,
a'th adnodau yn rhagdalau rhwng ei llygaid.
Ond heddiw nid oes nac ofn na pharch yn y
tir; nid oes mwyach ôl glin ar garreg yr aelwyd.

Jennie Eirian Davies

EMYNAU

**Wrth i ni gofio am Gymru cofiwn hefyd am lywodraethau'r byd i gyd
a rho iddynt weledigaeth glir:**

Gweddïwn, Arglwydd, arnat ti
dros lywodraethau'n daear ni:
rho iddynt weledigaeth glir
i ganfod rhyddid yn y gwir.

Raymond Williams (Caneuon Ffydd: 814)

**Awn ymlaen yn anturiaethau yr Ysbryd Glân er mwyn ceisio
d'ogoniant di:**

Dduw Iôr ein tadau, nefol Dad,
O achub a sancteiddia'n gwlad;
cysegra'n dyheadau ni
i geisio dy ogoniant di.

J. T. Job (Caneuon Ffydd: 815)

**Nefol Dad, arwain ni i fawrhau'r Efengyl yn ein gwlad a gwneud pob
teulu'n deulu Duw:**

Cofia'n gwlad, Benllywydd tirion,
dy gyfiawnder fyddo'i grym:
cadw hi rhag llid gelynion,
rhag ei beiau'n fwy na dim:
rhag pob brad, nefol Dad,
taena d'adain dros ein gwlad.

Elfed (*Caneuon Ffydd*: 827)

Dysg ni i garu Cymru trwy drysori ei hiaith, ei llên a'i thraddodiadau:

Dysg imi garu Cymru,
ei thir a'i broydd mwyn,
rho help im fod yn ffyddlon
bob amser er ei mwyn;
O dysg i mi drysori
ei hiaith a'i llên a'i chân
fel na bo dim yn llygru
yr etifeddiaeth lân.

W. Rhys Nicholas (*Caneuon Ffydd*: 832)

O gofio arloeswyr ddoe cymorth ni i dystio heddiw fel na ddiffodded y fflam:

Arglwydd, rho o'th nerth i ninnau
dystio heddiw dros y gwir,
fel na choller breintiau Seion
a goludoedd gras o'n tir.
Na ddiffodded fflam yr allor
yn ein gwlad o oes i oes;
boed y golau'n dal i dywys
ei phreswylwyr at y groes.

D. E. Williams (*Caneuon Ffydd*: 842)

Arwain ni o'n gwyro gwamal at uniondeb dy lwybrau:

Argyhoedda ni, O Arglwydd, o'n gwyro
gwamal, fel y gwelom ffolineb ein ffyrdd,
a throi drachefn at uniondeb dy lwybrau.

O Arglwydd y cenhedloedd, nac anghofia'r
genedl a geraist; Wyliwr yr holl ardaloedd, diwel
dy wlith ar Walia wen.

Jennie Eirian Davies (*Caneuon Ffydd*: 873)

GWEDDÏAU

Dyrchafwn gri a diolchwn i ti am dy rodd i ni o iaith, diwylliant a thraddodiad:

O! DDUW
Ein Duw
RHOWN GLOD, DIOLCH A MAWL
Y parch a'r bri i ti am y Gymru hon
AM DY RODD I NI MEWN IAITH,
DIWYLLIANT A HANES. Amen.

Owain Llyr Evans

Fel cenedl chwiliwn am ein lle ymhlith teyrnasoedd y byd:

Gorfoleddwn yn y ffaith ei fod yn fwriad gennyt erioed i gynnwys pob math o bobl yn dy deyrnas dragwyddol. Bendigwn dy enw am fod dy Efengyl yn creu teulu byd-eang newydd yng Nghrist, o holl gyfandiroedd y byd, gan ein cynnwys ni hefyd. Amen.

John Treharne

Cyffeswn ein bod fel gwlad wedi cefnu arnat ti a gofynnwn am dy faddeuant:

Cyflwynwn i'th ddwylo gyflwr ein gwlad. Cydnabyddwn nad wyt yn cael y lle teilyngaf posibl yn ein bywyd. Gyda thristwch y cydnabyddwn y troi cefn amlwg ar efengyl dy Fab, y troi yma sy'n rhoi bod i'r holl bethau negyddol hynny yn ein hanes. Deisyfwn dy faddeuant, ond ynghlwm wrth y deisyfiad yna erfyniwn hefyd am gymorth ac am nerth. Amen.

Eifion Arthur Roberts

Cofleidiwn Gymru gyfan yn ein hymbiliau a'n dyheadau:

Gweddïwn, Arglwydd, dros ein cenedl a'i phobl:
    dros ein cymdogaethau, ein trefi a'n pentrefi;
    dros ein cartrefi a'n bywyd teuluol;
    dros ein hysgolion, ein colegau a'n pobl ifanc;
    dros sefydliadau cyhoeddus, gwleidyddion a chynghorwyr;
    dros ddiwydiannau a'u gweithwyr;
    dros gefn gwlad a phawb sy'n trin y tir;
    dros y cyfryngau, cynhyrchwyr a darlledwyr;
    dros fudiadau diwylliannol, llenorion a beirdd;
    dros ysbytai, meddygon a chleifion;
    dros bawb sy'n gweinyddu'r gyfraith;
    dros y tlawd, y digartref a'r di-waith;
    dros ein heglwysi, cynulleidfaoedd dy bobl
    a lledaeniad dy deyrnas yn ein plith. Amen.

Elfed ap Nefydd Roberts

Gwna ni'n Gymru fydd yn llawforwyn i ti ymhlith cenhedloedd y byd:

Dyro dy gymorth i ni oll wasanaethu Cymru yn rhagorach. Wrth i ni gael nerth gennyt Ti i wasanaethu ein hiaith a'n diwylliant, rho i ni gael doethineb gennyt Ti hefyd i ganfod pwrpas ein bodolaeth fel cenedl. Pâr i ni weld fel y gall y genedl fod yn llawforwyn i Ti ymhlith cenhedloedd daear. Dysg i ni oll, ac i'r genedl gyfan, glywed yr alwad nefol i wasanaethu y Deyrnas. Planna fywyd yn ein plith a fydd yn rhyfeddod y cenhedloedd ac yn destun diolch yr oesoedd. Amen.

Rhagor o Weddïau yn y Gynulleidfa

ADNODAU

Mae Duw ar hyd y canrifoedd wedi dangos ei ddaioni tuag atom fel cenedl:

Gwyn ei byd y genedl y mae'r ARGLWYDD yn Dduw iddi,
y bobl a ddewisodd yn eiddo iddo'i hun.

Salm 33: 12

Fe ddaw gwaredigaeth i'r genedl ac mae'r dydd hwnnw'n agos yn ôl y proffwyd:

"Gwrandewch arnaf, fy mhobl;
clywch fi, fy nghenedl;
oherwydd daw cyfraith allan oddi wrthyf,
a bydd fy marn yn goleuo pobloedd.

Eseia 51: 4

Mae'r proffwyd yn cyhoeddi barn ar ei genedl ei hun am ei bod wedi gwrthod gwrando:

A dywedi wrthynt, 'Hon yw'r genedl a wrthododd wrando ar yr ARGLWYDD ei Duw, ac ni dderbyniodd gerydd. Darfu am wirionedd; fe'i torrwyd ymaith o'u genau.'

Jeremeia 7: 28

Y cyhuddiad yn erbyn Iesu, oriau cyn ei groeshoelio, oedd ei fod yn arwain ei genedl ar gyfeiliorn:

Dechreusant ei gyhuddo gan ddweud, "Cawsom y dyn hwn yn arwain ein cenedl ar gyfeiliorn, yn gwahardd talu trethi i Gesar, ac yn honni mai ef yw'r Meseia, sef y brenin."

Luc 23: 2

Heb neb i'w harwain a'u cyfarwyddo methiant fydd hanes y genedl honno:

Heb ei chyfarwyddo, methu a wna cenedl,
ond y mae diogelwch mewn llawer o gynghorwyr.

Diarhebion 11: 14

Gweledigaeth y Salmydd yw fod Duw yn Dduw ar y cenhedloedd i gyd:

Dywedwch ymhlith y cenhedloedd, "Y mae'r ARGLWYDD yn frenin";
yn wir, y mae'r byd yn sicr ac nis symudir;
bydd ef yn barnu'r bobloedd yn uniawn.

Salm 96: 10

DYWEDIADAU A THRADDODIADAU

Trwy ffydd yr achubir bywyd cenedl, gan gynnwys yr iaith sy'n rhan o'i gwaddol ysbrydol: a gwaith enbyd o anodd yw tanio pobl Cymru â ffydd yn eu gwlad.

Gwynfor Evans

Y Gymraeg yw'r unig arf a eill ddisodli llywodraeth y Sais yng Nghymru.

Saunders Lewis

Y mae i Gymru ei hiaith ei hun, ac ni fedr gadw ein henaid hebddi.

O. M. Edwards

Rhaid yw cael Cymru Fydd yn Gymru Rydd.

Ben Bowen

Ond pa mor dda bynnag ydi'n cenedl, byddwn wyliadwrus rhag ofn i ni feddwl fod ein cenedl ni'n well nag unrhyw genedl arall. Dyna oedd gwendid y genedl Iddewig.

Yr hyn a wnaeth George MacLeod ar Ynys Iona oedd torri'r rhagfuriau a chroesi ffiniau. Ein drwg ni yng Nghymru yw ein bod yn cadw'r rhagfuriau ac yn codi rhagor ohonynt.

Yr Ysgol Sul

Nid paratoad ar gyfer bywyd yw addysg, bywyd ei hun yw addysg.

John Dewey

Pwrpas addysg yw cyfoethogi bywyd plentyn.

EMYNAU

Mae Iesu'n dysgu'r ffordd o fyw trwy garu cyd-ddyn a chreu heddwch a thangnefedd:

Nid oes neb fel Iesu yn dysgu'r ffordd i fyw,
nid oes neb fel Iesu yn dysgu'r ffordd i fyw;
mae'n rhoi gobaith i'n byd drwy ein dysgu o hyd
mai trwy gariad Duw byddwn ninnau fyw.

Eddie Jones (*Caneuon Ffydd*: 410)

O am gael byw i Iesu Grist meddai'r pennill cyntaf; 'rwy'n mynd i fyw i Iesu Grist, meddai'r ail bennill:

O am gael byw i Iesu Grist bob dydd, clod i Dduw!
O am gael byw i Iesu, byw yn rhydd, clod i Dduw!
Gwell na'r byd a'i holl drysorau,
hwn ydyw'r brawd a'r cyfaill gorau,
O am gael byw i Iesu Grist bob dydd.

Anad. *cyf.* Iddo Ef (*Caneuon Ffydd*: 405)

Roedd y plant a'u mamau yn cael eu denu at Iesu Grist:

Fe rodiai Iesu un prynhawn
    yng Ngalilea mewn rhyw dref,
a'r mamau'n llu a ddug eu plant
    yn eiddgar ato ef.

Stopford A. Brooke *cyf.* G. Wynne Griffith (*Caneuon Ffydd*: 349)

Galwad sydd yn yr emyn hwn i ddod yn agos at Iesu 'ar bob awr o'm hoes':

Deuaf atat, Iesu,
   ar bob awr o'm hoes;
ti yn unig gedwi
   blentyn rhag pob loes.

Pelidros (Caneuon Ffydd: 374)

Yn yr Ysgol Sul down i adnabod Iesu a'i ddilyn weddill ein bywyd ar y ddaear:

Dowch, blant bychain, dowch i foli'r Iesu,
   cariad yw, cariad yw;
dowch, blant bychain, dowch i foli'r Iesu,
   cariad yw, cariad yw.

Nantlais (Caneuon Ffydd: 406)

Mae'r plant yn cael eu galw, ym more oes, i ddilyn Iesu Grist:

Cristion bychan ydwy'n dilyn Iesu Grist,
Cristion bychan ydwy'n dilyn Iesu Grist,
O Dduw, rho nerth i geisio rhodio'r llwybr cul
a dilyn Iesu Grist.

Anad. (Caneuon Ffydd: 794)

GWEDDÏAU

Ar ddechrau'r Ysgol Sul gweddïwn fel un teulu, yr ifanc i elwa ar brofiad yr hen, a'r hen i dderbyn egni'r ifanc:

Deuwn atat yn llawen,
     ein Harglwydd byw,
     ein hathro bendigedig.
Deuwn yn deulu,
     yr ifanc yn ymelwa ar ffrwyth profiad yr hen,

a'r hen yn derbyn her ffresni ac egni'r ifanc.
A phawb ohonom yn derbyn gennyt drysor dy Air.
Hyfryd eiriau yn ein hadeiladu,
    dwysbigo,
    cysuro,
    puro,
    goleuo ac ysbrydoli.
Arwain ni, bawb sy'n dysgu a phawb a ddysgir. Arwain ni, yn blant a phobl ifanc a rhai hŷn, i chwilio, trin a thrafod, ond yn bennaf oll i fwynhau dysgu gennyt ac amdanat. Amen.

Owain Llyr Evans

Diolchwn am ddylanwad yr Ysgol Sul ar blant ac oedolion fel ei gilydd:

Diolchwn yn ostyngedig iawn am ddylanwad adeiladol yr Ysgol Sul ar genedlaethau o blant, ieuenctid a phobl ifanc. Diolchwn am yr Ysgol Sul fel cyfrwng i'w gwreiddio yn y gwirionedd Cristnogol. Diolch bod llawer o blant ac ieuenctid wedi medru defnyddio'r wybodaeth a gawsant yn yr Ysgol Sul i droi at yr Arglwydd Iesu fel eu Gwaredwr personol yn nes ymlaen mewn bywyd wrth weld eu hangen amdano yn gliriach. Amen.

John Treharne

Ar derfyn yr Ysgol Sul diolchwn am gyfnod yng nghwmni'n gilydd i wrando ar wahanol safbwyntiau:

Deuwn atat, Arglwydd, ar derfyn y cyfnod hwn yng nghwmni ein gilydd. Diolch am gwmni cyfeillion, am y parodrwydd i rannu a goddef syniadau gwahanol ac amrywiaeth barn; a'r cyfan yn gymorth inni i gyd i ddeall yn well dy Air a'th ewyllys ar ein cyfer. Amen.

Owain Llyr Evans

Diolchwn am gyfraniad yr Ysgol Sul sy'n fynegbost ar gyfer y presennol a'r dyfodol:

Ein Duw a'n Tad, diolchwn i ti am yr Ysgol Sul, ac am y bendithion amhrisiadwy a gyfrennaist inni trwyddi, gan ei gwneud yn gyfrwng i godi cenhedlaeth ar ôl cenhedlaeth o rai yn gwybod dy Air ac yn ofni dy enw. Bydded i bob un ohonynt gael dy Air Sanctaidd yn llusern i'w draed ac yn llewyrch i'w lwybr. Bendithia waith yr Ysgol Sul i'w dwyn i adnabod dy ewyllys, ac i gysegru eu bywyd i'th wasanaeth. Amen.

Llyfr yr Addoliad Teuluol

Arwain ni, bob un ohonom, i ddysgu a hyfforddi ac i roi cychwyn i'n plant ar ddechrau eu pererindod:

Dw i isio dysgu fy nisgyblion mwy na gwersi mewn llyfr, pethau dyfnach y bydd pobl yn eu hosgoi –
Dysgu sut i dyfu mewn doethineb ac mewn gras,
fel y byddan nhw un dydd yn gwneud yr hen fyd 'ma yn lle gwell,
mwy dymunol.
Arglwydd gad i mi fod yn gyfaill ac yn arweinydd i roi cychwyn i'r meddyliau hyn
ar eu llwybr i lawr ffordd hir a throellog bywyd.
Wedyn fe fydda i o leia', wedi gwneud fy rhan. Amen.

Addas. Aled Lewis Evans

ADNODAU

Tad yw Duw sy'n tosturio wrth ei blant:

Fel y mae tad yn tosturio wrth ei blant,
felly y tosturia'r ARGLWYDD wrth y rhai sy'n ei ofni.

Salm 103: 13

Y rhodd fwyaf y gallwn ei derbyn yw cael ein galw yn blant i Dduw:

Gwelwch pa fath gariad y mae'r Tad wedi ei ddangos tuag atom: cawsom ein galw yn blant Duw, a dyna ydym. Y rheswm nad yw'r byd yn ein hadnabod ni yw nad oedd yn ei adnabod ef.

1 Ioan 3: 1

Roedd rhieni Iesu yn mynd gydag ef i'r oedfa:

Byddai ei rieni yn teithio i Jerwsalem bob blwyddyn ar gyfer gŵyl y Pasg.

Luc 2: 41

Mor bwysig ydi arwain a hyfforddi plentyn ar ddechrau'r daith:

Hyffordda blentyn ar ddechrau ei daith,
ac ni thry oddi wrthi pan heneiddia.

Diarhebion 22: 6

O ufuddhau i ddeddfau Duw bydd hyn yn fan cychwyn ar daith bywyd:

Yr wyf wedi gosod fy mryd ar ufuddhau i'th ddeddfau;
y mae eu gwobr yn dragwyddol.

Salm 119: 112

Athro yn dysgu gydag awdurdod oedd Iesu:

Yr oedd y bobl yn synnu at yr hyn yr oedd yn ei ddysgu, oherwydd yr oedd yn eu dysgu fel un ag awdurdod ganddo, ac nid fel yr ysgrifenyddion.

Marc 1: 22

DYWEDIADAU A THRADDODIADAU

Dewisodd Thomas Charles ei athrawon, nid ar sail cyraeddiadau academaidd ond yn hytrach ar sail eu duwioldeb, moesoldeb a'u gwyleidd-dra. Ei nod oedd creu gwareiddiad wedi'i sylfaenu ar egwyddorion y Beibl. Nid ysgaru dysg a moes wnaeth Charles, ond eu cyfannu er mwyn creu unigolion cyflawn.

Y mae dyfodol Addysg y genedl, yn ogystal â dyfodol ei chrefydd, yn dibynnu ar yr Ysgol Sul i raddau helaethach nag yr un sefydliad arall.

O. M. Edwards

O dir a daear Cymru y tarddodd a datblygodd yr ysgol Sul a hynny yn ei dro a roddodd egni iddi ffynnu a pharhau'n rym mor ddylanwadol am gynifer o flynyddoedd.

Nid yw Cymro yn debyg o anghofio lle hanfodol yr Ysgol Sul yng nghefndir addysg ein cyfnod. Yn wir, y perygl yw syrthio i'r arfer o gyfeirio'n huawdl at yr Ysgol Sul fel iachawdwriaeth addysgol y genedl; canmol heb ymchwil a beirniadaeth, a gadael y mater yn y fan yna.

W. M. Williams

Yng Nghymru, nid apeliodd y mudiad [Yr Ysgol Sul] at y dosbarthiadau uchaf, a'r prif gymhelliad oedd dyhead y werin am addysg grefyddol.

J. J. Evans

Cyfunodd Thomas Charles ynddo ei hun frwdfrydedd y diwygiwr ac ymroddiad yr addysgwr; asiwyd y mudiad addysgol a'r mudiad crefyddol yn un mudiad cenhadol cryf.

Beryl Thomas

Yr Eglwys

Perygl mwyaf yr Eglwys heddiw yw ceisio bod ar yr un ochr â'r byd, yn hytrach na throi'r byd wyneb i waered. Mae'r meistr yn disgwyl i ni sicrhau canlyniadau, hyd yn oed os yw hynny'n golygu gwrthwynebiad a gwrthdaro. Y mae unrhyw beth yn well na chyfaddawd, difaterwch a pharlys.

A. B. Simpson

EMYNAU

Mae presenoldeb Duw ymhob man ac yn agos iawn at bawb sydd mewn angen:

Mae Duw yn llond pob lle,
   presennol ymhob man;
y nesaf yw efe
   o bawb at enaid gwan;
wrth law o hyd i wrando cri:
"Nesáu at Dduw sy dda i mi."

David Jones (Caneuon Ffydd: 76)

Priod waith yr eglwys ymhob oes yw cenhadu:

Cofiwn am gomisiwn Iesu
   cyn ei fyned at y Tad:
"Ewch, pregethwch yr Efengyl,
   gwnewch ddisgyblion ymhob gwlad."
Deil yr Iesu eto i alw
   yn ein dyddiau ninnau nawr;
ef sy'n codi ac yn anfon
   gweithwyr i'w gynhaeaf mawr.

John Roberts (Caneuon Ffydd: 259)

Wrth nesáu at Dduw distawrwydd a gostyngeiddrwydd sy'n gweddu i'r Cristion:

Distewch, cans mae presenoldeb Crist, y sanctaidd Un, gerllaw;
dewch, plygwch ger ei fron mewn dwfn, barchedig fraw:
dibechod yw efe, lle saif mae'n sanctaidd le;
distewch, cans mae presenoldeb Crist, y sanctaidd Un, gerllaw.

David J. Evans *cyf.* R. Glyn Jones (*Caneuon Ffydd*: 600)

Yng nghanol stormydd a threialon bywyd boed i mi glywed dy lais:

O Iesu, mi addewais
    dy ddilyn drwy fy oes;
bydd di yn fythol-agos,
    Waredwr mawr y groes:
nid ofnaf sŵn y frwydr
    os byddi di gerllaw;
os byddi di'n arweinydd
    ni chrwydraf yma a thraw.

J. E. Bode *efel.* D. R. Griffiths (*Caneuon Ffydd*: 719)

Mynd â ni o gwmpas gwahanol rannau'r eglwys mae'r emynydd er mwyn i ni werthfawrogi eu harwyddocâd:

Hoffi 'rwyf dy lân breswylfa,
    Arglwydd, lle'r addewaist fod;
nid oes drigfan debyg iddi
    mewn un man o dan y rhod.

William Bullock a Henry W. Baker *cyf.* Nicander (*Caneuon Ffydd*: 622)

Cawn ein galw i dystio i Dduw yn y byd a bydd cymdeithas yr eglwys yn foddion i'n hatgyfnerthu:

Arglwydd, rho o'th nerth i ninnau
    dystio heddiw dros y gwir,
fel na choller breintiau Seion
    a goludoedd gras o'n tir.

Na ddiffodded fflam yr allor
   yn ein gwlad o oes i oes;
boed y golau'n dal i dywys
   ei phreswylwyr at y groes.

D. E. Williams (Caneuon Ffydd: 842)

GWEDDÏAU

Down at ein gilydd i'r lle sy'n llawn o'th bresenoldeb i lenwi ein calonnau a'n heneidiau:

Yr wyt ti, Arglwydd, yn ein mysg;
   y mae dy bresenoldeb yn llenwi'r lle hwn,
   yn llenwi'r awr hon,
   yn llenwi'n calonnau a'n heneidiau,
   ac yn ein clymu ynghyd yn un cymuned ysbrydol,
   yn gorff Crist ac yn deulu'r ffydd.
Yng nghymdeithas yr Ysbryd Glân,
   a chyda'th eglwys fawr yn y nef ac ar y ddaear,
   offrymwn i ti, Dduw Dad hollalluog,
   ein clod, ein cariad a'n hufudd-dod. Amen.

Elfed ap Nefydd Roberts

Ar ôl bod yn dy bresenoldeb anfon ni allan i godi pontydd ac i garu a derbyn:

Arglwydd, defnyddia ni i feithrin cymdeithas,
   i godi pontydd rhwng pobloedd,
   i greu ymdeimlad o berthyn,
   ac i garu a derbyn eraill
   fel y cawsom ni ein derbyn a'n caru gennyt ti,
   trwy ras ein Harglwydd Iesu Grist
   ac yng nghymdeithas dy Lân Ysbryd. Amen.

Elfed ap Nefydd Roberts

Boed i'th eiriau wrth Seimon Pedr fod yn galondid i ni yn ein hymdrechion heddiw:

Ein Tad nefol a sanctaidd, wrth feddwl am dy Eglwys cofiwn eiriau Iesu wrth Seimon Pedr:
'Ar y graig hon yr adeiladaf fy eglwys, ac ni chaiff holl bwerau angau y trechaf arni.'
Mae'r geiriau hyn yn galondid mawr i ni yng nghanol y dirywiad ysbrydol sydd yn ein gwlad. Tristwch mawr i ni, O! Arglwydd, yw'r ffaith nad yw'r ieuenctid yn gweld yr Eglwys yn berthnasol i'w bywyd a bod nifer y ffyddloniaid yn lleihau o flwyddyn i flwyddyn. Amen.

Brian Wright

Aeth Iesu i mewn i'r deml a throi'r byrddau. Tyrd heddiw i ddymchwel byrddau ein rhagfarnau a'n hystrydebau:

Tyrd, os gweli di'n dda, i deml dy Eglwys heddiw.
Gyr allan yr hyn oll sy'n atal ei heffeithiolrwydd yn dy fyd.
Gyr allan ein hofnau a'n hansicrwydd –
ofn mentro; ofn newid; ofn arbrofi.
Tafla i lawr gadeiriau ein crefydd denau, ddof.
Dymchwel fyrddau ein rhagfarn a'n cenfigen,
Maddau inni ein hystrydebau. Amen.

Owain Llyr Evans

Boed i'n heglwys gael ei herio gan Gristnogion o wledydd eraill ar draws y byd:

Gad i'n ffydd gael ei herio gan ffydd Cristnogion gwledydd eraill – yn enwedig ffydd Cristnogion brodorol y trydydd byd a'r rhai hynny sy'n gorfod wynebu dioddefaint ac erlid oblegid eu hymlyniad wrth Efengyl ein Harglwydd Iesu Grist. Diolchwn iti am her esiampl ein brodyr tramor a gweddïwn am barhad a llwyddiant eu tystiolaeth. Brysied y dydd pan 'na byddo mwyach na dial na phoen, na chariad at ryfel, ond rhyfel yr Oen.' Amen.

John Johansen-Berg

ADNODAU

Ar ymateb Pedr a'i adnabyddiaeth o'i Arglwydd y sefydlodd Iesu ei eglwys ar y ddaear:

Ac rwyf fi'n dweud wrthyt mai ti yw Pedr, ac ar y graig hon yr adeiladaf fy eglwys, ac ni chaiff holl bwerau Hades y trechaf arni.

Mathew 16: 18

Os meddylir am yr eglwys fel y corff, Iesu yw'r cyntaf a'r pen:

Ef hefyd yw pen y corff, sef yr eglwys. Ef yw'r dechrau, y cyntafanedig o blith y meirw, i fod ei hun yn gyntaf ym mhob peth.

Colosiaid 1: 18

Yng nghanol ysblander y deml gweld angen dyn a wnaeth Iesu a'i ddiwallu:

A daeth deillion a chloffion ato yn y deml, ac iachaodd hwy.

Mathew 21: 14

Nod y Cristion yw prysuro ymlaen i wneud gwaith Iesu yn y byd:

Nid fy mod eisoes wedi cael hyn, neu fy mod eisoes yn berffaith, ond yr wyf yn prysuro ymlaen, er mwyn meddiannu'r peth hwnnw y cefais innau er ei fwyn fy meddiannu gan Grist Iesu.

Philipiaid 3: 12

Nid ein gwaith ni yw cydymffurfio â'r byd ond yn hytrach cael ein trawsffurfio trwy'n hadnewyddu:

A pheidiwch â chydymffurfio â'r byd hwn, ond bydded ichwi gael eich trawsffurfio trwy adnewyddu eich meddwl, er mwyn ichwi allu canfod beth yw ei ewyllys, beth sy'n dda a derbyniol a pherffaith yn ei olwg ef.

Rhufeiniaid 12: 2

Yr eglwys heddiw yw corff Iesu Grist ar y ddaear:

Yr eglwys hon yw ei gorff ef, a chyflawniad yr hwn sy'n cael ei gyflawni ym mhob peth a thrwy bob peth.

Effesiaid 1: 23

DYWEDIADAU A THRADDODIADAU

Y mae aelodau'r Eglwys yn aml yn disgwyl gwasanaeth ac yn gyndyn i wasanaethu.

Vance Havner

Nid yw aelodaeth o'r eglwys yn eich gwneud yn Gristion, dim mwy nag y mae bod yn berchen ar biano'n gwneud cerddor.

Douglas Meader

Gwaed y saint yw had yr eglwys.

Tertullian

Peidiwch â chadw draw o'r Eglwys am fod cymaint o ragrithwyr yno. Y mae lle bob amser i un arall.

Yr Eglwys yw'r unig gymdeithas yn y byd sy'n byw er mwyn eraill.

William Temple

Y Digartref

Gwared ni, O Dduw, rhag inni ddibrisio a bychanu bywyd neb, ond helpa ni i edrych ar ein cyd-ddyn yng ngoleuni dy efengyl di a gweld Iesu ei hun yn ein cyfarfod ynddo. Tad yw Duw y mae pob person unigol yn blentyn iddo ac yn werthfawr yn ei olwg.

EMYNAU

Efelychwn Iesu a defnyddiwn ein dwylo i roi cymorth yn ein cymuned:

Dwylo ffeind oedd dwylo
   Iesu ymhob man,
yn iacháu y cleifion
   a bendithio'r gwan;
golchi traed blinedig,
   dal rhai isa'r byd,
dwylo ffeind oedd dwylo
   Iesu Grist o hyd.

Margaret Cropper *cyf.* Dafydd Owen (*Caneuon Ffydd*: 372)

Cyfannu a chofleidio mae rhwydwaith dirgel Duw:

Mae rhwydwaith dirgel Duw
yn cydio pob dyn byw;
cymod a chyflawn we
myfi, tydi, efe:
mae'n gwerthoedd ynddo'n gudd,
ei dyndra ydyw'n ffydd;
mae'r hwn fo'n gaeth yn rhydd.

Waldo Williams (*Caneuon Ffydd*: 280)

Rho i ni ysbryd ac awydd Iesu i gario beichiau'n gilydd:

O am ysbryd cario beichiau
a fo'n llethu plant gofidiau;
ar fy ngeiriau a'm gweithredoedd
bydded delw lân y nefoedd.

Thomas Morgan (Caneuon Ffydd: 819)

Gwna ni'n ffyddlon i eiriau Iesu i garu a lliniaru beichiau'n cyd-ddyn:

O Arglwydd, gwna ni'n ffyddlon
  i gyd-ddyn ymhob gwlad,
a'n gweddi ddwys fo'n gyson
  am fron heb ddig na brad;
enynner ynom gariad
  yn awr ym more'r daith
i estyn balm Gilead
  i deulu'r clwyf a'r graith.

T. Elfyn Jones (Caneuon Ffydd: 831)

Boed i ni dy weld di yng ngwedd y llesg a'r gwael:

Gad imi weld dy ŵyneb-pryd
  yng ngwedd y llesg a'r gwael,
a gwrando'r cwyn nas clyw y byd
  er mwyn dy gariad hael.

E. A. Dingley cyf. Nantlais (Caneuon Ffydd: 805)

Gwaith yr eglwys ymhob oes yw estyn llaw a gweld y gorau ym mhawb:

Arglwydd Iesu, llanw d'Eglwys
  â'th Lân Ysbryd di dy hun
fel y gwasanaetho'r nefoedd
  drwy roi'i llaw i achub dyn:
dysg i'w llygaid allu canfod,
  dan drueni dyn, ei fri;
dysg i'w dwylo estyn iddo
  win ac olew Calfarî.

W. Pari Huws (Caneuon Ffydd: 839)

GWEDDÏAU

Gwna ni'n ymwybodol o anghenion ein cyd-ddyn gan gofio'n arbennig ein cymdogion:

'Homeless Please Help.'
Darllenais y geiriau wrth fynd heibio...
rhoddais wên iddo wrth fynd heibio...
do, es heibio a llais bach yn lleddfu fy nghydwybod:
'Paid â phoeni, nid dy gyfrifoldeb di mohono.'
Ond, Arglwydd, gwnest ni'n gyfrifol am ein gilydd,
am gymydog...a dieithryn. Amen.

Owain Llyr Evans

Cofiwn nad oedd gan Fab y Dyn le i roi ei ben i lawr:

Teimlwn yn hyderus i droi atat yn enw Iesu Grist oherwydd dy fod yn Dduw graslon a thrugarog. Wrth feddwl am y digartref, cofiwn eiriau Iesu ei hun am 'Fab y dyn heb le i roi ei ben i lawr'. Diolch dy fod yn gallu uniaethu gyda dyn yn ei angen. Mae ein dinasoedd a'n trefi mawr yn llawn o bobl nad oes ganddynt le i roi eu pen i lawr. Maent yn cerdded y strydoedd heb unman arbennig i fynd nac unrhyw beth o werth i'w wneud, a hynny o ddydd i ddydd. Amen.

Brian Wright

Rho i mi esiampl y Samariad Trugarog i weld fy mrawd yn llygad fy nghyd-ddyn:

Ninnau bob un ohonom
        yn rhan o'r system sy'n llethu, bychanu a dibrisio;
        yn cadw dyndod llawn oddi wrth ein cyd-aelodau, a ninnau
        o'th deulu mawr.
        Os gweli'n dda,
        deffra ein cydwybod,
        goleua ein dychymyg.
        Atgoffa ni o'r newydd am esiampl y Samariad Trugarog:

'Caru dynion a'u gwasanaethu,
dyma'r ffordd i garu Iesu.'
Atgoffa ni dy fod ti ym mhawb a phawb ynot ti. Amen.

Owain Llyr Evans

Agorwn ein bywydau i ymateb i dy her di i roi er mwyn eraill:

Arglwydd,
helpa ni i ymgyflwyno i ti ac i'th waith yn y byd:
i ymateb i'th gymhelliad i ddilyn Iesu Grist;
i roi i ti ein calonnau i fynegi dy gariad;
i roi i ti ein genau i gyhoeddi dy neges;
i roi i ti ein meddyliau i ddirnad dy ewyllys;
i roi i ti ein dwylo i gyfryngu dy dosturi;
i roi i ti ein hamser i'w lenwi a'i sancteiddio â'r tragwyddol. Amen.

Elfed ap Nefydd Roberts

Cyffeswn ein difrawder a'n diffyg parodrwydd i helpu eraill:

Arglwydd, gwared ni rhag byw yn hunanol er mwyn osgoi croes;
rhag byw heb groes er mwyn osgoi rhoi'n cwbl;
rhag byw i osgoi eraill yn lle ein cysegru'n hunain er eu mwyn;
rhag byw yn farwaidd yn lle marw i fyw.
Maddau inni fod cynifer o bobl yn ein bywyd na wnawn fawr ddim
drostynt nac erddynt:
y rhai a helpwn yfory a 'dyw yfory byth yn dod;
y rhai y dylem eu cofleidio ond a gadwn o hyd braich;
y rhai na hoffwn mohonynt, ac am hynny nas cerir gennym;
y rhai a bechodd i'n herbyn ac na cheisiasom gymodi â hwy.
Wrth gofio faint a wnaethost ti er ein mwyn ni, cynorthwya ni,
Arglwydd, i weld faint mwy y dylem ni ei wneud drosot ti. Amen.

D. Hughes Jones

ADNODAU

Mae'r Bugail Da yn mynd i chwilio am y ddafad a nod dilynwyr Iesu yw ceisio'r colledig:

Myfi yw'r bugail da; yr wyf yn adnabod fy nefaid, a'm defaid yn f'adnabod i, yn union fel y mae'r Tad yn f'adnabod i, a minnau'n adnabod y Tad. Ac yr wyf yn rhoi fy einioes dros y defaid.

Ioan 10: 14–15

Aruthrol ac anhygoel ydi gofal Duw am bob creadur, hyd yn oed adar y to!

Oni werthir dau aderyn y to am geiniog? Eto nid oes un ohonynt yn syrthio i'r ddaear heb eich Tad. Amdanoch chwi, y mae hyd yn oed pob blewyn o wallt eich pen wedi ei rifo. Peidiwch ag ofni felly; yr ydych chwi'n werth mwy na llawer o adar y to.

Mathew 10: 29–31

Mae gan adar nythod a llwynogod ffeuau, ond nid oes gan Fab y Dyn le i roi ei ben i lawr:

Meddai Iesu wrtho, "Y mae gan y llwynogod ffeuau, a chan adar yr awyr nythod, ond gan Fab y Dyn nid oes lle i roi ei ben i lawr."

Mathew 8: 20

Y Samariad, y gelyn, gymerodd drugaredd â'r dyn ar lawr. 'Dos a gwna dithau yr un modd':

"Prun o'r tri hyn, dybi di, fu'n gymydog i'r dyn a syrthiodd i blith lladron?" Meddai ef, "Yr un a gymerodd drugaredd arno." Ac meddai Iesu wrtho, "Dos, a gwna dithau yr un modd."

Luc 10: 36–37

Dyn wedi ei alltudio o gwmni ei deulu oedd y dyn gwahanglwyfus ond trwy gymorth Iesu fe'i hadferwyd:

299

Daeth dyn gwahanglwyfus ato ac erfyn arno ar ei liniau a dweud, "Os mynni, gelli fy nglanhau." A chan dosturio estynnodd ef ei law a chyffwrdd ag ef a dweud wrtho, "Yr wyf yn mynnu, glanhaer di."

Marc 1: 40–41

Mae caru Duw a charu cyd-ddyn yn mynd law yn llaw:

A dyma'r gorchymyn sydd gennym oddi wrtho ef: bod i'r sawl sy'n caru Duw garu ei gydaelod hefyd.

1 Ioan 4: 21

DYWEDIADAU A THRADDODIADAU

Mae gŵr yn eistedd wrth fynedfa'r archfarchnad, a'r ci wrth ei ochr. Mae hysbyseb wrth ei ochr, 'Dim lle yn y llety'. Mae'r tyrfaoedd yn mynd heibio a'r mwyafrif yn ei anwybyddu. Oni fyddai'n well iddo newid yr hysbyseb, 'A phwy yw fy nghymydog?'

Yr hyn a wnaeth y Samariad oedd chwalu holl ffiniau crefydd a hil; a charu nid â'r rheswm, ond â'r galon. Mewn gair, yr hyn a wnaeth y Samariad oedd caru fel y mae Duw yn caru, heb ffin na therfyn.

Mae Iesu yn galw arnom, yn y digartref, y dieithryn a'r dioddefwr.

Yr hyn sy'n gwneud gwasanaeth Cristnogol yn wahanol yn ei hanfod i ddyngarwch seciwlar yw'r ymwybyddiaeth ein bod, wrth wasanaethu'n gilydd, yn gwasanaethu Iesu Grist.

Mae perthynas â Duw yn creu perthynas newydd rhyngom â'n gilydd – perthynas o gariad, o undeb, o rannu beichiau, o gydymdeimlo, o gydlawenhau a chydaddoli. A'r berthynas hon sy'n ein harwain i weld y gorau ym mhawb.

Rhyddid

Tasg yr Eglwys Gristnogol a phob Cristion yw atgoffa'r byd o bresenoldeb Duw, a rhyddhau Duw o lyffetheiriau'r addoldy a thystio iddo yn y byd, yn y gymdeithas, ar yr aelwyd, ac yn y gweithle. Rhyddhawn Dduw o hualau a chaethiwed ein haddoldai.

EMYNAU

Yng nghwmni Duw cawn ein rhyddhau o'r cadwynau sy'n ein dal:

> Anturiaf ymlaen
> drwy ddyfroedd a thân
> yn dawel yng nghwmni fy Nuw;
> er gwanned fy ffydd
> enillaf y dydd,
> mae Ceidwad pechadur yn fyw.

David Davies (Caneuon Ffydd: 225)

Dyhead sydd yn y pennill hwn i dynnu'r enaid o gaethiwed i ryddhad a gorfoledd:

> Tyn fy enaid o'i gaethiwed,
> gwawried bellach fore ddydd,
> rhwyga'n chwilfriw ddorau Babel,
> tyn y barrau heyrn yn rhydd;
> gwthied caethion yn finteioedd
> allan, megis tonnau llif,
> torf a thorf, dan orfoleddu,
> heb na diwedd fyth na rhif.

William Williams (Caneuon Ffydd: 262)

Nodau amgen pob rhyddid yw teimlo'r hedd, cariad, ffydd, gobaith a'r llawenydd sy'n llifo fel yr afon:

Hedd sy'n llifo fel yr afon,
llifo drwot ti a mi,
llifo allan i'r anialwch,
rhyddid bellach ddaeth i ni.

Anad. cyf. Enid Morgan (Caneuon Ffydd: 281)

Rhyw ddydd bydd rhyddid perffaith; 'y maglau wedi eu torri a'm traed yn gwbwl rydd':

Os dof fi drwy'r anialwch
    rhyfeddaf fyth dy ras,
a'm henaid i lonyddwch
    'r ôl ganwaith golli'r maes;
y maglau wedi eu torri,
    a'm traed yn gwbwl rydd:
os gwelir fi fel hynny,
    tragwyddol foli a fydd.

1 Casgliad Harri Siôn 2 Dafydd Morris
3 Hannah Joshua (Caneuon Ffydd: 718)

Mae cariad rhyfeddol Duw yn ein rhyddhau o gaethiwed carchar i'r heulwen olau:

Rhyfeddol a rhyfeddol
    erioed yw cariad Duw:
ei hyd, ei led, ei ddyfnder,
    rhyw fôr diwaelod yw;
a'i uchder annherfynol
    sydd uwch y nefoedd lân,
Hosanna, Haleliwia!
    fy enaid, weithian cân.

Dafydd William (Caneuon Ffydd: 190)

Chwiliwn am nerth a gras i fynd ymlaen i'r uchelfannau a hynny trwy rwystrau maith:

Duw pob gras a Duw pob mawredd,
cadarn fo dy law o'n tu;
boed i'th Eglwys wir orfoledd
a grymuster oddi fry:
rho ddoethineb, rho wroldeb,
'mlaen ni gerddwn oll yn hy.

H. E. Fosdick *cyf.* D. B. Jones (*Caneuon Ffydd*: 818)

GWEDDÏAU

O Dduw, daethost i'n byd yn Iesu Grist i'n rhyddhau o'r hualau sy'n ein caethiwo:

Arglwydd Dduw, ein rhyddhäwr,
daethost atom yn dy Fab Iesu Grist,
heibio i bob pellter a phob pechod,
i ddwyn newyddion da i dlodion,
i gyhoeddi rhyddhad i garcharorion,
ac i gynnig gobaith i'r gorthrymedig:
diolchwn i ti am rym ac addewid yr efengyl,
a gweddïwn arnat ein harwain i'r rhyddid
sy'n eiddo i ni yng Nghrist. Amen.

Elfed ap Nefydd Roberts

Yn Iesu Grist, gwyddost yn iawn beth yw caethiwed, creulondeb ac unigrwydd:

Yn dy enw,
gweddïwn dros dy bobl,
ein brodyr a'n chwiorydd a garcharwyd ar gam – carcharorion cydwybod,
y rhai a daflwyd i'r carchar oherwydd eu syniadau a'u daliadau
yn cael eu poenydio mewn rhyw swyddfa, cell neu seler y funud hon,
rywle yn y byd. Amen.

Owain Llyr Evans

Trwy faddeuant a thrugaredd mae Mab sy'n barod i'n rhyddhau:

Diolch fod y Mab yn rhyddhau'n wir y sawl sy'n dod ato am faddeuant a thrugaredd, a diolch mai rhyddid i wasanaethu dy enw mawr, ac nid penrhyddid yw hwn. Diolch am y rhyddid a gawn mewn gweddi, mewn addoliad, wrth ddarllen dy air, y rhyddid i dy glywed di yn siarad, i ddarganfod dy ewyllys, i dy garu a'th ddilyn i ddyrchafu enw yr Arglwydd Iesu. Amen.

Meirion Morris

Mor hawdd yw mynd yn gaeth i'r pethau tymhorol a cholli golwg ar y pethau tragwyddol:

Mae cymaint o bethau ar gael yn y byd a hawdd yw inni fynd yn gaeth iddynt a chael ein rheoli ganddynt. Cofiwn eiriau Iesu, 'Ni allwn wasanaethu dau feistr.' Mae arnom angen rhyddid o afael pethau fel y cawn drysori pethau'r nefoedd sy'n dragwyddol, nid pethau'r byd sydd dros dro yn unig. Amen.

Brian Wright

Boed i allwedd dy gariad ein rhyddhau ni o garchar ein bywydau:

Ie, Arglwydd, carcharorion ydym.
Erfyniwn am ryddhad, am gael clywed 'goriad dy gariad yn y clo yn agor drws ein carchar.
Dyro inni'r ewyllys a'r nerth i gerdded drwyddo gyda thi. Amen.

Owain Llyr Evans

ADNODAU

Neges Iesu i'r Iddewon oedd iddynt aros yn ei air a byddai'r gwirionedd yn eu rhyddhau:

Cewch wybod y gwirionedd, a bydd y gwirionedd yn eich rhyddhau.

Ioan 8: 32

Gan fod Crist wedi'n prynu i ryddid mae'n rhaid inni sefyll yn gadarn a diysgog:

I ryddid y rhyddhaodd Crist ni. Safwch yn gadarn, felly, a pheidiwch â phlygu eto i iau caethiwed.

Galatiaid 5: 1

Neges o ryddhad oedd neges gyntaf Iesu pan gododd i ddarllen yr Ysgrythur yn y synagog:

"Y mae Ysbryd yr Arglwydd arnaf,
oherwydd iddo f'eneinio
i bregethu'r newydd da i dlodion.
Y mae wedi f'anfon i gyhoeddi rhyddhad i garcharorion,
ac adferiad golwg i ddeillion,
i beri i'r gorthrymedig gerdded yn rhydd,
i gyhoeddi blwyddyn ffafr yr Arglwydd."

Luc 4: 18–19

Cawsom ein prynu i ryddid trwy Iesu Grist a hynny oddi wrth felltith y gyfraith:

Prynodd Crist ryddid i ni oddi wrth felltith y Gyfraith pan ddaeth, er ein mwyn, yn wrthrych melltith, oherwydd y mae'n ysgrifenedig: "Melltith ar bob un a grogir ar bren!"

Galatiaid 3: 13

Rydym wedi'n rhyddhau o hualau pechod ond bellach rydym yn gaethweision cyfiawnder:

Ond yn awr yr ydych wedi eich rhyddhau oddi wrth bechod, a'ch gwneud yn gaethion i Dduw, ac y mae ffrwyth hyn yn eich meddiant, sef bywyd sanctaidd, a'r diwedd fydd bywyd tragwyddol.

Rhufeiniaid 6: 22

Bellach mae Timotheus wedi ei ryddhau o garchar felly bydd croeso yn ei ddisgwyl. Dyma'r unig gyfeiriad yn y Testament Newydd i Timotheus gael ei garcharu:

Y newydd yw fod ein brawd Timotheus wedi ei ryddhau, ac os daw mewn pryd, caf eich gweld gydag ef.

Hebreaid 13: 23

DYWEDIADAU A THRADDODIADAU

Nid yw rhyddid byth i'w gymryd yn ganiataol, a'i bris yw gwyliadwriaeth barhaus.

Trebor Lloyd Evans

Mae gen i freuddwyd y bydd talaith Mississippi hyd yn oed, ryw ddydd, ynys sy'n anial o ormes ac anghyfiawnder, yn cael ei newid i fod yn werddon o ryddid a chyfiawnder.

M. Luther King

Gellir dosrannu'n fras ymdrechion gwareiddiad y Gorllewin i gyfieithu rhinweddau personol yn werthoedd cymdeithasol wrth sôn am y triawd adnabyddus – Rhyddid, Cydraddoldeb a Brawdoliaeth.

Oswald R. Davies

Rhyddid meddwl yw bywyd yr enaid.

Voltaire

Ganed dyn yn rhydd, ac ym mhob man y mae mewn cadwynau.

Rousseau

Genir pawb yn rhydd ac yn gydradd â'i gilydd mewn urddas a hawliau. ...Y mae gan bawb hawl i fywyd, rhyddid a diogelwch.

Hawliau Dynol

Iechyd

Yn nioddefaint Iesu – ei riddfannau yn yr ardd, ei ddagrau dros ddinas Jerwsalem, poenau ei fflangellu ac ingoedd ei farwolaeth ar y groes – gwelwn nad anfon nac achosi dioddefaint y mae Duw, ond ei fod yn cyd-ddioddef â ni ac yn amsugno pob poen i mewn i'w galon ei hun.

Yn fy natur wedi'i demtio
Fel y gwaela o ddynol-ryw,
Yno'n ddyn, yn wan, yn ddinerth,
Yn anfeidrol fywiol Dduw.

EMYNAU

At bwy yr awn ni yn ein gwendid ond atat ti; down atat yn hyderus:

O Grist, Ffisigwr mawr y byd,
down atat â'n doluriau i gyd;
nid oes na haint na chlwy' na chur
na chilia dan dy ddwylo pur.

> D. R. Griffiths (*Caneuon Ffydd*: 301)

Crist, y meddyg a'r ffisigwr, cofia am bawb sydd mewn gwendid a gwaeledd:

O Iesu'r Meddyg da,
Ffisigwr mawr y byd,
O cofia deulu'r poen a'r pla,
a'r cleifion oll i gyd.

> Nantlais (*Caneuon Ffydd*: 804)

Mae'r Meddyg Da yn cynnig balm i'n heneidiau a chariad i'n cysuro:

Y mae'r balm o ryfedd rin
  yn Gilead,
ac mae yno beraidd win
  dwyfol gariad;
yno mae'r Ffisigwr mawr,
  deuwch ato
a chydgenwch, deulu'r llawr –
  diolch iddo!

J. T. Job (Caneuon Ffydd: 846)

Rwyt ti'n dod atom yn ein gwendid a'n trallod a hynny'n aml trwy ein cymdogion:

Deui atom yn ein gwendid
  gan ein codi ar ein traed,
drwy dy Ysbryd, drwy dy bobol,
  sefyll yr wyt ti o'n plaid.

Glen Baker cyf. Cynthia Saunders Davies (Caneuon Ffydd: 849)

Tyrd atom Dywysog hedd a hoff Feddyg dynol-ryw i'n cadarnhau a thawelu'r storm:

Dywysog hedd, hoff Feddyg dynol-ryw,
dy gwmni di sy'n falm i galon friw;
pan gaeir drws mewn ofn rhag llid y byd,
saf yn ein mysg yn nodded gadarn, glyd;
o'th weled di ac arnat ôl y groes
tawela'r storm o'n mewn, a pheidia'r loes.

R. R. Williams (Caneuon Ffydd: 853)

Mae'r Meddyg wedi marw dros ei gleifion:

Caed modd i faddau beiau
  a lle i guddio pen
yng nghlwyfau dyfnion Iesu
  fu'n gwaedu ar y pren;

anfeidrol oedd ei gariad,
   anhraethol oedd ei gur
wrth farw dros bechadur
   o dan yr hoelion dur.

1 Mary Owen 2 Anad. (*Caneuon Ffydd*: 507)

GWEDDÏAU

Ti yw'r Creawdwr ac ynot ti yr ydym yn byw, yn symud ac yn bod:

O! Dduw, ein Tad, cydnabyddwn gyda'n gilydd mai ti a'n creaist ac mai ti sy'n ein cynnal. Ynot ti yr ydym ni'n byw, yn symud ac yn bod. Diolchwn i ti dy fod wedi'n creu ar dy lun ac ar dy ddelw. Trwy hynny, rhoddaist ynom ddyhead diflino amdanat dy hun ac nid oes diwallu arno nes inni orffwys ynot ti. Drwyddot ti y cawn ein cyflawni a thrwyddot ti y cawn ein hiechyd. Amen.

John Owen

Wrth i ni droi atat ti cyflwynwn ein hunain, gorff, meddwl ac ysbryd:

O! Dduw trugarog, cynorthwya ni, dy bobl, i edrych ar ein bywyd yn ei gyfanrwydd, yn gorff a meddwl ac ysbryd. Galluoga ni i dderbyn Iesu Grist yn arglwydd ar bob rhan o'n bywyd. Amen.

John Owen

Yn wyneb afiechyd cynorthwya ni i ddal ein gafael ynot ti:

Os daw afiechyd i'n rhan, galluoga ni i'w wynebu'n ddewr a chadarnhaol. Dysg ni i edrych i'r dyfodol a dal ein gafael yn ein gobaith ynot ti. Dyro inni chwilio am yr hyn y gallwn ei gael o'n profiad. Dyro inni weld o'r newydd y gallwn gymryd y pethau pwysicaf yn ganiataol, a bod ansicrwydd yn ein dysgu i werthfawrogi'r pethau sy'n bwysig. Amen.

John Owen

Boed i mi eiriol ar ran y claf a'r cystuddiol:

Eiriolwn, Arglwydd,
Ar ran y cleifion a'r cystuddiol
    a'r sawl sydd heb obaith gwellhad;
Ar ran y rhai sy'n gweini ar eraill,
    yn lleddfu poen ac yn iacháu afiechydon:
Arglwydd, clyw ein gweddi. Amen.

Elfed ap Nefydd Roberts

Yn wyneb pob poen a loes boed i ni wybod y gallwn droi atat ti a chanfod gras a nerth:

Diolchwn i ti, O Arglwydd, y medrwn droi atat ti yn ein gwendidau a'n hanghenion a chanfod y gras a'r nerth sydd gennyt ar ein cyfer.
Pan ddaw afiechyd, poen a gwendid corff i'n blino,
    arwain ni i orffwys yn dy hedd.
Dyfnha ein ffydd a rho inni ymddiriedaeth lwyrach ynot;
    er mwyn Iesu Grist ein Harglwydd. Amen.

Elfed ap Nefydd Roberts

ADNODAU

Nod y wraig oedd cyffwrdd â'i ddillad a byddai wedi ei hiacháu:

Oherwydd yr oedd hi wedi dweud, "Os cyffyrddaf hyd yn oed â'i ddillad ef, fe gaf fy iacháu."

Marc 5: 28

Dim ond ar y cleifion y mae angen meddyg ac mi rydyn ni i gyd yn perthyn i'r dosbarth hwnnw:

Clywodd Iesu, a dywedodd, "Nid ar y cryfion ond ar y cleifion y mae angen meddyg."

Mathew 9: 12

Mae gobaith pob claf, pob pechadur, yn Nuw:

"Ac yn awr, Arglwydd, am beth y disgwyliaf?
Y mae fy ngobaith ynot ti."

Salm 39: 7

Mae'r Meddyg Da yn gallu cyd-ddioddef â ni am ei fod yn gwybod beth yw treialon bywyd:

Canys nid archoffeiriad heb allu cyd-ddioddef â'n gwendidau sydd gennym, ond un sydd wedi ei demtio ym mhob peth, yn yr un modd â ni, ac eto heb bechod.

Hebreaid 4: 15

Yr oedd pregethu'r Gair ac iacháu'r bobl ar agenda'r Meddyg Da bob dydd:

Yr oedd yn mynd o amgylch Galilea gyfan, dan ddysgu yn eu synagogau hwy a phregethu efengyl y deyrnas, ac iacháu pob afiechyd a phob llesgedd ymhlith y bobl.

Mathew 4: 23

Fel mae'r ewig yn dyheu am y dyfroedd mae enaid yr unigolyn yn sychedu am y Duw byw:

Fel y dyhea ewig am ddyfroedd rhedegog,
felly y dyhea fy enaid amdanat ti, O Dduw.

Salm 42: 1

DYWEDIADAU A THRADDODIADAU

A fynno iechyd, bid lawen.

Gorau cyfoeth yw iechyd.

Wrth deimlo'r boen y sylwir ar iechyd.

Y mae gwir gryfder i'w ganfod o adnabod ein gwendid ein hunain ac o ymddiried yn llwyr yng ngallu a chadernid Duw. Dinoethi'r gwendid sydd mewn cryfder dynol a wna Iesu, er mwyn ei ddwyn at gyfrinach y cryfder sydd mewn gwendid.

Yr hyn mae Duw'n ei addo yw ei ras, a dylai hwnnw fod yn ddigonol i ni ym mhob amgylchiad.

Y Synhwyrau

Heddiw, agor ein clustiau i wrando, ein llygaid i weld, ein dwylo i gyffwrdd, ein meddyliau i ddeall a'n calonnau i ymateb i her dy efengyl di.

EMYNAU

Gwyliwn rhag colli'r ddawn i synnu a rhyfeddu at wychder ein byd:

Tydi, a roddaist liw i'r wawr
  a hud i'r machlud mwyn,
tydi, a luniaist gerdd a sawr
  y gwanwyn yn y llwyn,
O cadw ni rhag colli'r hud
sydd heddiw'n crwydro drwy'r holl fyd.

T. Rowland Hughes (*Caneuon Ffydd*: 131)

Trwy ddefnyddio'n synhwyrau gallwn fynegi ein diolch i Dduw:

Cofia bob amser, cofia bob tro,
paid ag anghofio dweud, "Diolch";
cofia bob amser, cofia bob tro,
cofia ddweud, "Diolch, Iôr."

Lynda Masson *cyf.* Delyth Wyn (*Caneuon Ffydd*: 145)

Mae fy holl gorff yn rhodd gan Dduw i ddweud wrth bawb amdano:

Ces lygaid ganddo imi weld
  y ddaear hardd i gyd,
a heb fy llygaid ni chawn weld
  yr un o blant y byd;
ces glust i glywed glaw a gwynt
  a thonnau ar y traeth:
rhaid imi ddweud wrth bawb o'r byd,
    ef a'm gwnaeth.

Alan Pinnock *cyf.* R. Gwilym Hughes (*Caneuon Ffydd*: 155)

Mae Duw sy'n rhoi, hefyd, yn ein cynnal:

Efe sy'n ein cynnal, mor dda yw ein Duw,
efe sy'n ein cynnal, mor dda yw ein Duw,
efe sy'n ein cynnal, mor dda yw ein Duw,
fe roes ei unig Fab er mwyn i ni gael byw.

Anad. cyf. Olive Edwards (Caneuon Ffydd: 158)

Agorwn ein llygaid a'n clustiau i weld a gwrando ar Iesu er mwyn dod i'w adnabod:

Agor ein llygaid
i weled yr Iesu,
i 'mestyn a'i gyffwrdd
a dweud i ni ei garu;
agor ein clustiau
a dysg i ni wrando,
agor ein calon
i 'nabod yr Iesu.

Robert Cull cyf. Catrin Alun (Caneuon Ffydd: 425)

Gofynnwn i Dduw ein cyffwrdd a'n bendithio fel y gallwn arddangos cariad Duw i eraill:

Dod ar fy mhen dy sanctaidd law,
  O dyner Fab y Dyn;
mae gennyt fendith i rai bach
  fel yn dy oes dy hun.

Eifion Wyn (Caneuon Ffydd: 681)

GWEDDÏAU

Cynorthwya ni i ddefnyddio'n synhwyrau er mwyn profi'r gogoniannau sydd o'n cwmpas:

Diolch am i ti wrth ein llunio roddi inni synhwyrau fel y gallwn fwynhau dy greadigaeth. Gofynnwn i ti flaenllymu ein synhwyrau fel y byddwn yn fwy effro i'r gogoniannau o'n cwmpas. Adfer ynom ryfeddod y plentyn fel y gallwn ddotio o'r newydd at gyfoeth dy gread. Amen.

John Owen

Rho i ni lygaid i weld o'r newydd brydferthwch rhod y tymhorau:

Diolch i ti am lygaid i weld. Ymhyfrydwn yn adnewyddiad bywyd yn y gwanwyn. Yna daw'r haf a'i holl gyfoeth i'n syfrdanu o'r newydd, a phan feddyliwn ein bod wedi gweld eithaf pob prydferthwch fe ddaw'r hydref a'i liwiau ysblennydd. Hyd yn oed yn noethni'r gaeaf, fe welwn harddwch ysgerbydau'r coed a mantell yr eira fel clogyn dros gopa'r mynydd. Agor ein llygaid, Arglwydd, i weld rhyfeddodau dy gread. Amen.

John Owen

Cyflwynwn y rhai sy'n methu defnyddio eu synhwyrau i'th ofal:

Ond yr ydym am gofio am y rhai hynny heddiw sydd ddim yn gweld, yn clywed, yn arogli, yn teimlo, yn blasu, a chyflwynwn hwy, ynghyd â'r rhai sy'n eu cynorthwyo i ti, gan ddiolch amdanynt. Amen.

Meirion Morris

Maddau i ni am gymryd dy roddion yn ganiataol a methu gweld y wyrth sydd o'n cwmpas:

Maddau i ni am ein bod ni weithiau yn colli'r ymdeimlad
    o ddiolchgarwch,
    yn dwyn agwedd hunanfodlon a gor-gyfarwydd
    â chyfoeth y greadigaeth.
Maddau i ni am gymryd dy roddion niferus yn ganiataol,
    yn eu hanghofio,
    yn eu gwastraffu,
    hyd yn oed yn eu camddefnyddio.

Rwyt ti wedi ein bendithio mor helaeth:
dysg ni i ddefnyddio dy roddion oll yn ddoeth. Amen.

Eirian a Gwilym Dafydd

Rwyt ti wedi'n bendithio'n hael; gwerthfawrogwn y cyfan trwy ein synhwyrau:

Diolchwn i ti am feddyliau fel medrwn ddeall, holi a dysgu,
am synhwyrau i weld, clywed, arogli, blasu a chyffwrdd,
ac am iechyd i fwynhau, sawru a dathlu.
Rwyt ti wedi ein bendithio mor helaeth:
dysg ni i ddefnyddio dy roddion oll yn ddoeth. Amen.

Eirian a Gwilym Dafydd

ADNODAU

Profiad ysgytiol y dyn dall oedd ei fod yn gweld unwaith yn rhagor:

Atebodd yntau, "Ni wn i a yw'n bechadur ai peidio. Un peth a wn i:
roeddwn i'n ddall, ac yn awr rwyf yn gweld."

Ioan 9: 25

Mae'r corff yn undod lle mae'r aelodau i gyd yn rhan ohono:

Oherwydd fel y mae'r corff yn un, a chanddo lawer o aelodau, a'r rheini
oll, er eu bod yn llawer, yn un corff, fel hyn y mae Crist hefyd.

1 Corinthiaid 12: 12

Mae'n rhaid defnyddio'r synhwyrau a hynny er ein lles:

Ystyriwch, fy nghyfeillion annwyl. Rhaid i bob un fod yn gyflym i wrando,
ond yn araf i lefaru, ac yn araf i ddigio.

Iago 1: 19

Mae'r Duw sydd wedi'n creu, hefyd, yn ein hadnabod a'n deall:

Gwyddost ti pa bryd yn byddaf yn eistedd ac yn codi;
yr wyt wedi deall fy meddwl o bell;
yr wyt wedi mesur fy ngherdded a'm gorffwys,
ac yr wyt yn gyfarwydd â'm holl ffyrdd.

Salm 139: 2–3

Mae'r proffwyd yn cyhuddo cenedl Israel o fod yn ddall a byddar:

"Chwi sy'n fyddar, clywch;
chwi sy'n ddall, edrychwch a gwelwch."

Eseia 42: 18

Yn ôl maniffesto Iesu bydd y deillion yn gweld a'r byddariaid yn clywed:

Y mae'r deillion yn cael eu golwg yn ôl, y cloffion yn cerdded, y gwahangleifion yn cael eu glanhau a'r byddariaid yn clywed, y meirw yn codi, y tlodion yn cael clywed y newydd da.

Mathew 11: 5

DYWEDIADAU A THRADDODIADAU

Mae pob sefyllfa a chyflwr, pa mor ddifrifol bynnag, yn gyfle creadigol i Dduw, dim ond i ddyn droi ato. Yn Efengyl Ioan, arwydd o ogoniant ac o allu Duw ydi'r gwyrthiau neu'r 'arwyddion'.

Mae'r synhwyrau'n rhoi bywyd llawn i ni, a phan gollwn ni ddefnydd un ohonyn nhw mae bywyd yn mynd yn feichus.

Penderfynodd Franklin D. Roosevelt, un o arlywyddion America, wneud arbrawf er mwyn gweld a oedd pobl yn gwrando o ddifrif. Wrth ysgwyd llaw â'r gwahoddedigion y diwrnod hwnnw, meddai wrth bob un fesul un, 'Mi wnes i lofruddio fy mam yng nghyfraith y bore yma' a'r atebion yn ddi-feth oedd, 'O! neis iawn, mae'n hyfryd eich gweld chi Arlywydd' neu 'Diolch i chi am y gwahoddiad.' Dim ond un, yn ôl yr hanes, a atebodd yn wahanol, 'O mae'n siŵr ei bod hi'n gofyn amdani!' Tybed ydi pobl yn gwrando?

Undod

Dyrchafaf i Dri:
Y Drindod yn Dduw
Sydd yn Un a Thri
Yn undod ag un nerth.

'Nid wyf yn frwd iawn dros undeb eglwysig os yw'n golygu unffurfiaeth.'

Raymond Brown

EMYNAU

Y Tri yn Un a'r Un yn Dri yw'r Duw a addolwn ni:

Addolwn Dduw, ein Harglwydd mawr,
mewn parch a chariad yma nawr;
y Tri yn Un a'r Un yn Dri
yw'r Arglwydd a addolwn ni.

Gwyllt y Mynydd (*Caneuon Ffydd*: 14)

Dirgelwch Tri yn Un yw sylfaen yr Eglwys Gristnogol:

Ond yma mae mewn undeb
â Duw, y Tri yn Un,
mewn dirgel, hardd gymundeb
â seintiau'r nef ynglŷn:
O deulu glân a dedwydd!
O Arglwydd, nertha ni
i esgyn gyda'r Iesu
i'th bresenoldeb di.

S. J. Stone *cyf.* J. A. Jackson (*Caneuon Ffydd*: 612)

Ti yw'r winwydden a ninnau yw'r canghennau sy'n tarddu ohonot ti:

319

O pâr i'th Eglwys, ti'r Winwydden wir,
darddu ohonot yn ganghennau ir;
a llifed drwom ni dy rasol nodd
nes inni ffrwytho'n felys wrth dy fodd.

Morgan D. Jones (*Caneuon Ffydd*: 620)

Crist yw sylfaen y tŷ ar y graig:

Crist yw sylfaen y tŷ,
Crist yw sylfaen y tŷ,
Crist yw sylfaen y tŷ ar y graig;
heddiw geilw blant pob gwlad,
"Dewch i mewn i dŷ eich Tad,"
Crist yw sylfaen y tŷ ar y graig.

1 Anad.; 2, 3, 4 Hong Sit *cyf.* Siôn Aled, Arfon Jones,
Tim Webb (*Caneuon Ffydd*: 625)

Chwiliwn am y cwlwm sy'n ein clymu â'r Tad:

Ni yw teulu'r Duw byw,
addewid o ddwyfol rin,
etholedig y Tad,
hyfryd newydd win.

Bob Gillman *cyf.* Catrin Alun (*Caneuon Ffydd*: 626)

Prydferthwch pennaf yr Eglwys yw presenoldeb y Tri yn Un:

Mor hardd, mor deg, mor hyfryd yw
Dy babell sanctaidd di, O Dduw!
Mor loyw y disgleiria hi
Gan lewyrch dy wynepryd di!

Benjamin Francis (*Emynau'r Llan*: 139)

GWEDDÏAU

Yng nghanol yr holl amrywiaethau llawenhawn yn yr undod sy'n bod:

Eto, gwyddom am yr unoliaeth berffaith sydd rhwng pob peth â'i gilydd. Er bod amrywiaeth a gwahaniaethau, llawenhawn yn yr undod, a gadarnheir gan neges y Gair:
'Gwnaeth ef hefyd o un dyn yr holl genhedloedd,
i breswylio ar holl wyneb y ddaear.' Amen.

John Owen

Dyhead Duw yw i ni fod yn un:

Yr ydym yn diolch am undod ein corff, fel y mae pob cymal a chyhyr yn gweithio drwy'i gilydd i lwyddo a chynnal ein bywyd ni. Wrth inni ystyried y modd yr wyt yn diogelu hyn oll, suddwn o dan donnau o ryfeddod a syndod. Diolchwn i ti, O! Dad, am y modd y mae hyn i gyd i fod yn ddarlun i ni o fywyd dy bobl a bywyd dy eglwys. Yr ydym yn darllen dro ar ôl tro yn dy air am dy ddymuniad, yn achos dy bobl, i fod yn un. Clywn eiriau ein Harglwydd yn gweddïo yn yr ardd ar inni fod yn un, i adlewyrchu yr undod sydd ynot ti. Amen.

Meirion Morris

Cyffeswn ein methiant am i ni fethu amlygu'r undod ym mywyd yr eglwys:

Cyffeswn na fu inni lwyddo i amlygu'r unoliaeth hon yn nhrefn allanol yr Eglwys. Ni allwn fod yn gytûn o ran syniadau oherwydd ein rhagfarnau. Ni allwn ddeall ein gilydd oherwydd ein cyndynrwydd. Ni allwn wrando ar ein gilydd oherwydd ein balchder. Ni allwn ddysgu oddi wrth ein gilydd oherwydd ein hunanbwysigrwydd. Amen.

John Owen

Canmolwn ac addolwn y Duw sy'n Dad, yn Fab ac yn Ysbryd Glân:

Canmolwn ac addolwn di, O Dduw, ein Tad.
Ti yw gwneuthurwr pob dim,
a thrwy dy ewyllys
creaist bopeth ac y maent yn dal i fod.

Canmolwn ac addolwn di, O Iesu Grist.
Ti yw'r Gair a ddaeth yn gnawd,
a thrwy dy fywyd di
adnabyddwn y Tad ac ymddiriedwn yn ei gariad.

Canmolwn ac addolwn di, O Ysbryd Glân.
Ti yw rhodd y Tad i ddynoliaeth,
a thrwy dy weithgarwch di-baid
ni wahenir dim oddi wrth Dduw. Amen.

Mil a Mwy o Weddïau

Yn ystod yr wythnos o weddi am undeb Cristnogol gweddïwn am undod yr Eglwys:

O Arglwydd Iesu Grist, a ddywedaist wrth dy Apostolion, Tangnefedd yr wyf yn ei adael i chwi, fy nhangnefedd yr wyf yn ei roddi i chwi: nac edrych ar ein pechodau, ond ar ffydd dy Eglwys, a dyro iddi'r tangnefedd a'r undod hwnnw sy'n unol â'th ewyllys di; yr hwn sy'n byw ac yn teyrnasu gyda'r Tad a'r Ysbryd Glân, yn un Duw, yn oes oesoedd. Amen.

Y Llyfr Gweddi Gyffredin

ADNODAU

Y nod yw cyfannu a byw yn gytûn:

Yr wyf yn deisyf arnoch, gyfeillion, yn enw ein Harglwydd Iesu Grist, ar i chwi oll fod yn gytûn; na foed ymraniadau yn eich plith, ond byddwch wedi eich cyfannu yn yr un meddwl a'r un farn.

1 Corinthiad 1: 10

Un yng Nghrist ydym oll:

Oherwydd fel y mae'r corff yn un, a chanddo lawer o aelodau, a'r rheini oll, er eu bod yn llawer, yn un corff, fel hyn y mae Crist hefyd.

1 Corinthiad 12: 12

Dymuniad Iesu oedd i'w ddisgyblion fod yn un ynddo Ef:

Yr wyf wedi gwneud dy enw di yn hysbys iddynt, ac fe wnaf hynny eto, er mwyn i'r cariad â'r hwn yr wyt wedi fy ngharu i fod ynddynt hwy, ac i minnau fod ynddynt hwy.

Ioan 17: 26

Nid rhywbeth i'w gynhyrchu yw'r undod ond rhywbeth i'w gynnal a'i gynyddu'n gyson:

Byddwch yn ostyngedig ac addfwyn ym mhob peth, ac yn amyneddgar, gan oddef eich gilydd mewn cariad.

Effesiaid 4: 2

Crist yw'r pen a thrwyddo ef y bydd prifiant y corff:

Ef yw'r pen, ac wrtho ef y mae'r holl gorff yn cael ei ddal wrth ei gilydd a'i gysylltu drwy bob cymal sy'n rhan ohono. Felly, trwy weithgarwch cyfaddas pob un rhan, ceir prifiant yn y corff, ac y mae'n ei adeiladu ei hun mewn cariad.

Effesiaid 4: 15(b)–16

Roedd y disgyblion gyda'i gilydd ar ddydd tywalltiad yr Ysbryd:

Ar ddydd cyflawni cyfnod y Pentecost yr oeddent oll ynghyd yn yr un lle.

Actau 2: 1

DYWEDIADAU A THRADDODIADAU

Gwaith yr enwadau crefyddol yng Nghymru heddiw yw dathlu eu hamrywiaethau a dod i ddeall ei gilydd.

Nid moethusrwydd yw closio at ein gilydd fel aelodau o'r gwahanol eglwysi ond anghenraid.

Nid cyfundrefn sydd wedi'i sefydlu'n ddiysgog hyd ddiwedd amser yw'r Eglwys. Pererinion ar daith ydi Cristnogion. Nid pobl lonydd, swrth, sydd eu hangen ar Dduw, ond pobl sydd wastad ar fynd, fel Iesu ei hun. 'Mae ef wedi mynd o'n blaen' oedd neges fawr y Pasg.

Ffaith ganolog yr undod hwn yw 'Un Arglwydd' a dyma graidd undod ysbrydol yr Eglwys. Mae'r Eglwys yn Un am fod ei Harglwydd yn un, ac y mae'r rhai sy'n un ag ef hefyd yn un â'i gilydd.

Gweddïwn am gymorth Duw i ymrwymo o ddifrif i'r dasg o geisio cymod ac undod yn yr eglwys, yn ein cymdogaeth ac ymhlith ein cyd-ddynion.

Y mae Crist a'r Eglwys yn ddau yn yr un cnawd.

Awstin Sant

Doniau

I un fe roddodd bum cod o arian, i un arall ddwy, i un arall un, i bob un yn ôl ei allu, ac fe aeth oddi cartref.

Mathew 25: 15

EMYNAU

Mae Duw yn arddangos ei ddoniau yn y greadigaeth:

Tydi sy deilwng oll o'm cân,
 fy Nghrëwr mawr a'm Duw;
dy ddoniau di o'm hamgylch maent
 bob awr yr wyf yn byw.

David Charles (*Caneuon Ffydd*: 64)

Diolchwn i Dduw am bob dawn sydd gennym:

Am bob rhyw ddawn diolchwn ni,
 am leisiau pur a glân,
am emyn hoff a'i eiriau cain
 a pheraidd sain y gân.

W. Emlyn Jones (*Caneuon Ffydd*: 5)

Rho i ni'r ddawn i ryfeddu a gwerthfawrogi rhod y tymhorau:

Pan ddaw pob tymor yn ei dro
 rhyfeddu wnawn at allu'r Iôr
yn creu amrywiaeth lliw a llun
 ar faes a mynydd, tir a môr.

Rebecca Powell (*Caneuon Ffydd*: 81)

Moliannwn Dduw, y tirion Dad, am ei ddoniau tuag atom:

Ti, O Dduw, foliannwn
am dy ddoniau rhad,
mawr yw d'ofal tyner
drosom, dirion Dad;
llawn yw'r ddaear eto
o'th drugaredd lân,
llawn yw'n calon ninnau
o ddiolchgar gân.

Spinther (*Caneuon Ffydd*: 127)

Cysegra ein doniau i helpu a chysuro ein cyd-ddynion:

Rho imi nerth i wneud fy rhan,
i gario baich fy mrawd,
i weini'n dirion ar y gwan
a chynorthwyo'r tlawd.

E. A. Dingley *cyf*. Nantlais (*Caneuon Ffydd*: 805)

Canmolwn ddoniau'r rhai sy'n gallu trin y pren a hynny er dy glod:

Tydi sy'n galw'r pren
o'r fesen yn ei bryd,
a gwasgu haul a glaw
canrifoedd ynddo 'nghyd:
O cofia waith y gŵr â'r lli'
a dorrodd bren i'th allor di.

Tomi Evans (*Caneuon Ffydd*: 820)

GWEDDÏAU

Diolchwn am bob dawn gan eu defnyddio er lles dynoliaeth:

Bendigwn dy enw mawr am y cyfoeth doniau sy'n perthyn i ni. Rydym
i gyd yn wahanol, ond mae gan bob un ohonom ei gyfraniad er lles
dynoliaeth. Amen.

Gareth Alban Davies

Cofiwn am ddoniau y rhai nad ydynt yn enwog a boed i ni ymarfer y dalent a roddwyd i ni:

Ond na ad i ni anghofio'r rhai na adawodd enw ar eu hôl, y rhai distadl a ddefnyddiodd eu doniau cyffredin hyd eithaf eu gallu. Mae gan bawb ohonom ryw ddawn neu'i gilydd y gallwn ei datblygu. Boed inni beidio â chwerwi os na chawsom ddawn fawr neu dalent anghyffredin. Yn hytrach boed inni ymroi i ymarfer y dalent a roddwyd i ni. Amen.

John Owen

Gwyliwn rhag ofn i ni gamddefnyddio'r doniau a roddwyd i ni:

Diolch am y gwyddonydd a'i ddarganfyddiadau; am y ddawn i ddarganfod sut i wella a lleddfu poen; am y ddawn i drin y ddaear; y ddawn i ddod â thechnoleg fodern i afael gwareiddiad. Ond erys y tristwch, Arglwydd, fod camddefnyddio ar ddoniau fel hyn. Gwnawn fwy a mwy o arfau dinistriol; camddefnyddiwn ddefnyddiau crai ein byd; mae ein dyfeisgarwch yn dod â dinistr. Newidiwn ffordd o fyw'r canrifoedd yn y fforestydd, gan wneud y tlawd yn dlotach a'r cyfoethog yn gyfoethocach. Maddau i ni. Amen.

Gareth Alban Davies

Cofiwn am y rhai hynny sydd wedi cysegru eu doniau i geisio trawsnewid y byd:

Diolchwn am bobl sydd wedi medru newid cyfeiriad hanes, y rhai hynny sydd wedi cysegru eu doniau i geisio gwneud ein byd yn lle gwell i fyw. Amen.

Mil a Mwy o Weddïau

Rho inni'r ddawn i wneud ewyllys Duw a gwneud y byd yn well lle i fyw ynddo:

Gweddïwn, O Dduw, ein bod bob amser ac ar bob achlysur yn gwneud dy ewyllys di a hynny er mwyn gwneud y byd fel yr wyt eisiau iddo fod. Gyda'n gilydd fe allwn greu nefoedd a daear. Amen.

ADNODAU

Galwodd Iesu ei ddisgyblion i ddefnyddio'u doniau i'r eithaf:

Wedi hynny penododd yr Arglwydd ddeuddeg a thrigain arall, a'u hanfon allan o'i flaen, bob yn ddau, i bob tref a man yr oedd ef ei hun am fynd iddynt.

Luc 10: 1

Mae'r ddameg yn ein hannog i ddefnyddio'n doniau i'r eithaf:

Oherwydd i bawb y mae ganddo y rhoddir, a bydd ar ben ei ddigon, ond oddi ar yr hwn nad oes ganddo fe gymerir hyd yn oed hynny sydd ganddo.

Mathew 25: 29

Mae'n doniau yn amrywio ond defnyddiwn hwy i wneud ein gorau:

A chan fod gennym ddoniau sy'n amrywio yn ôl y gras a roddwyd i ni, dylem eu harfer yn gyson â hynny. Os proffwydoliaeth yw dy ddawn, arfer hi yn gymesur â'th ffydd.

Rhufeiniaid 12: 6

Yr Ysbryd Glân yw rhoddwr y doniau; gwnawn yn fawr ohonynt:

yn ein purdeb, ein gwybodaeth, ein goddefgarwch a'n caredigrwydd; yn yr Ysbryd Glân ac yn ein cariad diragrith.

2 Corinthiaid 6: 6

Mae Duw wedi ysbrydoli Besalel fab Uri â phob dawn i wneud cywreinwaith:

Dywedodd yr ARGLWYDD wrth Moses, "Edrych, yr wyf wedi dewis Besalel fab Uri, fab Hur, o lwyth Jwda, a'i lenwi ag ysbryd Duw, â doethineb a deall, â gwybodaeth a phob rhyw ddawn."

Exodus 31: 1–3

Mae Paul yn annog dilynwyr Iesu yng Nghorinth i roi eu bryd ar y doniau dyrchafol:

Ond rhowch eich bryd ar y doniau gorau.
Ac yr wyf am ddangos i chwi ffordd ragorach fyth.

1 Corinthiad 12: 31

DYWEDIADAU A THRADDODIADAU

Nid maint na phwysigrwydd ein doniau sy'n bwysig ond y defnydd a wnawn ohonynt.

Gorau dawn, deall.

Heb ddysg, heb ddawn
Heb ddawn, heb ddoethineb
Heb ddoethineb, heb Dduw
Heb Dduw, heb ddim, Duw a digon.

Nid yw neb yn gwerthfawrogi dawn sydd wedi'i chuddio.

Erasmus

Athro: Pan oedd y prif weinidog yr un oed â ti, roedd wedi defnyddio pob dawn oedd ganddo ac ef oedd y cyntaf yn y dosbarth bob tro.
Plentyn: O, ia! A phan oedd yr un oed â chi, fo oedd prif weinidog y wlad 'ma!

Mae'r hwn sy'n lladd amser yn cyflawni hunanladdiad.

Llyfryddiaeth

Addolwn ac Ymgrymwn (Y Gorfforaeth Ddarlledu Brydeinig, 1955)
Y Beibl Cymraeg Newydd (argraffiad diwygiedig, 2004)
Caneuon Ffydd (Pwyllgor emynau cyd-enwadol, 2001)
Dafydd, Eirian a Gwilym, *Gweddïau'r Pedwar Tymor 2* (Cyhoeddiadau'r Gair, 2007)
Davies, Aled (gol.), *Oedfaon Ffydd* (Cyhoeddiadau'r Gair, 2009)
Davies, Aled (gol.), *Gweddïau Cyhoeddus* (Cyhoeddiadau'r Gair, 2005)
Davies, Olaf (gol.), *Mil a Mwy o Berlau* (Cyhoeddiadau'r Gair, 2013)
Emynau'r Llan (Pwyllgor Cerdd Esgobaeth Bangor, 1990)
Evans, Aled Lewis, *Adlais* (Cyhoeddiadau'r Gair, 2007)
Evans, H. Meurig, *Cerddi Diweddar Cymru* (Llyfrau'r Dryw, 1964)
Gweddïo (1992)
Hughes, Huw John, *Dyrchafu'r Duw Byw* (Cyhoeddiadau'r Gair, 2008)
Hughes, Huw John, *Defosiwn Gŵyl y Cynhaeaf* (Cyhoeddiadau'r Gair, 2013)
Hughes, Huw John, *Myfyrdodau Cyhoeddus* (Cyhoeddiadau'r Gair, 2014)
Jones, D. Morlais a J. Gwilym Jones (goln.), *Rhagor o Weddïau yn y Gynulleidfa* (Tŷ John Penri, 1991)
Jones, Dic, *Cynhaeaf* (Gwasg y Ffynnon, 1976)
Jones, Glyn Tudwal, *Gweddïau'r Pererin* (Cyhoeddiadau'r Gair, 1996)
Jones, John Lewis, *Coronwch Ef yn Ben* (Cyhoeddiadau'r Gair, 2009)
Lewis, Edwin C., *Mil a Mwy o Ddyfyniadau* (Gwasg Gomer, 2007)
Lewis, Edwin C., *Mil a Mwy o Weddïau* (Cyhoeddiadau'r Gair, 2010)
Lewis, Trefor, *Gweddïau i'r Eglwys a'r Gymuned* (Cyhoeddiadau'r Gair, 1995)
Llwyd, Alan (gol.), *Y Flodeugerdd Englynion* (Christopher Davies, 1978)
Llwyd, Alan ac Elwyn Edwards, *Gwaedd y Bechgyn* (Cyhoeddiadau Barddas, 1989)
Llyfr Gweddi Gyffredin
Llyfr Gwasanaeth Undeb yr Annibynwyr Cymraeg (Abertawe, 1962)
Llyfr Gwasanaeth Undeb yr Annibynwyr Cymraeg (Abertawe, 1998)
Loader, Maurice, *Taro'r Sul* (Tŷ John Penri, 1996)
Maelor, Gareth, *Helo, pwy sy' 'na?* (Gwasg Pantycelyn, 1998)
Maelor, Gareth, *Fi sy' 'ma* (Gwasg Pantycelyn, 2008)
Morgan, Enid (gol.), *Cyfoeth o'i drysor* (Gwasg yr Eglwys yng Nghymru, 1992)
Owen, John (gol.), *Cau'r Adwy* (Gwasg Pantycelyn, 1992)
Roberts, Brynley F. (gol.), *Cynnal Oedfa* (Gwasg Pantycelyn, 1993)
Roberts, Elfed ap Nefydd (gol.), *Yn ôl y dydd* (Cyhoeddiadau'r Gair, 1991)
Roberts, Elfed ap Nefydd, *O Fewn ei Byrth* (Gwasg Pantycelyn, 1994)
Roberts, Elfed ap Nefydd (gol.), *Hwn yw'r Dydd* (Cyhoeddiadau'r Gair, 1997)
Roberts, Elfed ap Nefydd (gol.), *Amser i Dduw* (Cymdeithas Lyfrau Ceredigion, 2004)
Teulu Duw, pecyn trafod, (Cyngor Eglwysi Cymru, 1985)